LE PÈRE DE NOS PÈRES

Né en 1961 à Toulouse, [illegible] e nouvelle dans un *fanz*[illegible] ir été pendant dix ans j[illegible] s grands *news magazines* [illegible] e romanesque.
Dès son premier livre, [illegible] st imposé comme un ma[illegible] le littérature, à cheval entre la saga d'aventures, le roman fantastique et le conte philosophique. *Le Jour des fourmis*, publié deux ans plus tard, traduit en vingt-deux langues, a obtenu le Grand Prix des lectrices de *Elle* et le Grand Prix des lecteurs du Livre de Poche 1995. *La Révolution des fourmis* est venu clore cette trilogie. Bernard Werber a même été mis au programme de certaines classes de français, philosophie et... mathématiques.
Il est aussi l'auteur des *Thanatonautes*, de *L'Empire des anges*, du *Livre du Voyage*, et de *l'Ultime Secret*.

Paru dans Le Livre de Poche :

LES FOURMIS :

1. LES FOURMIS

2. LE JOUR DES FOURMIS

3. LA RÉVOLUTION DES FOURMIS

COFFRET LES FOURMIS

L'EMPIRE DES ANGES

LE LIVRE DU VOYAGE

LES THANATONAUTES

BERNARD WERBER

Le Père de nos pères

ROMAN

ALBIN MICHEL

A Barnabé.

« Entre
Ce que je pense,
Ce que je veux dire,
Ce que je crois dire,
Ce que je dis,
Ce que vous avez envie d'entendre,
Ce que vous croyez entendre,
Ce que vous entendez,
Ce que vous avez envie de comprendre,
Ce que vous comprenez,
Il y a dix possibilités qu'on ait des difficultés à communiquer.
Mais essayons quand même... »

Encyclopédie du savoir relatif et absolu
EDMOND WELLS

PREMIÈRE PARTIE

LE CHAÎNON MANQUANT

1. LES TROIS QUESTIONS

Qui sommes-nous ?
Où allons-nous ?
D'où venons-nous ?

2. UNE BOUTEILLE À LA MER

Paris.
De nos jours.
Le Pr Adjemian venait de sa cuisine.
Il s'assit à son bureau, s'empara d'un stylo noir et écrivit sur un bloc-notes : « Ça y est. J'ai enfin trouvé. Je sais quoi répondre à l'une des trois questions fondamentales que doit se poser tout être humain : "D'où venons-nous ?" »
Il hésita un instant sur la meilleure façon de poursuivre, puis il se mit à noter à toute vitesse : « Je sais à quel moment est apparu le premier homme. Je sais pourquoi, un jour, un animal s'est mué en un être à l'esprit tellement complexe qu'il est capable désormais de faire l'amour le sexe

enveloppé de plastique, de regarder la télévision quatre heures par jour et de s'entasser volontairement avec des centaines d'individus dans des rames de métro sans air. »

Il étira ses lèvres en un sourire sans joie, respira un grand coup et continua : « Je sais pourquoi et comment est née l'humanité. Je connais l'identité de celui que, faute de mieux, on a coutume de nommer "le chaînon manquant". »

Un tic nerveux déforma sa joue.

« C'est un terrible secret. Le monde sera frappé d'étonnement lorsque je le livrerai. C'est pour cela que j'ai besoin de ton aide, toi qui me lis. Tu ne dois absolument pas me laisser tomber. »

Son stylo ne fonctionnait plus. Il s'empressa d'en chercher un autre dans un tiroir. « Ma découverte est certaine, mais tu connais les gens. La plupart n'entendent rien. Les rares qui entendent n'écoutent pas. Les rares qui écoutent ne comprennent pas. Quant à ceux qui pourraient comprendre... ils s'en fichent. Dévoiler le secret de l'humanité, à quoi bon si personne n'est prêt à le recevoir ? Il ne suffit pas d'offrir. Il faut préparer les gens à recevoir le cadeau. L'information que la terre est ronde ne s'est répandue que très progressivement. Et c'est progressivement aussi qu'il importe de répandre le secret du chaînon manquant. Sans heurter quiconque. Simplement en réveillant une vieille curiosité depuis trop longtemps endormie, et seulement ensuite en l'assouvissant. »

Le Pr Adjemian relut le paragraphe puis reprit : « C'est un secret déconcertant. Avant d'entamer mes recherches sur le continent africain, jamais je n'aurais pu me douter de ce que j'allais y découvrir. Mais je t'en supplie, crois-moi. J'ai trouvé la vérité, la vérité vraie. J'en ai les preuves. »

Il essuya de la main la sueur qui perlait à son front.

« Sans toi, sans ta confiance, sans ton crédit, sans ton soutien, tout mon labeur n'aura servi à rien. Aide-moi, je t'en prie. Le temps est venu de révéler la réponse à la grande question : "D'où venons-nous ?" »

3. SAUVE QUI PEUT

Quelque part en Afrique de l'Est.

Il y a 3,7 millions d'années.

IL vient de surgir entre deux mamelons du terrain.

IL court à perdre haleine.

Tout près de lui, il perçoit le souffle rauque de son frère.

Moment délicat.

Lui et son frère se sont approchés d'un groupe de hyènes. Ils les ont provoquées en grognant et en gesticulant. Elles n'ont pas tardé à les prendre en chasse. Habituellement, c'est censé être un piège. Leur tâche est d'appâter une hyène pour l'attirer vers le grand arbre. Là, ceux de leur horde dissimulés dans les branches basses lui tomberont dessus et profiteront du nombre pour écraser le fauve.

Mais aujourd'hui, il y a quelques problèmes. Problème numéro un : ce n'est pas une hyène mais trois, et de forte taille, qui se sont ruées à leur poursuite. Problème numéro deux : dans la panique de leur course effrénée, lui et son frère ont perdu leurs repères et, à présent, ils sont complètement désorientés.

Où peut bien se trouver le grand arbre où sont cachés les leurs ?

Ils galopent. Devant eux, s'étale une large flaque de boue. Ils n'hésitent pas une seconde à s'y engager. La boue est un excellent ralentisseur de hyènes. IL et son frère savent alternativement courir sur quatre ou deux pattes. Les hyènes, elles, n'ont pas ce choix.

Ils se redressent, passent donc en mode bipède et s'élancent au travers de la flaque. La boue colle un peu à leurs deux pattes mais elle les ralentit à peine tandis que les quatre pattes des hyènes s'y enlisent. Ils sont convaincus qu'elles vont renoncer à la chasse, mais, au contraire, s'étant péniblement extirpées de la flaque de boue, elles s'élancent vers eux avec une rage décuplée.

IL et son frère détalent.

La plus rapide des hyènes les rejoint presque et IL sent son haleine fétide et chaude sur ses mollets. La règle de base dans les courses-poursuites, c'est de ne jamais se retourner. Quoi qu'il arrive. Cependant, la curiosité l'emporte. IL veut savoir si la hyène menace de l'attraper. IL tourne légèrement la tête et aperçoit une mâchoire béante, sur le point de lui enfoncer une canine effilée dans la chair.

4. DANS LA BAIGNOIRE

Une blessure profonde lui faisait un vilain sourire au-dessous du nombril. Quelque chose de pointu avait frappé le Pr Adjemian au ventre. Il ne bougeait plus.

Il était tout raide, assis, comme hébété au milieu de son sang.

La porte d'entrée joua sur ses gonds.

Sa femme de ménage fut la première personne à le découvrir. Elle avait entrepris de nettoyer l'appartement en sifflotant une comptine portugaise quand elle aperçut le corps du savant, rigide dans sa baignoire. Elle poussa un cri strident, se signa rapidement et s'enfuit quérir son mari qui officiait en tant que gardien au rez-de-chaussée. L'homme monta, émit une série de jurons évoquant des instants méconnus de la vie sexuelle de certains saints portugais et téléphona à la police.

S'ensuivit sur le palier un attroupement formé par quelques voisins attirés par le tapage mais qui restèrent prudemment sur le seuil. Puis : trois policiers qui prirent officiellement le contrôle des lieux. Puis : un jeune inspecteur blasé à l'air épuisé. Puis : un journaliste d'agence de presse qui avait capté l'appel de la police sur la radio de sa voiture. Puis : deux journalistes de quotidiens, l'esprit encore embrumé par le bouclage tardif de la veille. Puis : encore des voisins badauds interpellant les premiers avec des : « Qu'est-ce qui s'est passé ? » Puis : une journaliste d'hebdomadaire qui se trouvait habiter par hasard à l'étage au-dessus et qui, en descendant tranquillement l'escalier, avait été intriguée par tout ce remue-ménage. Le policier de faction la laissa passer quand elle exhiba sa carte de presse. Puis : des mouches. Puis : des acariens nécrophages. Mais ces derniers (vu les distances à leur échelle) furent les plus longs à approcher du corps.

Le jeune inspecteur examina attentivement le lieu du crime en le parcourant en tous sens et délivra ses conclusions aux journalistes présents. Selon lui, on se trouvait en présence d'un crime commis probablement par un serial killer en maraude. Il y en avait déjà eu plusieurs dans le quartier. Chaque fois, les circonstances étaient identiques. Le tueur rôdait dans les couloirs des immeubles en quête d'une porte laissée entrouverte par un locataire insouciant. Dès qu'il en repérait une, il pénétrait dans l'appartement, s'emparait du premier objet à portée de main susceptible de faire fonction d'arme et frappait à mort.

— Il s'agit du cinquième crime du même genre depuis le début du mois. Tout coïncide parfaitement. Aucune trace, pas d'effraction, la porte n'a pas été forcée. Une arme de fortune empoignée sur la scène même du crime, en l'occurrence un des piolets de paléontologie qui traînent dans le bureau. L'assassin a dû l'emporter après son forfait et s'en débarrasser plus tard dans une poubelle quelconque. Si une benne ne les a pas déjà enlevées, il suffira probablement de sonder les ordures du coin pour retrouver l'objet.

A peine commencée, l'enquête était close. Le jeune policier demanda aux journalistes de ne pas omettre de rappeler à leurs lecteurs qu'il faut toujours veiller à bien refermer sa porte derrière soi. Surtout dans les grandes villes où il vaut mieux se méfier de tout le monde.

Les journalistes ne se donnèrent pas la peine de consigner cette recommandation civique. Déjà, ils brandissaient leurs appareils photo pour tâcher de ramener le meilleur cliché des lieux.

L'inspecteur observa de loin la journaliste d'hebdomadaire. Elle était comme une apparition féerique en ce lieu blafard. Une longue chevelure rousse micro-ondulée retenue par un ruban de velours noir, des yeux vert émeraude, une veste chinoise sans manches dévoilait des épaules fines tandis que le col mao dissimulait le cou, une façon gracieuse de se déplacer telle une petite souris... Quand elle capta son regard intéressé, il s'enhardit :

— Pour quel journal travaillez-vous et comment vous appelez-vous, mademoiselle ?

— Lucrèce Nemrod, je bosse pour *Le Guetteur moderne*. Mais ne perdez pas votre temps à me draguer. Je ne mélange jamais plaisir et travail, rétorqua-t-elle, sans cesser de mâchouiller un chewing-gum.

Le jeune homme rougit et se dirigea vers les

plantons à la porte qu'il morigéna copieusement en leur reprochant de n'avoir pas encore dispersé la petite foule de voisins baguenaudant sur le palier.

Avec sa repartie fraîche, la journaliste avait atteint son objectif. Laissée seule, elle put étudier à loisir les dossiers qui se trouvaient dans le bureau de la victime. Un classeur portait la mention *Curriculum vitae.* Elle l'ouvrit. Le Pr Adjemian devait avoir été une sommité scientifique et il cumulait des diplômes de paléontologie émanant d'universités tant françaises qu'anglaises et américaines.

Elle feuilleta ensuite un classeur *Presse* et prit au hasard une coupure récente. Le Pr Adjemian annonçait qu'il opérerait bientôt des fouilles en Tanzanie, dans la vallée de l'Olduvai, et prétendait s'apprêter à révéler « la véritable nature du chaînon manquant » de l'humanité.

Il y avait près des murs des squelettes de singes, suspendus à des potences par des fils de fer entortillés. A droite dans une vitrine, des centaines d'os fossilisés recouverts de vernis jaune et soigneusement étiquetés. A gauche, des photographies de chimpanzés plus ou moins grimaçants et du matériel de fouille : pioches, pelles, brosses, racloirs, pinceaux, loupes, piolets de toutes tailles.

Elle gagna la salle de bains. Sous les flashes de ses collègues journalistes, le corps nu et blanc du Pr Adjemian assis dans sa baignoire apparaissait comme un mannequin de cire marinant dans du jus de pruneaux. La rigidité cadavérique avait accompli son travail. Le savant était là, les yeux fixes, grands ouverts, la bouche béante, les sourcils levés.

Il y avait pourtant quelque chose de curieux dans la position du corps. La main gauche reposait dans l'eau stagnante de ce dernier bain, mais la main droite, elle, était bien ancrée sur le bord de céramique, index crispé en direction du miroir.

Comme si, juste avant de mourir, le savant avait voulu désigner quelque chose ou quelqu'un s'y reflétant.

5. LA PEUR AU VENTRE

La bête est derrière lui, fulminante de rage.

IL évite de justesse le coup de mâchoire de la hyène.

Pour se tirer d'une situation ne pouvant aboutir qu'à une catastrophe, il faut changer de trajectoire.

Encore et encore, cette pensée se répète dans son crâne.

POUR SE TIRER D'UNE SITUATION NE POUVANT ABOUTIR QU'À UNE CATASTROPHE, IL FAUT CHANGER DE TRAJECTOIRE.

A force de la ressasser, IL finit par la comprendre et d'un coup vire sec sur la droite.

Changement de cap.

Les autres sont obligés de changer eux aussi de trajectoire s'ils veulent continuer à le suivre. C'est son frère qui réagit le plus rapidement. Les trois hyènes sont cependant toujours sur leurs talons. C'est le problème avec les hyènes, elles ne renoncent jamais. Elles sont capables de poursuivre leur proie sur de longues distances, parfois même plusieurs jours.

IL allonge sa foulée. Son frère est épuisé et son souffle résonne de plus en plus rauque. Désolé. Quand on ne possède pas de longues canines pointues, il faut avoir de larges poumons et des pattes musclées.

Son frère est si anxieux de retrouver le grand arbre que ses yeux se tendent en avant. Mais dans son champ de vision, il ne distingue rien. Avec la chaleur ambiante la sécheresse se répand, les arbres dépérissent, les éléphants les cassent, et résultat : les zones déboisées s'étendent. Il y a de plus en plus de steppes aux herbes hautes, de savanes ponctuées d'acacias et de baobabs, et de moins en moins de grands arbres touffus. Lui et les siens deviennent dès lors des proies faciles pour tous les carnassiers.

Les hyènes accélèrent leurs foulées. L'une lance prestement une patte en direction des mollets. Le frère, fauché net, est projeté à terre en une cabriole. Le problème avec la bipédie, c'est qu'au moindre croc-en-jambe on est fichu. Déjà deux hyènes sont sur lui. Une lui mord très fort le nez pour s'assurer qu'il ne bouge plus. L'autre a déjà planté ses crocs dans son ventre.

Adieu, vieux frère. Pas de temps à perdre en condoléances.

La troisième hyène, la plus grosse, le poursuit toujours. IL zigzague pour la fatiguer. En vain. IL sait maintenant que s'il ne retrouve pas rapidement les siens, il est condamné.

Où peuvent bien être nichés ceux de sa horde ?

6. RUBRIQUE « SOCIÉTÉ »

Ils étaient tous dans la petite salle de conférences du premier étage pour la réunion du service « Société » du *Guetteur moderne*. Lucrèce Nemrod participait pour la première fois à ce rituel et Franck Gauthier, son collègue de la science, lui proposa de s'asseoir à côté de lui.

Un coursier apporta un paquet d'exemplaires

du numéro qui sortirait le lendemain dans les kiosques. Les journalistes s'emparèrent chacun d'un magazine afin de vérifier si leur article n'avait pas été coupé au dernier moment ou si on n'avait pas oublié leur signature.

Dans son vaste bureau, trônait Christiane Thénardier, la chef de rubrique, protégée par une table en marbre froid et massif. Elle souhaita à tous la bienvenue et annonça qu'il leur faudrait faire vite car elle avait un déjeuner important à treize heures. Comme d'habitude, elle suggéra que l'on procède à un tour de table, dans le sens des aiguilles d'une montre, chacun proposant son sujet pour le prochain numéro.

Maxime Vaugirard, le journaliste sociologico-humoristique, prit la parole en premier. Il comptait écrire un papier sur les tripiers, un métier en voie de disparition. En raison des découvertes récentes sur le prion du bœuf, mais aussi à cause d'une sensiblerie mal placée, les consommateurs, expliqua-t-il, rechignaient de plus en plus à manger des intestins, des foies, des reins, de la cervelle ou de la moelle. Conséquence : des plats gastronomiques traditionnels tels que les tripes à la mode de Caen, la cervelle aux câpres et les rognons sauce Madère se faisaient de plus en plus rares sur les cartes des restaurants.

La chef de rubrique convint qu'il s'agissait là d'un noble combat et s'empressa de donner son feu vert à la réhabilitation des plats de viscères.

Florent Pellegrini, grand reporter en criminalité, souhaitait enquêter sur une petite grand-mère qui avait longtemps vécu recluse dans son appartement parisien avant d'être retrouvée dévorée par ses chats.

— Excellent petit polar noir, convint la chef de rubrique, à condition évidemment de le traiter avec un peu d'humour.

Clothilde Plancaoët, spécialisée en écologie, souligna que, même si l'on n'en parlait plus, la centrale de Tchernobyl continuait doucement à s'enfoncer et menaçait de toucher une nappe phréatique et donc de contaminer toute l'eau potable de la région.

La chef de rubrique fit la moue, arguant que le sujet était déjà démodé.

Clothilde Plancaoët suggéra alors un papier sur les baleines se suicidant en masse au large de la Californie.

— On sait que les baleines émettent des chants en infrasons, lesquels se propagent sur de grandes distances. Or les bruits de moteur des bateaux parasiteraient ces chants. Du coup, les baleines ne peuvent plus se parler et, par manque de communication, elles se tueraient.

Christiane Thénardier eut un geste de la main.

— Aucun intérêt. Ma pauvre Clothilde, si toute votre imagination consiste à nous refiler des sujets rebattus ou des resucées de la presse anglo-saxonne, ce n'est peut-être pas la peine que vous vous dérangiez encore pour participer à nos réunions.

Clothilde Plancaoët blêmit, se leva et se précipita vers la porte afin de ne pas offrir à sa supérieure hiérarchique le plaisir de la voir pleurer. Celle-ci haussa les épaules et alluma un cigare.

— Clothilde est trop fragile, trancha-t-elle. Dans ce métier il faut des couilles.

Florent Pellegrini ébaucha un mouvement vers la sortie afin de tenter de réconforter la jeune journaliste écologiste, mais la maîtresse des lieux le retint.

— Laisse donc. Quand elle en aura fini avec sa petite crise d'amour-propre, elle reviendra. De toute façon, elle n'a pas le choix. Suivant.

Ghislain Bergeron évoqua l'ambiance de peur dans les lycées. Beaucoup de professeurs vivaient dans la terreur de leurs élèves, lesquels arrivaient de plus en plus souvent en cours armés de couteaux à cran d'arrêt ou de pistolets trafiqués.

— A la moindre mauvaise note, les profs savent qu'ils risquent de retrouver leurs pneus crevés, voire d'être menacés de mort. Il y en a tellement qui craquent que l'administration vient d'ouvrir un neuvième centre de repos pour pédagogues à bout de nerfs.

— Excellent sujet. Surtout que nous comptons un important pourcentage d'enseignants parmi nos abonnés.

Lorsque vint son tour, Kevin Abitbol, journaliste polyvalent, proposa une recension des cent Français les plus riches.

Le sujet avait certes été traité il y avait un mois à peine mais les gens aiment bien savoir qui jalouser, et c'était donc toujours l'assurance d'une bonne vente.

Pour l'heure, dans la liste des sujets sans risques qui marchaient à tous les coups, on comptait sur : « les nouveaux célibataires », « les francs-maçons », « la crise de l'immobilier » et, bien sûr, « les cent Français les plus riches ». N'arrivaient qu'ensuite « les nouveaux régimes qui font maigrir », « Dieu et la Science », « le mal de dos » et « la sexualité des Français ».

Chaque fois que le journal accusait une baisse des ventes, on faisait appel à ces valeurs sûres. Or justement, ces temps-ci, des lecteurs manquaient à l'appel. Officiellement, on mettait en cause l'omnipotence de la télévision. Officieusement, on déplorait que les magazines concurrents affichent depuis un moment de plus alléchantes couvertures. Telles que « les francs-maçons célibataires » ou « Dieu et la sexualité des Français »... Il n'y avait plus lieu donc d'hésiter à sortir la grosse artillerie. « Les cent Français les plus riches », ce serait parfait.

Satisfaite, la chef de rubrique poursuivit sa ronde et se tourna vers Franck Gauthier, journaliste scientifique. Il proposa comme sujet : « L'homosexualité est-elle un gène héréditaire ? » Il expliqua que de sérieuses recherches scientifiques menées par un laboratoire américain militaient en ce sens. « Scientifique », « sérieux », « laboratoire américain », trois assertions aptes à crédibiliser n'importe quel sujet.

Florent Pellegrini leva pourtant la main.

— Euh... Un gène héréditaire ? Sans être un scientifique, pour ma part, Franck, il me semble que... les homosexuels ne se reproduisent pas.

Il y eut quelques rires étouffés parmi la vingtaine de journalistes présents. Cette manifestation d'hilarité agaça la chef de rubrique.

— Excellent sujet, trancha-t-elle. Nous avons un large public d'homosexuels qui se précipitera sur ce genre d'article. Ne serait-ce que pour savoir si c'est vrai ou faux.

Satisfait, Franck Gauthier se décida ensuite à présenter sa nouvelle stagiaire. Il expliqua que Lucrèce Nemrod avait fait ses classes dans un quotidien du Nord dont le rédacteur en chef la lui avait chaudement recommandée.

Christiane Thénardier toisa la nouvelle recrue de la tête aux pieds, s'arrêtant au passage sur la poitrine pommée. Elle s'attarda aussi sur la longue crinière rousse micro-ondulée. La chef, elle, avait les cheveux courts et décolorés en blond platine. Sur-le-champ, la femelle humaine mûre considéra la femelle humaine jeune comme une rivale. Toutes sortes d'informations olfactives lui confirmèrent cette première impression. Lucrèce Nemrod fleurait bon les hormones fraîches alors que Christiane Thénardier était contrainte de s'asperger copieusement de parfums onéreux.

En outre, Lucrèce Nemrod avait une grâce

naturelle. Et surtout, surtout, ce regard insolent qui la narguait sur son territoire.

Christiane Thénardier se contint. Elle se souvenait d'avoir lu dans un article de Pellegrini que dans les prisons pour femmes, lorsqu'une nouvelle venue était trop jolie, les anciennes lui sautaient dessus pour lui lacérer le visage avec l'angle des carrés de sucre. Pourquoi le sucre ? Parce que les cicatrices laissées par cette dure friandise sont indélébiles.

— Les quotidiens régionaux sont une excellente école, en effet, convint-elle sentencieusement. Quelle est sa proposition de sujet ?

Lucrèce Nemrod se leva.

— En sortant de mon studio ce matin, j'ai aperçu un attroupement devant l'appartement situé juste au-dessous du mien. Un meurtre. La police était déjà là. Mon voisin a été assassiné d'un coup de piolet au ventre alors qu'il prenait son bain.

La chef de rubrique ralluma son cigare qui menaçait de s'éteindre et expédia des rafales de fumée dans toutes les directions comme pour rappeler qu'elle disposait du pouvoir d'empoisonner tous les poumons alentour sans que quiconque ose s'y opposer.

— S'il y a crime, cette affaire est du ressort de Florent Pellegrini.

— La victime est connue. C'est le Pr Pierre Adjemian, l'un des plus grands experts au monde en matière de paléontologie humaine. Il s'était fixé pour objectif la découverte du chaînon manquant.

— Du quoi ?

— Du chaînon manquant. Le mystère originel. Un jour, un singe s'est mué en un être humain. Mais il y a eu une phase intermédiaire. Les scientifiques ont pris l'habitude de désigner cet être intermédiaire sous le nom de « chaînon manquant ». Le Pr Adjemian a consacré toute sa vie à la recherche du chaînon manquant et je suis convaincue que son assassinat n'est pas l'œuvre d'un rôdeur, comme le pense la police, mais qu'on l'a bel et bien tué parce qu'il avait découvert ce secret et s'apprêtait à le révéler au monde. On a voulu le faire taire. Ce que je vous propose donc, c'est un article relatant les plus récentes découvertes scientifiques sur nos origines et une enquête sur la mort du Pr Adjemian. Une sorte de polar paléontologique.

La chef de rubrique ne répondit pas tout de suite. Elle s'empara d'une petite guillotine sur son bureau, trancha l'extrémité trop mâchouillée de son cigare, dévisagea à nouveau la stagiaire et décida qu'elle était vraiment trop jolie.

— Non.

— Quoi, non ?

— Non. Votre sujet ne m'intéresse pas.

— Et pourquoi donc ? s'entêta Lucrèce.

— Sans doute en raison de votre jeune âge ou parce que vous n'avez exercé qu'en province, vous avez une vision un peu naïve de notre profession. Dans un hebdomadaire, il est impossible de travailler sur une actualité chaude telle que la mort d'un scientifique. Nous serions toujours en retard par rapport aux quotidiens. D'ailleurs, je suis bien sûre que cette affaire a déjà été amplement commentée par la presse du jour.

Franck Gauthier confirma avoir déjà lu en effet plusieurs nécrologies du Pr Adjemian dans les quotidiens.

— De toute façon, déclara doctement la chef, votre type n'est pas assez médiatique. Un acteur, un chanteur, un top model, il n'y a que ces gens qui intéressent le grand public. La mort d'un scientifique, c'est juste un fait divers.

Lucrèce Nemrod plongea son regard émeraude dans les pupilles brunes de sa supérieure hiérarchique.

— C'est précisément pour ça que je suggère d'étendre le sujet à un dossier faisant le point sur la recherche de nos origines. C'est l'une des trois grandes questions que se pose tout un chacun. Qui sommes-nous ? Où allons-nous ? Et... d'où venons-nous ?

La chef de rubrique était assez satisfaite d'avoir contraint la mignonne à sortir de sa réserve. Bien calée dans son fauteuil directorial en peau de buffle, il ne lui restait plus qu'à porter l'estocade finale.

— Ne soyez donc pas insolente, ma petite. J'en ai maté de plus coriaces que vous. Plutôt que vos trois questions, une seule et unique devrait vous tarauder : « Comment dégotter un sujet qui plaise à ma chef de rubrique ? »

Un rire parcourut l'assistance qui, sentant la tension monter, tenait ainsi à manifester son total soutien à l'ordre établi.

— Et toc ! murmura Maxime Vaugirard, un rien trop fort.

— Mais..., tenta encore Lucrèce.

Franck Gauthier chercha du talon de sa chaussure le bout des orteils de sa stagiaire et les écrasa le plus fort qu'il put pour la contraindre à se taire. Le coup fut comme une décharge électrique et la jeune fille manquant d'air, bouche béante, ne put terminer sa phrase.

— Proposition suivante ! lança la chef pour clore le débat.

Après les réunions, les journalistes de la rubrique « Société » avaient pour habitude de se retrouver à la Brasserie alsacienne, juste en bas du journal. Chacun commanda sa chope. Les bières succédèrent aux bières jusqu'à ce qu'ils se sentent tous un peu flageolants. Ils se rassemblèrent alors autour de Lucrèce Nemrod qui n'était pourtant pas la dernière à lever le coude.

— Fais gaffe, conseilla Franck Gauthier. Tu as tort de répondre comme ça. La Thénardier est dure. Si elle te prend en grippe, tu n'as pas fini d'en baver.

— Elle croit que, si elle ne fait pas peur, elle n'est plus respectée. L'an dernier, elle a poussé une fille à démissionner en l'humiliant systématiquement à toutes les réunions, renchérit Kevin Abitbol.

— C'est son côté cruel. La cruauté gratuite, c'est le luxe des vrais chefs, énonça doctement Maxime Vaugirard.

En dépit de ses articles satiriques où il raillait toutes les lâchetés humaines, ce journaliste s'était toujours paradoxalement montré un modèle zélé de collaboration avec les hiérarchies en place.

— Et c'est bien pour cela qu'on les respecte, conclut Ghislain Bergeron qui enviait la place de « chouchou de la chef » acquise par Vaugirard.

— Dans ce cas, il vaudrait mieux que je quitte cette rédaction, dit sombrement Lucrèce Nemrod.

— Mais non, si tu ne persistes pas dans cette attitude butée, tout ira bien, répondit Franck Gauthier. De toute façon, quelle que soit ta proposition, elle l'aurait refusée simplement parce qu'elle adore casser les petits nouveaux. Surtout les femmes. Elle n'aime pas les femmes. Mais la Thénardier, je la connais bien, elle explose sur le coup, et ensuite elle oublie vite. Alors, laisse tomber cette histoire de chaînon manquant et trouve un autre sujet. Du genre « faut-il se faire enlever les verrues plantaires ». Ça, elle pourra pas t'empêcher de l'écrire. En plus, c'est le genre de papier qui la passionne.

Lucrèce Nemrod les considéra tous.

— Mes pauvres amis, elle vous fait donc trembler à ce point ? Vraiment, je ne vous comprends pas ! Ça ne vous intéresse pas de connaître la vérité sur les origines de l'humanité ?

— Non, reconnut Ghislain Bergeron.

— Moi non plus, admit Florent Pellegrini. Mon père était alcoolique. Il me filait des torgnoles en rentrant bourré du café. Et je ne veux surtout pas connaître la suite d'individus qui l'a engendré. Ils étaient sûrement pires.

Lucrèce Nemrod tapa du plat de la main sur la table.

— Eh, les gars ! Je suis sérieuse, moi ! Les origines de l'humanité, c'est un problème crucial. D'où venons-nous ? Pourquoi, comment l'être humain est-il apparu sur cette terre ? Pourquoi toi Franck, toi Maxime, toi Ghislain, vous êtes là, tout habillés, à rédiger des articles plutôt que de vivre nus dans les arbres à cueillir des fruits mûrs ? D'où venons-nous ? Il n'existe pas de thème plus passionnant. Je me moque des verrues plantaires. Je me fiche de l'homosexualité héréditaire. Je me bats l'œil des cent Français les plus riches. En revanche, j'en vois ici parmi les plus arriérés et je constate avec surprise qu'ils se disent journalistes. J'ai toujours considéré ce métier comme appartenant de droit aux gens les plus curieux et les plus innovants. Or, je m'aperçois que vous êtes des humains dénués de toute curiosité et uniquement préoccupés des rapports de pouvoir au sein de votre rédaction.

Franck Gauthier avala sa bière à grosses lampées et crut bon de morigéner sa jeune stagiaire :

— Allons petite, faudrait voir à ne pas manquer de respect à tes aînés. D'abord, qui es-tu pour nous juger ? Tu n'es rien, tu n'es personne ici. Si tu veux être admise à part entière dans notre cercle de journalistes, commence par t'écraser et par adopter un profil bas.

Elle fit mine de partir.

— D'accord, j'ai compris. Je m'en vais proposer mon sujet à un autre hebdo.

Florent Pellegrini la retint par le coude.

— Attends, ne sois pas si susceptible. Si tu prends tous tes sujets autant à cœur, tu ne feras pas long feu dans le métier. Allons, il y a peut-être moyen de t'aider à sortir ton histoire.

Lucrèce Nemrod dégagea d'autant plus prestement son bras que Florent Pellegrini l'avait saisi de façon à effleurer ses seins au passage.

— C'est quoi, ton idée ?

Son collègue ne prononça qu'un nom :

— Isidore Katzenberg.

Les autres parurent fouiller dans leurs souvenirs à la recherche d'un être correspondant à ce patronyme.

— Vous ne vous souvenez pas d'Isidore Katzenberg ?

Ghislain Bergeron fronça les sourcils.

— Katzenberg ? Celui qu'on surnommait le « Sherlock Holmes scientifique » ?

— En personne.

— Il n'a pas écrit de papier depuis au moins dix ans, rappela Maxime Vaugirard. En plus, on raconte qu'il vit comme un ermite dans je ne sais quel château.

— Peut-être. N'empêche, c'était un spécialiste des affaires scientifiques menées à la façon d'enquêtes policières. Et n'est-ce pas exactement ce que tu veux faire ?

— Katzenberg ? il est hors jeu, affirma avec dédain Franck Gauthier.

Florent Pellegrini avala une rasade de bière, frissonna d'émotion en en savourant l'amertume et posa sur l'épaule de la jeune fille une main paternelle que, cette fois, elle ne repoussa pas.

— Je suis certain que, si la petite parvient à entrer en contact avec lui et à lui faire partager son enthousiasme pour le chaînon manquant, il saura l'aider. Ce n'est quand même pas tous les matins qu'on assassine un paléontologue de premier plan. Katzenberg marchera sûrement. Et s'il consent à entrer dans la bagarre, sa signature a suffisamment de poids pour qu'il court-circuite la Thénardier.

Les yeux vert émeraude étincelèrent. Lucrèce Nemrod sortit son calepin et fit jaillir la mine de son crayon :

— Et il vit dans quel château, votre Sherlock Holmes scientifique ?

7. PRÉOCCUPATIONS INTERDITES

Juste derrière.

La hyène est juste derrière lui.

IL sait qu'elle ne renoncera plus.

C'est un jeu qui réclame un gagnant et un perdant.

La hyène accroît l'amplitude de ses foulées. De trot, elle passe au galop, puis au grand galop. IL fait de même. Ses narines en feu entreprennent d'aspirer à toute vitesse de l'air que rejette ensuite nerveusement sa bouche. Ses muscles chauds deviennent bouillants.

La hyène accélère encore. Cette fois, elle est bien décidée à l'attraper. Elle use de toutes ses énergies. IL fouille ses propres molécules en quête de glucose capable de lui fournir un surplus de puissance de course. Mais les lactances de peur ralentissent l'acheminement des glucides. IL sent la panique, cette vieille ennemie, grimper de ses orteils à son crâne et reconnaît cette sensation d'acidité dans les veines que donne l'adrénaline pure.

Les autres ne sont toujours pas là pour bondir à son secours et la hyène gagne du terrain. La panique le submerge. A cet instant, il se produit quelque chose d'étrange. Au summum de sa détresse, un déclic se fait...

Un sentiment... une porte s'ouvre dans son esprit. IL a l'impression de sortir de lui-même et de se voir de l'extérieur. L'impression que cette horreur arrive à quelqu'un d'autre et qu'il l'observe de loin.

Au bout de la panique, IL découvre le détachement. Comme si, sa peau n'étant plus viable, il s'en dégageait. IL cesse d'être obnubilé par sa propre survie. Son existence ne lui semble plus qu'un phénomène parmi des milliers d'autres. Ni plus ni moins intéressant que les autres.

IL transcende complètement sa peur de la hyène. IL se dit qu'après tout il n'a rien contre elle. Cette bête ne cherche qu'à nourrir les siens. Elle doit être tout aussi épuisée et à bout de nerfs que lui. IL perçoit sa crainte de voir son gibier lui échapper. IL sent cette hyène en proie à une peur panique de rentrer bredouille sans rien avoir à donner à manger à sa progéniture.

Normalement, les hyènes ne se nourrissent que de charognes en état de décomposition avancée. Que celle-ci s'attaque à de la viande sur pied est déjà signe de grande ambition. IL se souvient d'avoir observé de loin des groupes de hyènes. IL les a vues nourrir leurs petits en régurgitant de la viande et se souvient de l'immonde odeur qui entoure les festins de ces animaux. En mangeant du cadavre pourri, on en prend l'odeur.

Peut-être est-ce pour cela que sa poursuivante s'acharne ainsi derrière lui, pour sortir son peuple de son odeur de putréfaction en lui rapportant de la viande non faisandée.

IL devrait être fier de participer à un tel élan. Somme toute, se dit-il, lui et la hyène ont la même ambition : « Faire évoluer leur espèce. » Obtenir que leurs enfants vivent mieux que leurs parents.

La hyène espère réussir cette prouesse par la chasse. Lui pense réussir cette prouesse en attirant ce fauve dans un guet-apens.

« Faire évoluer son espèce. » Cette volonté est tellement plus intéressante que le souci de « survivre soi-même à tout prix pour être là un jour de plus ». IL se demande s'il ne ferait pas mieux de se laisser manger. Ce serait nouveau comme comportement. La résignation du gibier en vue de l'amélioration des qualités de vie du prédateur. L'idée lui fait un peu ralentir sa course.

Allez : qu'on en finisse. IL ralentit davantage encore. Mais c'est juste à ce moment qu'il distingue un mouvement dans les hauteurs. Comme des oiseaux perchés sur une branche, agitant leurs bras. Leurs bras ?

IL est arrivé au grand arbre ! Et ces drôles d'oiseaux sont ses compagnons qui lui font des gestes pour signaler qu'ils sont prêts.

IL fonce dans leur direction.

8. LE MAÎTRE DU HAUT CHÂTEAU

Lucrèce Nemrod fonçait, accrochée au guidon de son side-car Guzzi. Lunettes de mica, bonnet de cuir et cheveux roux débordant au vent, elle faisait penser à ces premières aviatrices à la conquête du ciel.

Elle fit vrombir ses soupapes pour doubler un camion qui la gênait, puis elle lui fit une queue de poisson. Elle adressa du médium un geste évocateur au routier avant de remettre pleins gaz.

A son côté, dans la nacelle du side-car, se trouvaient toutes sortes d'objets hétéroclites : cordes, ficelles, couvertures, ressorts de matelas, tringles à rideaux, morceaux de carton, plus un tas de bouts de ferraille qui brinquebalait à chaque virage. De loin, elle paraissait transporter en permanence ses ordures ménagères ou les restes d'un chantier.

Sur le réservoir de son engin était peint un portrait de Gandhi en train de fumer un joint. Sur sa plaque d'immatriculation se lisait : « L'enfer était plein, alors je suis revenue ici. »

Au milieu du périphérique, elle appuya à fond sur l'accélérateur et enclencha sa chaîne hi-fi qui fit retentir un air barbare, quasi tribal, œuvre d'un vieux groupe de hard rock redevenu à la mode, « Thunder », de AC/DC. Elle enfourna un chewing-gum dans sa bouche et le brassa en rythme. Elle emprunta la porte des Lilas et s'enfonça dans la banlieue.

Elle parvint enfin sur les lieux où était censé vivre Isidore Katzenberg. A l'adresse indiquée, elle ne découvrit qu'un terrain vague. Elle arrêta la musique, coupa le contact, fouilla les alentours du regard, s'aida de ses jumelles, reliques de la guerre 14-18, et finit par comprendre. En fait de château, la demeure qui abritait Isidore Katzenberg était un château... d'eau. La construction formait comme un énorme édifice de béton, la partie basse constituée par un cône pointé vers le haut et la partie haute par un cône pointé vers le bas. L'ensemble ressemblait un peu à un sablier.

Elle rectifia son rouge à lèvres sombre à l'aide d'un rétroviseur. Simple réflexe. Elle savait que, lors du premier contact, être belle faisait gagner dix minutes. Puis elle sauta de son siège et s'avança dans les friches.

Plus elle examinait cette bâtisse et plus elle comprenait combien s'installer là avait été une idée astucieuse. Les châteaux d'eau font tellement partie des paysages que personne ne leur prête attention. En tout cas, il est difficile d'imaginer que quelqu'un y ait élu domicile.

Elle marcha parmi de mauvaises herbes, des chardons et des réfrigérateurs abandonnés. Quelques carcasses d'automobiles rouillaient, visitées par des hordes de rats plus ou moins organisées.

Isidore Katzenberg ne possédant pas le téléphone, la jeune fille avait été contrainte de se rendre directement sur place sans pouvoir prendre rendez-vous. De près, le château d'eau semblait abandonné. Des affiches politiques et des publicités pour clubs de rencontres Internet tapissaient les murs circulaires. Le tout formait un épais matelas de carton multicolore qui s'interrompait à la hauteur d'un colleur grimpé sur les épaules d'un comparse. Des graffitis tagués à la bombe aérosol témoignaient de la volonté de gangs adolescents de délimiter leur territoire.

En contournant le bâtiment, Lucrèce Nemrod distingua enfin une porte en fer corrodé, elle aussi à demi recouverte d'une épaisse couche d'affiches. Pas de nom inscrit dessus, pas de marteau, pas de sonnette, rien ne laissant présager la présence d'un habitant.

Elle frappa contre le métal. Pas de réponse. Lucrèce n'hésita pas. Tirant d'entre les bonnets de son soutien-gorge un couteau suisse, elle en déploya les rossignols. Elle voulait en avoir le cœur net : y avait-il quelqu'un tapi dans cette boîte de conserve ou ses collègues l'avaient-ils menée en bateau ? La serrure était solide, il lui fallut lutter pour en faire céder le pêne d'acier.

— Y a quelqu'un ?

Elle entra sans plus de manières et se retrouva dans une grande salle conique. Une sorte de tipi indien en béton armé. Elle s'avança. Peut-être, se dit-elle alors, que le Pr Adjemian avait bel et bien été tué par un serial killer entré comme elle par effraction. En ce cas, le jeune inspecteur de police aurait vu juste.

— Il y a quelqu'un ? demanda-t-elle encore en marchant prudemment.

Elle faillit trébucher. Le sol était jonché de livres. Toute la surface du plancher était entièrement recouverte de volumes de toutes tailles et de toutes formes. Du plafond pendaient de longues lampes découpant par-ci par-là dans l'obscurité des cercles de lumière jaune cru, laissant subsister des zones de ténèbres.

Lucrèce Nemrod pataugea dans les livres. Il y avait là des essais, des dictionnaires, des bandes dessinées, des ouvrages de photos, mais surtout une quantité de romans. Elle piétina du Edgar Allan Poe, du François Rabelais, du Jonathan Swift, du Philip K. Dick. Elle écrasa du Victor Hugo, glissa sur du Flaubert. Alexandre Dumas la déséquilibra, Jerzy Kosinski la remit d'aplomb.

Au centre de la salle, elle s'appuya sur une grande colonne qui supportait la partie supérieure de l'édifice.

— Il y a quelqu'un ? répéta-t-elle.

En guise de réponse, des bruits de chasse d'eau et de porte qui s'ouvre et se ferme lui parvinrent. Glougloutements de robinet qui coule, jet cassé par les mains qui s'y lavent. Une ombre immense obscurcit enfin le plafond.

— Isidore Katzenberg ?

Elle s'approcha. La silhouette sphérique s'était calée dans un fauteuil, face à un bureau constitué de livres épais. Celui-ci n'étant pas situé dans un cercle de lumière, elle n'en distinguait toujours pas le propriétaire. Il ressemblait à un œuf posé dans son coquetier.

Sans prêter la moindre attention à l'intruse, la silhouette sphérique s'empara d'une télécommande et enclencha la *Symphonie du Nouveau Monde* de Dvorak. Puis elle ouvrit un ordinateur portable et entreprit de tapoter sur son clavier.

— Isidore Katzenberg ? clama la jeune journaliste très fort pour surmonter le flot de musique.

Toujours pas de réponse. L'autre continuait à pianoter en cadence. Elle décida pourtant de se lancer, comme si elle était convaincue qu'il ne perdait aucune de ses paroles.

— Je m'appelle Lucrèce. Lucrèce Nemrod. Je suis journaliste scientifique au *Guetteur moderne*. On m'a dit que vous pourriez m'aider à rédiger un article concernant la paléontologie.

L'homme avait cessé de taper et, même si elle ne voyait toujours pas son visage, elle était certaine à présent qu'il l'écoutait.

— Mon idée serait d'écrire un grand article à la fois sur les origines de l'homme et sur l'assassinat du Pr Pierre Adjemian. Ce type s'était lancé à la recherche du père de nos pères, du père de tous les pères. Il déclarait l'avoir trouvé... Je suis sûre qu'on l'a tué pour le faire taire.

Elle s'approcha plus près encore de la silhouette qui respirait doucement dans son fauteuil.

— ... Cela pourrait donner un article sensationnel. Un mélange de polar et d'enquête scientifique. Il faut découvrir le secret du Pr Adjemian. Nous aurons alors la réponse à la question : « D'où venons-nous ? »

Enfin la sphère vivante produisit un son.

— Non.

— Pourquoi « non » ?

— Non, ce n'est pas un bon sujet.

La voix était suave, presque fluette. Une voix d'enfant. Comment d'une telle masse de graisse pouvait-il sortir une voix pareille ? se demanda la jeune fille. La *Symphonie du Nouveau Monde* reprit de l'ampleur.

— Et pourquoi donc ? demanda-t-elle.

L'homme ne répondait pas. Ne bougeait pas. Elle sentait son regard la scanner. En guise d'offrande, elle tendit sa carte de visite vers le bureau.

— Si vous vous décidez à me donner un coup de main, voici mes coordonnées. Il y a là mon adresse, mes numéros de téléphone, mon e-mail. Contactez-moi quand vous voudrez, à la maison ou sur mon téléphone portable. Il ne me quitte jamais.

— Un téléphone portable ? Cette nuisance qui résonne dans les cinémas, les bars et tous les lieux jadis tranquilles ?

— Le mien est en permanence sur vibreur. Il ne dérange jamais personne. Avec ça, je ne suis plus comme un chien sans laisse. Vous pourrez donc me retrouver où que j'aille. Allez, ne m'abandonnez pas.

Une main boudinée sortit de l'ombre et s'empara de la carte de visite.

— Alors, vous acceptez ? interrogea Lucrèce Nemrod, reprenant espoir.

La masse se tortilla dans son fauteuil.

— Sûrement pas.

— Et pourquoi donc ?

— Si vous êtes ici, c'est que vous avez déjà proposé votre sujet à la Thénardier et qu'elle l'a refusé. Je n'aime pas la Thénardier. Elle est inculte et vulgaire. Elle n'a obtenu son poste qu'en intriguant. Elle a pourtant eu raison à votre endroit. La paléontologie, ce n'est pas un bon sujet. Tout le monde se fiche du chaînon manquant. Logique. Le passé n'intéresse plus personne. Les gens achètent les dernières nouveautés et écoutent les prévisions météorologiques pour la semaine suivante. C'est le futur qui les préoccupe. Le passé c'est démodé. Les antiquaires font faillite. Les généalogistes ferment boutique. Les voitures d'occasion ne se vendent plus. A peine ridés, les vieux sont vite cachés dans des hospices. Vraiment, qui peut encore s'intéresser au passé ?

Elle sentait le regard du bonhomme sur elle de plus en plus appuyé.

— ... Qui ? Peut-être ceux qui précisément ont

un problème avec le leur. Je pense savoir pourquoi vous prenez ce sujet tellement à cœur, mademoiselle.

Lucrèce Nemrod recula imperceptiblement.

— Vous ne savez rien de moi, articula-t-elle.

Il continua de sa petite voix :

— Mais si. Il suffit de vous observer, de bien vous écouter et on comprend. Vous êtes une... orpheline.

Elle se figea.

— Votre façon de choisir vos expressions est très significative. « Ne m'abandonnez pas. » « Un chien sans laisse. » Enfin, référence ultime, pour évoquer le chaînon manquant, quelle expression serait plus lourde de sens que « le père de nos pères » ?

Il avait un peu avancé la tête hors de l'ombre et elle put apercevoir un sommet de crâne chauve.

— En fait, continua-t-il, vous vous figurez qu'en dénichant le père de nos pères, le père de « tous » les pères, vous disposerez au moins d'un ancêtre connu.

Elle se raidit. Comment une voix si douce pouvait-elle proférer des mots aussi durs ?

— Je n'aime pas les orphelines. Elles sont collantes.

Cette fois, il était allé trop loin. Elle ne put se contenir plus longtemps. Une gifle partit. Mais il l'évita prestement. Il bloqua le poignet. Et repoussa vivement le bras mince. La jeune fille tomba en arrière. Les livres amortirent sa chute. Elle se releva vite, lissa sa chevelure rousse et fusilla l'obscurité de ses yeux émeraude.

— Vous n'êtes qu'un imbécile. Un être stupide, un idiot, un... con.

Haletant presque, elle cracha :

— Vous savez ce qu'elles vous disent, les orphelines ? Crevez donc seul dans votre tanière, avec vos livres entassés et vos belles phrases inutiles à l'emporte-pièce !

Là-dessus, elle partit en claquant très fort la porte métallique du château d'eau.

9. SUS À LA BÊTE

Quand la hyène passe sous la branche basse du grand arbre, tous ceux de la horde lui tombent dessus.

A plusieurs contre une, les rôles peuvent enfin s'inverser. L'espèce chassée devient l'espèce chasseresse. Encerclée par la multitude, la hyène ne s'avoue pourtant pas facilement vaincue. Elle se cabre. Ses naseaux lâchent des vapeurs pestilentielles. Elle exhibe ses crocs et ricane pour mieux défier ses adversaires.

Le chef de horde donne le signal. Aussitôt, tous les mâles dominants s'accrochent aux pattes de la bête pour la contraindre à se coucher. Les mâles inférieurs se dépêchent d'avancer pour la frapper et repartent en vitesse. Les femelles crient très fort pour assourdir l'animal.

IL reste à l'écart, contemplant la scène de loin tout en récupérant son souffle. A chacun son tour d'œuvrer. IL a fait sa part du travail, maintenant il peut se reposer, tout en admirant le courage de son ennemie.

La hyène ne s'avoue pas vaincue. Elle trouve encore la force d'estropier un jeune mâle qui, en voulant lui taper le museau, se fait happer la main. Elle mord dans plusieurs cuisses à portée de gueule. Elle donne des ruades qui renversent plusieurs mâles dominants agrippés à ses pattes. Mais la course-poursuite a déjà bien entamé les ressources de la bête et, sous la masse de ses assaillants, elle fléchit les jarrets. Dès lors, tant de coups lui sont assenés qu'elle s'effondre, comme si elle préférait dormir là que combattre dans de telles conditions.

Ne la voyant plus bouger, les jeunes mâles lui décochent de vigoureux coups de pied à la tête, sous les cris de plus en plus stridents des femelles qui les encouragent à la mise à mort.

Un instant IL a envie d'aider la hyène. Mais il se reprend vite. Il faut absolument qu'il pense à autre chose. IL lève la tête et considère les nuages. Même au milieu de tout ce tapage, le ciel semble impassible. IL observe les nuages mordorés qui gracieusement s'effilochent.

IL reçoit une giclée de sang au visage et décide de s'éloigner du carnage en grimpant dans les branches pour poursuivre tranquillement son observation des cieux. Les nuages sont toujours là, se mouvant à peine, comme s'ils n'étaient jamais pressés, jamais inquiets, jamais en danger. IL lève la main dans un effort pour les attraper et n'y parvient pas. IL saute, n'y arrive toujours pas. IL monte sur la plus haute branche de l'arbre et, en équilibre précaire, tente encore de toucher les nuages. Mais ils sont toujours trop hauts.

Dommage.

En bas, les gens de la horde ont achevé de massacrer la hyène. Il y a quelques blessés parmi les assaillants mais, à tout prendre, les dégâts sont minimes. Chacun lèche ses plaies. Lui contemple de haut la dépouille de cette bête qui lui a fait si peur. Etrange sensation que de voir son adversaire réduit à un tas de viande fumante. Etrange sensation que de voir cette pionnière de son espèce aussi mal gratifiée pour sa hardiesse.

Mais c'est là une des grandes règles de la nature, les pionniers doivent servir de martyrs pour mieux informer la génération suivante des limites à ne pas dépasser trop vite.

Ayant retrouvé son souffle, IL décide de descendre pour rejoindre les siens. IL saisit une liane et se laisse glisser vers les branches inférieures.

10. PETITE VISITE DE NUIT

Lucrèce Nemrod se laissa couler sur la corde qu'elle avait arrimée à la rambarde en fer forgé de son balcon. Ça, elle savait bien le faire.

A l'orphelinat on l'avait baptisée « la petite souris ». Non seulement à cause de sa taille réduite qui lui permettait de s'infiltrer n'importe où, mais aussi grâce à sa capacité de grignoter les nerfs de ses contemporains jusqu'à ce qu'ils cèdent à ses caprices.

Entre les deux étages, la jeune fille se dit que ce n'était pas une Christiane Thénardier, un Franck Gauthier ni même un Isidore Katzenberg qui allaient l'empêcher d'aller jusqu'au bout de son enquête sur les origines de l'humanité. Elle mettrait un nom sur le ou les assassins du Pr Adjemian et elle percerait son secret.

Le père de nos pères.

Le père de tous les pères.

Elle sauta sur le balcon. La fenêtre de l'appartement du paléontologue était fermée. Elle tira son couteau suisse de sa poitrine et opta pour une lame plate qu'elle glissa sans trop de difficultés entre les battants afin de soulever le taquet qui maintenait la croisée close. La voie était libre.

Pour cette mission de commando, elle était moulée dans un survêtement noir et avait noué ses longs cheveux roux en une queue-de-cheval. Pour étouffer le bruit de ses pas, elle portait des mocassins à semelles de crêpe. Une jambe passée dans l'entrebâillement, puis l'autre, elle posa délicatement les pieds sur la moquette et alluma sa lampe torche.

Elle était dans le bureau de la victime. Des gens semblaient l'attendre. Elle s'empressa d'éclairer les alentours et reconnut les squelettes de singes accrochés à leurs potences. La vive lumière de la torche élargissait le sourire vide des crânes comme si tous étaient heureux qu'elle vienne les visiter.

— Salut, les singes.

Les ombres trouées s'étirèrent jusqu'au plafond.

— Vous, vous savez qui a tué le professeur ?

En guise de réponse, le gorille laissa s'échapper un petit papillon de nuit qui avait élu domicile dans sa mâchoire inférieure et qui, ne comprenant pas pourquoi il faisait soudain aussi clair en pleine nuit, choisit de voleter bruyamment à travers la pièce pour manifester son désarroi.

Lucrèce Nemrod promena le faisceau de sa lampe d'un mur à l'autre. Elle discernait dans l'atmosphère quelque chose d'impalpable et pourtant d'épais : le mystère en suspens. Comme un nuage noir qui ne demandait qu'à être crevé pour larguer son orage.

Dehors justement, un éclair zébra le ciel et une détonation retentit. Il était bel et bien là, l'orage. Par intermittence, des flashes blancs illuminèrent la pièce.

Elle rouvrit le dossier *Presse* et en feuilleta de nouveau les pages. Le Pr Adjemian y évoquait ses recherches tanzaniennes sur le chaînon manquant et parlait d'un nouveau chantier sur les berges du fleuve Olduvai. « Je lèverai prochainement le voile sur le plus grand de tous les secrets : la véritable origine de l'humanité », annonçait-il dans une interview. « *Stupete gentes* », comme disaient les Romains. « Peuples, préparez-vous à être ébahis. »

Dans d'autres coupures de presse, d'autres paléontologues étalaient leur manque d'intérêt total, voire leur mépris pour les travaux du Pr Adjemian. « Pour l'instant, il n'a mis au jour aucun os fossilisé d'importance. »

Un petit bruit alerta la jeune fille. Elle éteignit aussitôt sa lampe et se figea sur place.

Le bruit s'interrompit. Reprit. Il y avait quelqu'un dans la pièce. Elle hésita, puis ralluma et dirigea carrément son faisceau en direction de l'endroit d'où, lui semblait-il, provenait comme un crissement sur la moquette. Un museau, des moustaches, de petites pattes roses. Une souris était en train de grignoter un papier dans la corbeille. Découverte, elle détala.

A souris, souris et demie. La journaliste s'assit par terre, coinça sa lampe entre ses dents et entreprit de déployer un par un chaque lambeau de papier froissé. Elle découvrit ainsi une missive énonçant : « Je sais maintenant que mes jours sont comptés. Ils vont chercher à me faire taire car mon secret est trop gênant.

« Evidemment, mes révélations embarrasseront l'ensemble de la communauté scientifique dont toutes les convictions seront bouleversées. Pourtant c'est de vérité qu'il s'agit et, contre la vérité, nul ne peut rien. On aura beau tenter de l'enfoncer sous l'eau, elle finira toujours par remonter. Alors je t'en prie, je t'en prie toi qui me lis, aide-moi. Et s'ils me tuent, transmets mon secret autour de toi afin qu'il ne disparaisse pas avec moi. »

Lucrèce Nemrod continua à balayer la pièce du faisceau de sa lampe. Au-dessus du fauteuil du bureau, elle éclaira un dessin humoristique. Dans son cadre un petit poisson y discutait avec un autre, beaucoup plus grand. La bulle énonçait : « Dis, maman, il paraît que certains d'entre nous sont sortis de l'eau pour marcher sur la terre ferme, qui sont-ils ? » La mère répondait : « Oh, pour la plupart, des mécontents ! »

Au feutre noir, une main avait barré fermement l'adjectif « mécontents » pour le remplacer par « angoissés ».

Le dessin avait comme titre : LE SECRET DE L'ÉVOLUTION.

Elle s'apprêtait à poursuivre ses investigations quand elle détecta de nouveau un petit bruit. Cette fois, il ne s'agissait pas d'une souris. Un cliquètement à la serrure de l'entrée. Lucrèce Nemrod éteignit précipitamment sa lampe et se lova derrière la porte de la cuisine. Elle entendit celle du palier céder. Quelqu'un entrait.

Un nouvel éclair lui permit de distinguer à travers le trou de la serrure un homme de taille moyenne en imperméable trempé. Il était muni d'un sac apparemment assez lourd qu'il fouilla pour en tirer un masque de singe qu'il enfila avant d'allumer à son tour une lampe de poche.

Un cambrioleur? Peu probable. Il brandissait maintenant un gros bidon d'essence dont il entreprit de répandre le contenu sur la moquette à travers les pièces, et tout spécialement le bureau. Il revint ensuite vers l'entrée et empoigna une boîte d'allumettes. Il en fit craquer une et, avant de la lancer vers l'essence, en contempla un instant la flamme.

La fascination du feu. Cette seconde d'atermoiement suffit à Lucrèce Nemrod pour bondir sur l'intrus. D'une pichenette, elle éteignit l'allumette et profita de l'effet de surprise pour expédier son genou dans l'entrejambe de l'individu. L'homme gémit. A travers les trous du masque simiesque, elle discerna deux yeux douloureusement étonnés. Avant que l'autre ne comprenne ce qui lui arrivait, elle s'empressa d'enchaîner un coup de poing au ventre, un coup du tranchant de la main à la pomme d'Adam, une clef au bras et le plaqua par terre tout en continuant à lui tordre le bras.

Une fois de plus, la foudre déchira le ciel mauve et tous les objets vibrèrent dans l'appartement. Les reflets du ruissellement des gouttes sur les vitres semblèrent lacérer la tapisserie des murs.

— Qui êtes-vous? Que faites-vous ici?

Elle accentua la pression sur son bras. Il était conscient que, de la façon dont elle avait saisi son coude, il ne lui suffirait que d'un petit geste pour lui briser l'épaule et il émit des grognements que le masque étouffa.

— Vous vouliez détruire les indices, n'est-ce pas ? Allez, parlez ! Qui êtes-vous ?

Elle voulut le retourner pour soulever son masque, mais il profita de son effort pour, d'une ruade, se dégager prestement et s'enfuir en toute hâte vers l'escalier. Elle se précipita à sa poursuite.

— Arrêtez-le ! cria-t-elle en direction du portail, en bas.

Mais l'homme en imperméable était déjà dans la rue, mêlé à une foule mouillée qui rentrait la tête dans les épaules.

Un humain anonyme parmi des centaines d'autres humains anonymes.

11. SA HORDE

IL regarde ceux de sa horde.

Les siens sont disposés en ronde autour du corps de la hyène.

IL ne sait pas combien ils sont.

IL ne sait pas compter plus loin que le chiffre cinq, qu'il a déduit en observant les doigts de sa main droite. Au-delà de cinq, c'est « beaucoup ». Dans la horde, ils sont donc « beaucoup ».

IL ne connaît pas leurs noms. Ils n'ont pas de nom. IL les identifie par leur place dans la hiérarchie de la horde ou par leurs caractéristiques physiques particulières.

Le personnage le plus important est le chef de horde. Il a le dos couvert d'une toison légèrement argentée. Il paraît que le fait d'avoir le pouvoir modifie la couleur de son poil. En tout cas, IL remarque que les mâles du même âge, mais dénués de pouvoir, ont le dos plus foncé.

Le chef de horde n'est pas très grand, mais il a les épaules larges et le torse bombé. Il est susceptible et agressif. Il a pour habitude de donner à tout le monde de petites tapes sur la tête pour rappeler que c'est lui le chef. Si un mâle veut contester son pouvoir, cette petite tape sert précisément à lui rappeler : « Soit tu acceptes mes coups, soit tu me combats. »

Devant un danger, le chef de horde ne réfléchit pas, il fonce. On peut appeler cela de l'inconscience. Chez la plupart des gens de la horde, cela passe plutôt pour du courage.

Avant, on choisissait le chef de horde sur une qualité : ne pas se laisser impressionner par les événements nouveaux ou inconnus. Mais depuis quelques générations, cette sagesse est passée de mode. On sélectionne le plus fort, point.

En amour, le chef de horde est d'une brutalité tout aussi remarquable. Lorsqu'il propose une saillie à une jeune femelle appartenant à son harem, il a pour coutume de lui tirer les oreilles puis de lui enfoncer les doigts dans les naseaux. Durant l'acte reproducteur, il ne dédaigne pas de mordre le cou de sa partenaire ou de lui tirer les poils jusqu'à la faire mugir.

Précisément, IL distingue aux côtés du chef de horde la première femelle de son harem. Elle a de grands yeux noirs et des fesses rose écarlate et flasques. En tant que première du harem, elle se sent toujours obligée de crier très fort pour s'exprimer. C'est utile lors des chasses pour effrayer l'adversaire mais, à la longue, c'est un peu crispant.

La deuxième femelle du chef de horde est plus discrète. La première femelle aime bien lui donner des tapes sur la tête afin de la remettre à sa place. Celle-ci se venge sur la troisième femelle, laquelle se tient complètement en retrait. Elle serre un bébé contre sa poitrine. Tant que la troisième femelle nourrit l'enfant, le chef de horde ne peut l'approcher. Dépité, le chef de horde a déjà tenté plusieurs fois de tuer le petit.

IL poursuit la revue des siens.

Dans le groupe des mâles dominants-dominants, il reconnaît : le « grand maigre » qui provoque sans cesse le chef de horde pour voir s'il ne commence pas à vieillir. A sa droite, « celui qui a perdu une oreille » n'entend que les dangers venant de son côté droit. Il y a encore « celui qui a un sexe trop long » et dont l'organe reproducteur racle la terre quand il court à quatre pattes. Il y a enfin celui qu'on nomme « haleine qui pue ». Il s'agit d'un mâle peu costaud mais dont la simple ouverture de la bouche expédie ses adversaires dans un semi-coma.

Derrière eux sont cantonnés les mâles dominants-dominés. Ce sont des jeunes ou d'anciens dominants-dominants vaincus par d'autres dominants-dominants. Ils se battent souvent entre eux pour déterminer celui qui aura l'honneur de provoquer les dominants-dominants en place.

Plus loin, les mâles dominés-dominés qui ne provoquent personne et se tiennent simplement prêts à aider leurs supérieurs quand ceux-ci les sollicitent par des cris ou par des tapes.

Il y a aussi l'ancien chef de horde. Normalement il aurait dû être abandonné car il n'est plus assez fort. Il a cependant l'odorat si sensible qu'il sait reconnaître les plantes qu'on peut manger et celles qui empoisonnent. Ce savoir est indispensable à la survie de la horde. Alors, on le laisse vivre.

IL voit aussi les mâles malades ou estropiés à la chasse. Ceux-là sont considérés comme « tolérés », à condition qu'ils ne ralentissent pas le groupe. En réalité, on les garde surtout pour servir de pâture lors d'attaques foudroyantes de prédateurs. Dans la vie quotidienne, ils sont un peu les souffre-douleur de tout le monde. Ils n'ont pas le droit de toucher aux femelles et, aux repas, ils ne mangent que les morceaux délaissés par le reste de la horde.

Plus loin sur la gauche, un groupe de femelles jacasse. Il y a là des femelles de mâles dominants-dominants ou dominants-dominés et quelques vierges qui commencent à sentir fortement les hormones sexuelles. IL s'approche et constate qu'une femelle est justement en train d'accoucher. La horde s'agrandit en direct. A peine expulsé du corps maternel, le petit se tient sur ses pattes. La femelle coupe le cordon de ses dents et, tout en lui présentant ses mamelles, décide que ce rejeton-là, elle ne le posera pas de sitôt par terre, elle a déjà perdu trop de bébés par mégarde.

IL continue d'observer sa horde rassemblée autour de la dépouille de la hyène. Plus loin à droite, il y a encore le groupe des enfants et, plus loin encore, le groupe des vieux.

Et puis il y a lui-même. Quand IL pense à lui, il se nomme juste « moi ». Une fois, il s'est vu dans le reflet d'une mare.

« Moi » n'a rien d'exceptionnel.

12. ISIDORE KATZENBERG

Lucrèce Nemrod rejoignit ses collègues à la Brasserie alsacienne. A l'intérieur de la pléthorique rédaction du *Guetteur moderne,* ceux-là étaient, en quelque sorte, devenus « sa » bande. Ils étaient debout face au zinc et discutaient de la vie interne de l'hebdo.

— ... Le chef de la rubrique littéraire vient de publier un roman et, pour être bien sûr d'avoir au moins une bonne critique, il a rédigé lui-même l'article en le signant d'un pseudonyme, annonça Florent Pellegrini.

Eclat de rire général. Ils commandèrent une autre tournée de bières.

Ils passèrent ensuite à table. Lucrèce Nemrod s'assit à côté de Franck Gauthier, elle aussi une chopine à la main. Un serveur en long tablier bleu apporta une série de plats fumants, regorgeant de charcuteries diverses et variées : boudins blancs, saucisses de Francfort, pieds de porc panés, jarrets bouillis, le tout accompagné d'une choucroute légèrement acide.

— Alors, comment s'est passée ta rencontre avec Isidore Katzenberg ? interrogea le chef de la rubrique scientifique.

La jeune fille secoua sa longue chevelure rousse.

— Pas mal, merci. Mais je crois que je préfère quand même enquêter seule. Je suis revenue sur les lieux du crime, hier soir, et je suis tombée sur quelque chose de pas banal. Un mystérieux visiteur est apparu, masque de singe sur la tête et bidon d'essence à la main. Il voulait tout carboniser sur place. Pour un serial killer, c'est quand même un drôle de comportement, non ?

— Tu l'as attrapé ?

— Il m'a filé entre les doigts. En plus, il courait vite. Dommage, car sinon je vous jure que j'aurais su le faire parler !

Loin d'être impressionnés, les amateurs de choucroute présentèrent des moues dubitatives. La bouche pleine, Florent Pellegrini émit l'opinion générale :

— Bof, de toute façon, la Thénardier ne te laissera jamais publier ce sujet et, sans Katzenberg, quels que soient les rebondissements, tu n'as aucune chance que ça passe.

Franck Gauthier approuva.

— Allez, reconnais que ça s'est mal passé avec ce gros balourd. On peut te l'avouer maintenant, on t'a fait une farce. On voulait doucher ton enthousiasme sur les « origines de l'humanité ». A tous les coups, il t'envoyait promener, Katzenberg. Il est comme ça. Il ne veut plus voir personne.

Lucrèce Nemrod resta la fourchette en l'air et fronça les sourcils.

— C'est qui au juste, ce type ?

— Katzenberg ? Un fou complet, trancha Gauthier.

Florent Pellegrini fixa son bock de bière, telle une boule de cristal.

— Non, il a peut-être un peu disjoncté sur la fin mais moi, je l'ai bien connu et je peux vous affirmer qu'il a été en son temps l'un des plus grands journalistes de Paris.

Il attendit que le serveur ait remplacé les plats vides par de nouveaux pour poursuivre :

— Je l'ai connu ni chauve ni obèse et nullement du genre à vivre reclus dans une tour loin du monde. Il était alors dans la police et travaillait en tant qu'expert au centre médico-légal. Il était spécialisé dans l'analyse des micro-indices : cheveux, taches suspectes, empreintes diverses. Rien qu'en étudiant un poil il était capable, racontait-on, de préciser le sexe, l'âge, le niveau de stress de son ancien porteur et si son ex-propriétaire consommait des drogues. Pour lui, c'était comme un jeu d'énigmes. Mais il était frustré du peu de cas qu'on faisait de ses expertises lors des procès. Ses conclusions étaient rarement suivies par les magistrats et les jurés. Alors, il s'est reconverti dans le journalisme scientifique. Là, ses connaissances techniques lui ont servi à rédiger ses papiers comme des enquêtes policières. C'était une innovation, un reporter tenant compte de ses propres observations sur le terrain plutôt que des communiqués langue de bois des officiels. Le public finit par reconnaître sa « patte » bien particulière et il acquit bientôt une grande renommée dans toute la presse. D'où son surnom de « Sherlock Holmes scientifique ».

— En fait, il ne faisait qu'exercer « normalement » son métier, coupa Kevin Abitbol, en essuyant sa bouche graisseuse avec une serviette en papier blanche déjà très souillée. Le problème, c'est que la plupart des journalistes sont devenus tellement blasés qu'ils n'ont plus aucune curiosité. Du coup, par fainéantise, ils se contentent de recopier ce qu'on leur dit et récrivent mille fois les mêmes articles construits de la même manière.

Florent Pellegrini négligea l'interruption.

— Isidore Katzenberg aurait dû être promu chef de la rubrique scientifique à la place de Gauthier. N'est-ce pas, Franck ?

L'autre se renfrogna.

— Ouais, peut-être, mais ce n'est pas de ma faute s'il lui est arrivé un pépin.

— Quel genre de pépin ? interrogea Lucrèce Nemrod.

— Il était tranquillement assis dans le métro quand une bonbonne de gaz remplie de dynamite et de clous rouillés a explosé dans son wagon. Un attentat terroriste. Lui a été protégé par sa banquette mais, en pleine heure d'affluence, ça a été le carnage. Dans la fumée, il a rampé parmi les corps en lambeaux en tâchant de venir en aide aux blessés.

Hochements de tête silencieux autour de la table, dont la plupart des convives n'en perdaient pas pour autant l'appétit et continuaient à enfourner gaillardement saucisses et jarrets. Parmi les bruits de mastication, Pellegrini reprit :

— Après l'attentat, il est resté une semaine enfermé chez lui, sans se laver, sans se nourrir, pratiquement sans dormir. Suite à cette phase de prostration, il voulait prendre les armes, retrouver les assassins et les tuer un par un. Et puis il a découvert que l'affaire était reliée à une histoire diplomatique compliquée, et qu'en plus la France vendait des armes au pays commanditaire de l'attentat. Il n'y avait rien à faire. Alors, il s'est replié sur lui-même. Il s'est mis à grossir, il a écrit de moins en moins d'articles et, pour finir, il a acheté son château d'eau pour s'isoler, être définitivement loin du monde.

— Une tour d'ivoire..., suggéra Kevin Abitbol.

— ... Ou une tombe, précisa Gauthier.

Le serveur apporta une énième tournée de bières et tous s'empressèrent de vider leur chope comme pour mieux digérer cette étrange histoire. Lucrèce Nemrod but, elle aussi, une grande lampée.

— Et puis il y a eu le livre, ajouta Florent Pellegrini.

— Quel livre ? demanda la stagiaire.

— Un roman bizarre. Sous le couvert d'une simple histoire de suspense et d'aventures, l'ouvrage prônait la non-violence active. Il l'a lu et l'a relu jusqu'à ce qu'il comprenne le sens caché de ce texte. Pour Isidore, ça a été une révélation. Il a décidé alors que son ennemi personnel n'était pas les terroristes en particulier, mais la violence en général.

— Il s'est remis à écrire, mais des articles trop polémiques ! souligna Gauthier.

— Isidore Katzenberg seul contre toute la violence du monde : contre les terroristes, les bourreaux d'enfants, les tortionnaires... Avec une telle hargne que ses articles n'étaient plus publiables dans *Le Guetteur moderne,* ni ailleurs non plus.

— C'était un « anti-violent » trop violent, précisa Kevin Abitbol. Il y a des limites, même dans la dénonciation du mal. Des ambassades se sont plaintes, le Quai d'Orsay a exigé son départ. Il a été licencié et il s'est retrouvé isolé pour de bon dans son château d'eau.

— Cependant, il a conservé un grand crédit auprès des lecteurs qui ne l'ont pas oublié, comme auprès de la direction où il a encore des supporters. Pour ça, Lucrèce, on ne t'a pas menti, affirma Florent Pellegrini.

Les hommes soupirèrent et se réconfortèrent avec une nouvelle platée de viandes salées qu'ils répartirent équitablement dans leurs assiettes.

13. FESTIN

Tous plongent à pleines mains dans la chair frémissante.

Le problème avec la hyène, c'est que ça pue. Une odeur âcre et rance. Il y a des parties qui sentent tellement mauvais qu'ils sont obligés de les manger en se bouchant les naseaux.

En plus, il n'y a pas que l'odeur, il y a aussi le goût. Pour ceux qui n'ont jamais mangé de hyène, c'est difficile à concevoir. Le goût le plus amer, c'est sans aucun doute celui des coussinets de graisse des pattes arrière.

Personnellement, IL n'aime pas trop manger de la hyène. En matière de viande, IL préfère nettement consommer des herbivores. Leur chair est plus douce, plus tendre et jamais nauséabonde. Autour de lui pourtant, ses compagnons semblent se régaler. Surtout les dominés pour qui la défaite d'un fort constitue toujours une petite revanche sur la vie. Ils continuent d'ailleurs de pincer à qui mieux mieux la toison de la hyène. Cruauté gratuite des faibles.

Le ventre est maintenant béant et le festin devient plus bruyant. Tout se mange dans la hyène. La queue qu'on suçote jusqu'aux petits os. Les oreilles dont on lèche les cartilages. Même les gencives qu'il faut faire craquer sous les molaires afin d'en tirer le petit jus acidulé qu'elles contiennent. Le chef de horde a d'ailleurs les molaires tellement solides qu'il parvient à briser les canines pour en apprécier le nerf salé à l'intérieur.

Le « mâle dominant qui n'a qu'une oreille » s'empare du crâne de la hyène et le fracasse comme un fruit mûr afin d'en dégager la cervelle. La boule de gelée rose circule de main en main. Chacun en avale un petit bout avant de la passer à son voisin. Voilà un rituel important : « Manger le cerveau des adversaires qui vous font peur. » D'instinct, tous se figurent qu'en dégustant la cervelle des êtres qui courent vite, ils courront plus vite ; qu'en dévorant la cervelle de ceux qui sont intelligents, ils deviendront plus intelligents.

Le chef de horde fait craquer la cage thoracique et des poumons jaunâtres apparaissent entre des côtes.

IL a très faim et creuse avec ses doigts dans les alvéoles spongieuses. Au contact de cette substance molle, il se souvient comment ses propres poumons se sont essoufflés quand il tentait de semer cette hyène. IL se repaît de son poumon pour mieux respirer dorénavant. Il lui faut en dévorer au moins trois parts pour oublier sa panique durant la course.

Les enfants empoignent les reins pour les presser comme des éponges et boire le sang mêlé à l'urine du fauve. « Celui que sa mère ne veut pas poser » joue avec un œil qu'il fait tournoyer comme une fronde en le brandissant par le nerf optique. Sa mère le gronde. On ne joue pas avec la nourriture. Il faut se dépêcher de manger les différents organes avant qu'ils ne refroidissent.

Autour d'eux, déjà, les chacals, les vautours et les corbeaux s'amassent. Les plus impatients parmi ces charognards ne peuvent s'empêcher de presser la horde pour qu'elle leur laisse la place. Un chacal ose même s'avancer et mordiller un enfant. La première femelle du chef le frappe sur le museau. Le chacal ne recule pas et montre les crocs. C'est ça le problème, dans ce monde : personne ne veut rester à sa place et il faut donc sans cesse montrer sa force si on veut se faire respecter. Comme si, d'une fois à l'autre, les animaux vaincus oubliaient leur défaite et voulaient remettre le titre en jeu. La première femelle s'empare d'un caillou et l'envoie dans le flanc du chacal qui consent enfin à reculer.

Les mouches, elles, n'attendent pas qu'on leur donne une autorisation. Elles sont déjà sur la viande et leur bourdonnement se transforme en vacarme.

Au détour d'un lambeau de viscère, un enfant trouve le foie. La première femelle du chef de horde exige immédiatement ce morceau de choix.

L'être qui jouit du rang le plus élevé est celui qui peut exiger le foie des animaux tués sans que nul n'ose le lui contester.

Dès que le foie est dévoré, les mâchoires se mettent à manger moins nerveusement. Il n'y a plus d'enjeu gastronomique important. Le gros intestin dégage une odeur vraiment trop forte pour être apprécié par d'autres que les dominés.

Repus, les gens de la horde se dispersent pour mâchouiller bruyamment. Le mâchouillage est une activité d'importance. Ceux qui ne mâchent pas suffisamment sont souvent malades. IL a même vu un enfant mourir en essayant d'avaler d'un coup une truffe de girafe.

Insouciante jeunesse.

14. LA SOURIS ET L'ÉLÉPHANT

Lucrèce Nemrod enfourna dans sa bouche un gros chewing-gum noir à la réglisse, puis aspira une grande bouffée d'air froid. Rien de mieux pour se calmer les nerfs. Ensuite seulement, elle frappa à la lourde porte métallique du château d'eau d'Isidore Katzenberg.

Pas de réponse, mais elle constata que la porte n'était pas fermée. Elle entra donc et trouva Isidore Katzenberg, debout dans la salle conique, en train de lire un livre posé sur un lutrin de chêne. Cette fois, il était en pleine lumière et elle put enfin le regarder de haut en bas.

Il leva la tête à son approche et l'observa en retour.

Ils se considérèrent mutuellement pendant une longue minute de silence.

Isidore Katzenberg était plus grand et plus gros encore que Lucrèce Nemrod ne l'avait estimé lors de sa première visite. Un mètre quatre-vingt-quinze pour un poids de cent vingt kilos, sans doute. Son corps, sphère lisse, était enveloppé d'amples vêtements de popeline beige clair. Pas de ceinture, pas de montre, pas de lacets. « La non-violence, Katzenberg l'applique déjà dans sa façon de s'habiller », pensa-t-elle.

Le crâne était presque chauve. Les oreilles étaient grandes, le front large, les lèvres charnues. De petites lunettes dorées surplombaient un nez fin. Il ressemblait assez à un bébé démesuré.

Ses yeux étaient sans cesse en mouvement, à la recherche de mille détails.

« Un éléphant solitaire et inquiet »... L'idée lui tourna un moment dans la tête jusqu'à ce qu'une autre prenne le relais. En fait, Katzenberg lui faisait penser à Ganesh, ce dieu de la mythologie hindoue avec une tête d'éléphant.

— Vous êtes en train de vous dire que je suis pareil à un éléphant, énonça-t-il. Comment je le sais ? Vous regardez fixement mes larges oreilles. Quand on fixe ainsi mes oreilles, c'est qu'on me compare à un éléphant.

— Je pensais au dieu indien Ganesh.

La masse se détourna pour fouiller dans un tas de livres et en tirer une statuette de la divinité.

— Ganesh, dieu du savoir et de la rigolade. Dans sa main gauche, un livre, dans sa main droite, un pot de confiture. Mais connaissez-vous la légende de Ganesh ? demanda-t-il.

La jeune fille secoua la tête.

— Son père Shiva, rentrant un jour plus tôt qu'à son habitude, découvrit tout à coup l'enfant et s'imagina que c'était un amant de sa femme, Parvati. Aussitôt il dégaina son épée et le décapita. Parvati lui expliqua que c'était son propre fils qu'il avait ainsi mutilé. Navré, le père s'excusa et lui promit de remplacer la tête perdue de l'enfant par celle du premier individu qui pénétrerait dans la pièce. Il advint que ce fut un éléphant.

Lucrèce Nemrod désigna quelque chose qui ressemblait à un petit rongeur aux pieds de la statuette de bronze.

— Et ça, c'est quoi ?

— Sa monture. Ganesh est un éléphant qui voyage debout sur une souris.

Il observait la jeune fille rousse avec intensité, absorbant rapidement l'ensemble des photons qui rebondissaient sur sa peau et ses vêtements. Qu'est-ce que c'était que cette gamine impertinente qui s'obstinait à le poursuivre dans sa tanière ?

Il la passa en revue. Un petit gabarit. Un mètre soixante, cinquante kilos. Des bras musclés. Seins pommés. Grands yeux vifs, couleur émeraude. Longs cils roux. Longue chevelure rousse. Petits pieds. Respiration ample et régulière. Une sportive. Regard fixe. Chewing-gum dans la bouche. Joli port de tête. Elle avait dû faire de la danse classique très jeune pour être dotée d'un aussi gracieux maintien.

Quel couple mal assorti ils formeraient s'ils entreprenaient de travailler ensemble, songeait Lucrèce Nemrod. Une version inédite de Laurel et Hardy.

Elle soupira.

— Je suis venue m'excuser. Je vous ai manqué de respect, la dernière fois.

— Je vous ai également manqué de respect, répliqua-t-il. Nous sommes quittes.

— J'ignorais que vous étiez adepte de la non-violence.

— Ça change quoi ?

— Les non-violents reçoivent les gifles sur la joue droite et tendent leur joue gauche.

— Démodé, tout ça. Les nouveaux non-violents baissent la tête pour éviter la gifle. Ainsi, l'agresseur n'a même pas la gêne d'avoir commis un acte de violence.

— Je vous ai insulté. Je vous ai traité d'imbécile, d'être stupide, d'idiot et de con.

La face lunaire arbora une expression gourmande :

— Vous savez d'où vient le mot « imbécile » ? De *imbecille,* qui n'a pas de bâton. Allusion au fait qu'il est toujours nécessaire d'être soutenu par une béquille si on ne veut pas choir. Vivre sans s'appuyer sur aucun dogme, aucun principe rigide, aucun tuteur, c'est courageux, non ? J'espère être un imbécile et le rester le plus longtemps possible.

Lucrèce Nemrod hocha respectueusement la tête.

— Je me reconnais aussi dans le terme « stupide », poursuivit Katzenberg. « Stupide », du latin *stupidus.* Frappé de stupeur. Le stupide est celui qui s'étonne de tout, et donc s'émerveille de tout. J'espère rester longtemps stupide. « Idiot » signifie *particulier* en grec. Un idiotisme c'est une particularité de la langue. J'espère être quelqu'un de particulier. Quant à « con », eh bien, il s'agit du sexe de la femme. Traiter quelqu'un de « con », n'est-ce pas l'associer à ce qui existe de plus charmant et de plus fertile ? J'espère vraiment être un con, doublé d'un stupide idiot imbécile.

Elle avança ses petits pieds parmi les livres.

— A la rédaction, les autres disent que c'est la lecture d'un livre qui vous a transformé. C'était quoi, ce livre ?

Apparemment il s'y retrouvait dans son capharnaüm. Il alla droit vers un ouvrage placé au milieu d'un amoncellement. Il le lui montra. Sur la couverture, des êtres se dirigeaient vers un soleil qui se levait à l'horizon. Le volume avait davantage une allure de roman d'aventures que d'un manuel de savoir-vivre.

— Ce livre est disponible dans n'importe quelle librairie. Il n'a rien d'exceptionnel. En fait, on peut le considérer comme un ouvrage plutôt idiot, stupide, con et imbécile.

Il le lui tendit.

— Vous entendez par là qu'il est à la fois particulier, étonnant, féminin et non dogmatique, résuma-t-elle.

Elle feuilleta le livre tandis qu'Isidore Katzenberg lui expliquait qu'il contenait, entre autres, deux notions selon lui particulièrement intéressantes.

Il commença par la première, la VMV : la Voie de Moindre Violence.

— Qu'est-ce que la VMV ?

— L'homme souffre parce qu'il est continuellement en état de violence contre lui-même, contre ses congénères et contre l'univers tout entier. Pour s'en sortir, il importe donc de prévoir les effets de chacun de nos actes en s'attachant à anticiper la cascade de violences qu'il risque d'entraîner.

Comme pour illustrer ses paroles, Isidore Katzenberg reposa le livre au sommet d'une pile qui s'écroula aussitôt sans qu'il y prête la moindre attention.

— Seconde notion primordiale : l'« évolution du monde selon les chiffres ».

La jeune fille s'installa le plus confortablement qu'elle put dans un fauteuil-bibliothèque aux arêtes douloureuses.

— Suivez-moi bien. Ces dessins qui constituent nos chiffres et que nous utilisons mille fois par jour sans même y réfléchir comportent en eux-mêmes tout un enseignement. Ils ont été inventés par les Indiens. La courbe est signe d'amour, le trait horizontal : d'attachement, et le croisement : de choix.

« 1, c'est le stade minéral. »

Pour qu'elle le visualise mieux, il dessina le chiffre dans l'air.

— ... 1 se dresse, immobile, comme un monolithe. 1 ne ressent rien. Il est là. Pas de courbe, pas de trait horizontal, pas de croisement. Donc pas d'amour, pas d'attachement, pas de choix. Au stade minéral, nous nous trouvons dans l'ici et le maintenant, sans penser.

« 2, continua-t-il en mimant de nouveau le chiffre, c'est le stade végétal. Avec une tige courbe comme celle d'une fleur et un trait comme racine. 2 est attaché au sol. La fleur ne peut donc pas se déplacer. Il y a une courbe dans la partie supérieure : 2 aime le ciel. La fleur se veut belle, ornée de couleurs et de nervures harmonieuses afin de plaire à la dimension supérieure.

« 3, c'est le stade animal. Avec ses deux courbes en haut et en bas, précisa-t-il en s'aidant de ses pouces et de ses index pour former un trois, il aime le ciel et il aime la terre.

— On dirait deux bouches ouvertes superposées, remarqua Lucrèce Nemrod.

— La bouche qui embrasse empilée sur la bouche qui mord, confirma Isidore Katzenberg. 3 ne vit que dans la dualité. « J'aime / je n'aime pas. » Pas de traits horizontaux, donc pas d'attachement ni au sol ni au ciel. L'animal est perpétuellement mobile. Il vit sans attaches, uniquement mû par la peur et le désir. 3 se laisse mener par ses instincts. Il est donc le perpétuel esclave de ses sentiments.

Le gros homme croisa ses deux index.

— 4, c'est le stade humain. Avec le symbole de la croix qui signifie le carrefour. Carrefour, donc choix. A condition de s'y prendre convenablement, ce carrefour nous permettra de quitter le stade animal pour passer au stade suivant. Du stade animal du 3 à celui du 5. Il nous est possible de ne plus être ballottés par la peur et l'envie, de cesser de ne réagir qu'aux émotions instinctives. On peut sortir du dilemme « j'aime / je n'aime pas » comme de « j'ai peur, je fais peur ».

— En parvenant à l'étape au-dessus, le 5 ?

— 5, c'est le stade spirituel. L'homme évolué. 5 possède un trait horizontal en haut, il est donc attaché au ciel. Il est nanti d'une courbe dirigée vers le bas, il aime donc ce qu'il y a au-dessous, la terre. 5 est l'exact contraire de 2. Le végétal est cloué au sol. L'homme spirituel est soudé au ciel. Le végétal aime le ciel, l'homme spirituel aime la terre. C'est ce qu'entendait André Malraux avec son fameux : « Le troisième millénaire sera spirituel ou ne sera pas. » L'homme sera 5 ou ne sera pas.

« Tel est l'objectif à atteindre : nous libérer de nos émotions, contrôler nos réactions instinctives et devenir spirituels. »

Lucrèce Nemrod resta un instant silencieuse. Elle réfléchit puis demanda :

— Et le 6 ?

L'expression d'Isidore Katzenberg se fit mystérieuse.

— Trop tôt pour en parler. Comprenez déjà les cinq premiers chiffres et vous aurez accompli un énorme bond en avant. Si tout mon travail ne sert qu'à faire comprendre cela, j'aurai l'impression d'avoir été utile.

Elle les dessina tour à tour devant elle.

— Un... deux... trois... quatre... cinq... C'est curieux. Nous avons les chiffres en permanence sous les yeux, sans penser à y voir d'autres informations qu'en matière de calcul.

— Les gens ne font pas suffisamment attention aux choses qui les entourent, déplora Isidore Katzenberg. Ils fonctionnent selon leurs préjugés et s'imaginent déjà tout savoir.

Il secoua ses formes rebondies.

— J'espère en tout cas que ce petit exposé sur les chiffres, qui nous montrent la voie vers l'avenir, vous aura convaincue que la seule question importante n'est pas « D'où venons-nous ? » mais bien au contraire « Où allons-nous ? ».

Elle déplia son corps menu, se leva, enjamba des livres et marcha à travers la pièce pour mieux examiner les murs recouverts de tableaux aimantés sur lesquels étaient apposés des coupures de presse, des photos, des dessins aussi bien que des listes de commissions.

— Au contraire, émit-elle, pensive. Vous m'avez davantage convaincue encore du bien-fondé de ma démarche. Il faut d'abord comprendre le passé si on veut ensuite comprendre l'avenir.

Isidore Katzenberg s'empara d'un pense-bête sur l'un des tableaux, puis sortit un caddie de dessous un tas de livres.

— Où allez-vous ? demanda la jeune fille.

— Ah, enfin, la bonne question. Vous voyez

que vous y arrivez quand vous voulez. Où vais-je ? Eh bien, tout bonnement faire mon marché. C'est l'heure, j'ai besoin de légumes et de fruits frais.

— Je peux vous accompagner ?

Ils poursuivirent leur conversation au-dehors, lui tirant son caddie dans un couinement de roues rouillées. Aux friches envahies d'herbes hautes et d'orties succédèrent des rues bordées de pavillons de banlieue. Ils débouchèrent enfin sur une place où, face à une petite église sans âge, de solides maraîchères aux joues rouges se tenaient derrière leurs étals.

Isidore Katzenberg n'était pas homme à acheter ses provisions à la va-vite. Il huma longuement des melons, soupesa soigneusement des mangues, discuta des derniers arrivages avec un maraîcher puis tâta des tomates, des avocats et flaira des oignons. Tout en choisissant soigneusement ses prochaines nourritures terrestres, il poursuivit son raisonnement :

— Ce qui ralentit l'homme dans sa progression, c'est sa fascination pour son propre passé. (Je prends ces deux bottes de radis, là. Les bien rouges.) S'il ne considérait que son avenir, il serait plus léger. Croyez-moi, la catastrophe, la vraie, c'est la fascination pour le passé. (Elles sont toutes aussi mûres que cela, vos poires ?) Considérez tous ces pays qui s'imaginent redécouvrir leur identité propre en retournant à des systèmes arriérés. En Mongolie, ils se mettent à revendiquer l'héritage de Gengis Khan. En Afghanistan, ils veulent remettre en vigueur des lois datant de l'an 800. En Russie, ils appellent de leurs vœux un nouveau tsar. (Je vous dois combien ?)

Isidore Katzenberg tira un billet froissé de son porte-monnaie, y remit les petites pièces qu'on lui tendit puis fourra ses sacs de fruits et légumes dans son caddie sans cesser son discours :

— Du passé, il faut faire table rase. C'est

comme la psychanalyse. Les gens n'en finissent pas de s'enfoncer dans leur passé pour mieux le triturer et le décortiquer. Plutôt que de regarder en arrière, ils feraient mieux de regarder devant eux.

Comme il prononçait ces mots, il accéléra, prenant un peu d'avance sur Lucrèce Nemrod qui trottinait pour le rejoindre.

Au détour d'un pâté de maisons, une automobile surgit soudain, une portière s'ouvrit vivement, deux bras en sortirent et happèrent la jeune fille vers l'intérieur. Avant que Lucrèce ait pu comprendre ce qui lui arrivait, un bâillon s'enfonçait dans sa bouche et un bandeau lui barrait les yeux.

Isidore Katzenberg ne s'était aperçu de rien et continuait d'expliquer :

— Jamais, jamais ne regarder en arrière. A force, on oublie de regarder devant soi. Ainsi, par exemple, si je cessais de regarder devant moi, je prendrais probablement ce réverbère en pleine figu...

La portière se referma dans un claquement sec, des pneus crissèrent, la voiture bondit. A travers les vitres de l'automobile qui le dépassait maintenant à grande vitesse, Isidore Katzenberg aperçut Lucrèce Nemrod qui se débattait entre des bras vigoureux appartenant à des individus aux visages recouverts de masques de singe.

15. CUEILLETTE

L'ancien chef de horde rapporte un tas de feuilles poilues.

Elles serviront de salade pour digérer la viande de hyène.

Il n'a pas cueilli n'importe quelles feuilles. Grâce à leurs petits poils en forme de crochet, celles-ci agrippent les vers qui parasitent l'intérieur et provoquent d'un coup des diarrhées qui lessivent les intestins.

Ils s'en empiffrent. Ils ont la chance d'être mi-végétariens, mi-carnivores. La viande rouge les excite, les feuilles fraîches les apaisent. Ils mangent ensuite quelques fruits presque mûrs. Ils éviteront ainsi les pets immondes que produit tout individu ayant récemment absorbé de la hyène.

Au pied de l'arbre, survient justement un groupe de hyènes désireuses de voir ce qui s'est passé. Elles découvrent les reliefs de leur congénère recouverts de mouches et de corbeaux et jettent un œil dans les hauteurs pour repérer ceux qui se sont permis pareil outrage.

Le chef de horde frappe son poitrail de ses poings et fait claquer sa langue pour bien leur signaler que non seulement ce sont les siens qui ont tué mais que, de surcroît, les hyènes doivent s'attendre à voir se renouveler pareil événement.

Ce moment est historique.

Le sens de la prédation vient de s'inverser entre eux et les hyènes. Les femelles de la horde poussent leurs cris hystériques pour narguer les charognardes. Comme le vacarme de leurs hurlements stridents emplit la forêt, personne n'entend un brassement régulier qui se rapproche. Un large battement d'ailes.

Qui regarde en bas oublie de regarder en haut.

Avant que quiconque ait pu donner l'alerte, un aigle s'abat en piqué et, profitant de l'inattention générale, attrape un petit, tout occupé à séparer un fruit de tous ses asticots. Pour jeter la pulpe et ne manger que les asticots.

Ils n'ont pas le temps de protéger l'enfant et sont réduits à observer, bouche ouverte, le jeune qui glapit en s'envolant.

Pourtant il ne s'agit pas de n'importe quel petit, c'est celui que la mère ne veut pas lâcher. Elle le tient si fort qu'elle finit par être entraînée à son tour.

Alors que l'aigle reprend lentement de la hauteur, IL tente le tout pour le tout et grimpe à toute vitesse dans les branches hautes.

Le temps semble ralentir.

Alourdi par ses deux proies, l'aigle monte poussivement. La mère est encore à portée de branche. IL saute dans le vide, tend les bras loin en avant. Le tout pour le tout. IL arrive à saisir de justesse les orteils de la maman. Ils sont comme immobiles dans les airs. Dans un cri, la mère lâche prise.

Libéré de tout ce lest, l'aigle part aussitôt en altitude, tenant toujours bon sa petite proie.

IL tombe au sol. Les hyènes sautent immédiatement dessus et il ne dispose que d'un infime instant pour échapper à leurs crocs en s'élançant dans les branches basses.

L'aigle continue de s'élever dans le ciel. Les femelles de la horde lui lancent des fruits verts mais le prédateur est déjà loin.

L'enfant kidnappé crie à l'aide.

IL le regarde tout là-haut et se dit que ce jeune a peut-être de la chance. Après tout, il vole dans le ciel. Qui dans la horde peut se vanter d'avoir connu cette sensation une fois dans sa vie ? Jamais, même en sautant de son mieux, IL ne pourra monter aussi haut que lui. Dommage.

16. UN MAUVAIS QUART D'HEURE

Lucrèce Nemrod fut poussée dans un lieu rempli de grincements. Deux mains appuyèrent sur ses épaules pour la faire asseoir sur une chaise, deux mains lui lièrent les poignets au dossier dans son dos. Elle ne voyait rien et n'entendait que des bruits suspects. Deux mains encore lui saisirent les chevilles, les écartèrent et les ficelèrent aux pieds de la chaise.

Elle se débattit mais elle était trop solidement entravée pour espérer quoi que ce fût. En plus, elle subodorait que ses ravisseurs devaient se divertir à la contempler se déhancher et se tortiller ainsi dans ses liens. Au bout de quelques minutes, elle cessa donc tout mouvement et fit la morte. Un gibier inerte exaspère toujours davantage ses prédateurs qu'un gibier en mouvement. Ça ne rata pas. Deux mains vinrent lui arracher son bâillon et ôter le bandeau de ses yeux. Elle déglutit pour irriguer sa gorge et battit des cils pour se réhabituer à la lumière.

Des murs grisâtres à la peinture écaillée, des vitres opaques et sales, un sol de ciment poussiéreux. Elle était dans une usine désaffectée. L'endroit sentait le moisi et la rouille. Trois hommes plutôt costauds la contemplaient, masque de singe sur le visage.

Qu'ils aient conservé leur masque la rassura. Cela signifiait qu'ils finiraient par la libérer puisqu'ils ne souhaitaient pas qu'elle puisse les reconnaître.

L'un des individus s'approcha et lui prit le menton :

— Que fabriquiez-vous dans l'appartement du Pr Adjemian ?

Elle ricana :

— Ah, c'est donc vous le visiteur masqué que j'ai déjà eu l'occasion de corriger.

— En effet, marmonna l'autre, et vous faites bien de me le rappeler.

Il lui assena une gifle qui fit voleter sa chevelure. Une main rouge s'inscrivit sur sa joue tendre. Elle sentit un goût de sang dans sa bouche. L'adrénaline monta. Maintenant, Lucrèce Nemrod avait très envie de se colleter avec ses adversaires et elle tira plus fort encore sur ses liens, au risque de se blesser.

— Facile de frapper une femme ligotée. Vous étiez moins fanfaron, l'autre soir.

Une seconde gifle partit aussitôt. L'homme reprit son interrogatoire d'une voix égale :

— Que faisiez-vous dans l'appartement du Pr Adjemian ? Que cherchiez-vous dans son bureau ? Qu'y avez-vous découvert ?

Un voile roux masquait encore ses yeux. Elle haleta. Il fallait qu'elle domine sa colère et ses envies de frapper. L'adrénaline était là et, pourtant, il fallait qu'elle sourie et reprenne le contrôle de son souffle.

— Je ne discute pas avec les singes, dit-elle.

Troisième gifle. Un autre homme se présenta devant elle et caressa gentiment la joue endolorie.

— Que savez-vous des origines de l'homme ? dit-il d'une voix suave.

Elle releva la tête, le contempla les yeux fixes et, comme une écolière récitant une leçon, débita d'un trait :

— L'homme descend du singe et le singe descend de l'arbre.

— Laissez-la-moi, patron, interrompit le troisième individu, celui qui n'avait pas encore bougé. Moi, je sais comment la faire parler.

Elle les défia.

— Bouh, que j'ai peur ! Dites donc, les gars, vous vous figurez m'impressionner ? Même vos masques sont minables. Il y a encore les étiquettes du magasin de farces et attrapes dessus. Soixante-cinq francs ! Ça fait amateurs. Quand on veut torturer une jeune fille dans mon genre, au moins on tâche d'agir avec classe. On enlève soigneusement les étiquettes et on enfile des cagoules de bourreaux, pas des masques de singe à soixante-cinq francs !

— Je peux y aller, chef ? insista le plus gros.

Lucrèce Nemrod le fusilla de son regard émeraude.

— De toute façon, quoi que vous me fassiez, ce ne sera que caresses par rapport au bizutage de l'orphelinat.

Le porteur du masque de singe qui avait été désigné comme étant le « patron » hésita avant de donner son feu vert.

— D'accord, vas-y, mais ne l'abîme pas trop. Je n'aime pas voir souffrir les êtres humains, surtout les femmes...

Les deux autres s'empressèrent de la détacher et elle profita qu'elle avait temporairement les pieds et les mains libres pour enfoncer gaillardement ses poings endoloris dans le ventre le plus proche et ses talons engourdis dans les tibias les plus avancés.

Ils la maîtrisèrent rapidement, la ligotèrent de nouveau et l'entraînèrent vers une poulie au bout de laquelle pendait une chaîne. Ils l'y suspendirent par les pieds, tête en bas. Sa longue crinière fauve balayait le sol tandis que, dans son dos, ses mains essayaient de donner un peu de jeu à leurs liens.

— Alors, réfléchissez, qu'étiez-vous venue faire dans l'appartement du Pr Adjemian ? redemanda le « patron ».

— D'accord, je vais tout vous dire, souffla-t-elle. Je frappais à toutes les portes pour un sondage : « Qu'est-ce que les Français conservent en majorité dans leur réfrigérateur ? » Quand les gens refusent d'ouvrir leur porte, on entre chez eux par la fenêtre.

— Très drôle, mademoiselle. Comme vous voudrez, mais le sang finira par vous monter à la tête et vous rafraîchira sans doute la mémoire.

Elle se tortilla au bout de la chaîne. Le sang commençait en effet à lui embrouiller les idées et tout son corps s'alourdissait.

— Comme ça, vous ressemblez à un saucisson fumé, s'amusa l'un de ses tourmenteurs.

Ce fut précisément à ce moment qu'une épaisse fumée opaque se répandit dans la salle, formant un nuage gris. Une détonation résonna.

17. L'ORAGE

La foudre déchire le ciel et, dans le fracas, les membres de la horde se figent. IL se dresse sur ses pattes arrière pour mieux contempler le spectacle.

Les nuages deviennent sombres, virent au noir avec des reflets de mauve et d'argent.

Le ciel s'élargit.

De tout ce noir, jaillit en flash un arbre blanc qui frappe durement le sol.

« Le ciel est plus fort que tout », pense IL.

Les autres rentrent leur tête dans leurs épaules. Ils ont très peur. Lui, il n'a pas peur.

« Le ciel est mon maître », se dit IL.

Ce sont ses amis, les nuages, qui démontrent leur puissance aux peuples qui rampent sur l'écorce terrestre. Les arbres de lumière se succèdent, de plus en plus nombreux, de plus en plus tonitruants. Le sol vibre sous le choc de leurs impacts.

« Le ciel est si beau, si fort », pense IL.

Un zigzag de foudre ardente frappe l'arbre où ils ont installé leur bivouac. La tour aux branches de bois fin est suffisamment solide pour résister aux assauts de l'eau, mais pas à ceux du feu. Par le passé le camp a déjà eu des problèmes avec les orages, mais jamais la foudre n'est tombée si près. Le feu se répand vite. Les branches encore vertes produisent une grosse fumée épaisse et bleue.

Tout le monde tousse. Les enfants ont les yeux qui coulent. La foudre s'abat encore tout près de l'arbre, mais l'épargne de justesse, ne laissant qu'un tas de cendres à l'endroit où se trouvait un cousin distrait.

La pluie redouble d'intensité, mais pas au point d'éteindre le début d'incendie. Une haute flamme jaune se dresse pour les défier. Le chef de horde pousse les habituels cris d'intimidation pour faire fuir cet adversaire. Loin d'être impressionné le feu semble le narguer. D'autres dominants viennent en soutien. Le feu s'avance droit sur eux, en mordant plusieurs aux mains. Tout le monde hurle. Pour eux, le feu est quelque chose de si terrifiant ! Ils ne comprennent pas où sont ses yeux, où est sa bouche, et ne parviennent pas à le frapper. Ils ne comprennent pas non plus comment le feu parvient à être si discret. On ne le voit ni ne l'entend venir et puis, tout à coup, il y a cet animal immense en face de soi.

A leur tour les femelles se mettent à crier. Trois grandes flammes envahissent le bivouac. Elles détruisent tout, transformant en poussières noires tout ce qu'elles dévorent. La horde recule. Le chef de horde rechigne à abandonner un bivouac aussi bien aménagé, mais le haut de l'arbre crépite de partout. Quelques neveux imprudents flambent comme des torches, glapissant pour qu'on vienne les éteindre. Des oiseaux effarouchés abandonnent leurs nids en s'efforçant d'emporter leurs œufs. Le feu grandit encore et ses crocs brûlants les poursuivent.

L'air s'emplit d'une fumée âcre, ils toussent.

18. LE PRINCE CHARMANT

L'usine désaffectée était envahie de fumée.

Les trois porteurs de masques de singe se figèrent près de la poulie où pendait Lucrèce Nemrod, qui observait la scène à l'envers.

— Les fumigènes ! Les flics ! clama l'un d'eux.

Lucrèce Nemrod se contorsionna pour se redresser. Des détonations claquaient maintenant un peu partout dans l'usine.

— Attention, ils nous tirent dessus !

Les kidnappeurs coururent vers un tas de caisses. Ils avaient de plus en plus de mal à respirer dans cette atmosphère suffocante. Tant bien que mal, ils dégainèrent leurs armes et se mirent à tirer au hasard à travers l'épais brouillard devant eux.

Lucrèce Nemrod était en proie à une quinte de toux quand deux mains potelées la ramenèrent au sol, délièrent les cordes qui la ligotaient et appliquèrent un masque contre son visage pour la protéger des gaz. Redressant sa tête lourde, la jeune fille reprit conscience du contour des formes, aspira une bonne goulée d'air filtré et considéra, incrédule, son libérateur.

— Isidore, souffla-t-elle.

— Chut, murmura-t-il dans son propre masque à gaz, en bouclant les lanières de protection autour de la tête rousse.

Puis doucement il articula trois mots :

— Voir, comprendre, se taire...

Elle respira encore profondément puis, se faufilant entre les murs de brouillard, elle se précipita vers ses agresseurs et put enfin donner libre cours à sa créativité combative.

Elle claqua d'un coup les deux oreilles du premier qu'elle trouva, les mains bien à plat comme des cymbales afin de provoquer une forte pression simultanément sur les deux tympans. L'homme lâcha aussitôt son arme pour se tenir la tête.

Isidore Katzenberg s'assit tranquillement par terre pour goûter le spectacle.

Lucrèce Nemrod expédia un coup de pied dans les dents d'un autre individu, qui se désintéressa sur-le-champ de son revolver pour mieux caresser sa mâchoire meurtrie. Fonçant enfin vers le troisième, elle introduisit méchamment son index et son médium dans les trous du masque, au travers desquels larmoyaient des yeux bleus que, momentanément, elle aveugla.

Les ravisseurs masqués ressemblaient aux trois petits singes de la sagesse chinoise.

L'un se tenait les oreilles.

L'autre la bouche.

Le dernier les yeux.

Tant bien que mal, ils déguerpirent en trébuchant.

Lucrèce Nemrod les poursuivit au-dehors mais, déjà, ils s'étaient réfugiés dans leur voiture qui démarrait en trombe. Elle ôta son masque à gaz.

— Pff... lavettes ! Dès que le combat commence à être équilibré, ils s'enfuient..., s'exclama-t-elle à l'intention d'Isidore Katzenberg qui l'avait rejointe et se débarrassait lui aussi de son équipement.

La jeune journaliste se tourna vers son libérateur.

— Au fait. Pourquoi ne m'avez-vous pas aidé à les combattre ?

— Il m'a semblé que vous vous débrouilliez très bien toute seule. C'est quoi, cet art martial que vous pratiquez ?

— De l'« orphelinat-kwondo ». Ça ressemble à du taekwondo, mais en beaucoup plus violent. Tous les coups sont permis, absolument tous.

— Dans ce trio, vous avez reconnu le type que vous avez rencontré sur les lieux du crime ?

— Oui, je crois. Bien qu'avec le masque je n'aie pas pu réellement reconnaître son visage. Ah, si seulement j'avais pu en attraper un pour le faire parler...

Isidore Katzenberg tira un bâton de réglisse de sa poche et l'introduisit dans sa bouche pour le suçoter.

— Lucrèce Nemrod, dit-il sentencieusement, ne tombez pas dans l'engrenage de la violence.

— Je fais ce que je veux, gronda-t-elle. Si j'ai envie de tomber dans l'engrenage de la violence, ça ne regarde que moi.

Il posa sa main sur son épaule.

— Très bien. Alors, mettons les points sur les « i ». Je veux bien jouer les princes charmants volant au secours de la belle en détresse mais, en retour, il vous faut aussi tenir un minimum votre rôle de princesse charmante. Or, les princesses charmantes ne torturent pas les vilains.

— Comme s'ils se gênaient, eux !

— Lao-tseu a dit : « Si quelqu'un t'a fait du mal, ne cherche pas à te venger. Assieds-toi au bord de la rivière et bientôt tu verras passer son cadavre. »

Lucrèce Nemrod réfléchit, retourna la maxime dans son esprit puis rétorqua :

— Quand même, dans certains cas, on peut aussi aider le type à tomber dans la rivière. Ça fait gagner du temps. Mais dites donc, le prince charmant, comment avez-vous fait pour retrouver la belle en détresse ?

— Facile, dit-il. Je vous ai vue vous débattre dans la voiture. Ne pouvant vous poursuivre, je suis rentré chez moi pour récupérer le numéro de votre portable. Comme vous m'aviez dit qu'il était toujours sur vibreur, je savais qu'il ne sonnerait pas. En revanche, en recevant mon appel, votre téléphone me signalait, lui, l'emplacement où il se trouvait. J'ai encore des copains dans la police. Ils ont détecté l'antenne activée par votre appareil et défini le petit périmètre où le situer. Par chance, il n'y avait qu'un endroit bâti dans la zone : l'usine désaffectée. Mes copains m'ont fourni six grenades fumigènes, quatre grenades à blanc et deux masques à gaz. Evidemment, tout ça m'a quand même pris une bonne heure. En plus, comme je n'ai pas de voiture, j'ai dû prendre le métro. Et le métro à ces heures-là, vous savez ce que c'est ! Ils ne vous ont pas fait trop de mal ?

Elle frotta ses poignets et ses chevilles endoloris où s'inscrivaient encore les traces rouges de ses liens.

— Ça a été juste... Vous seriez arrivé dix minutes plus tard, j'aurais été probablement dans un beaucoup plus mauvais état.

Elle leva la tête vers la bonne face lunaire de son sauveur.

— Merci quand même. Je commence à comprendre pourquoi on vous surnomme le « Sherlock Holmes scientifique ».

La masse sphérique s'agita en signaux de dénégation.

— Je vous en prie, ne me comparez pas à ce *has been,* déclara-t-il. A chaque époque, son détective. Je ne suis pas un homme du passé, moi, je suis un homme du présent, voire du futur.

Elle soupira :

— Toujours ce futur qui vous obnubile...

Il enfonça plus profondément son bâton de réglisse, puis dit :

— J'ai réfléchi en chemin. Sur certains points, vous avez peut-être raison. Peut-être importe-t-il de bien connaître le passé pour éviter qu'il ne se reproduise dans l'avenir.

Au travers d'une cour aux pavés disjoints, l'éléphant et la souris se dirigèrent vers la sortie entre les grilles. Tout en trottinant pour rester aux côtés de son compagnon, Lucrèce lissa des mains sa longue chevelure pour la remettre en place.

— Ça veut dire que vous acceptez de m'aider dans mon enquête ?

— Venez. Je vais vous montrer un endroit que j'ai toujours gardé secret.

19. LA CAVERNE

La cime flamboie. Tout le haut de l'arbre est en feu. Les feuilles crépitent dans une lumière jaune. A tire-d'aile, les oiseaux abandonnent leurs nids dans les branches hautes.

La horde n'a pas d'autre choix que de descendre au sol. Elle sait qu'il lui faut maintenant trouver un autre bivouac.

La pluie tombe dru. Poil mouillé, échine courbée, ils avancent en terrain découvert. Heureusement, la pluie éloigne les prédateurs car, alourdis par leurs toisons trempées, ils deviennent eux aussi des proies faciles.

A l'avant, le chef tente de motiver les siens en distribuant de fortes tapes sur la tête de ceux qui ne marchent pas assez vite. Le meilleur moyen de chasser une peur est d'en créer une autre. Il grogne, montre les dents, ne rechignant pas à mordre les dominés et les souffre-douleur habituels. Il pense que c'est indispensable à la cohésion du groupe.

Ils marchent, résignés. Ils rencontrent un grand arbre où ils pourraient établir un nouveau campement, mais ce jour n'est pas un jour de chance. Alors qu'ils s'apprêtent à s'élancer dans les branches, la foudre frappe encore, et l'arbre tombe, fracassé.

IL se demande si les arbres les plus hauts n'attirent pas plus spécialement la foudre. Ou s'il y a là un signe. IL croit aux signes. IL pense que, dans la vie, tout concourt à lui indiquer ce qu'il doit faire et ce qu'il ne doit pas faire. Si la foudre s'abat sur leur camp, c'est qu'ils doivent quitter leur camp. Si la foudre s'abat sur cet autre arbre, c'est qu'ils ne doivent pas s'installer là non plus.

Une femelle attire l'attention du groupe en montrant des doigts un trou, plus loin dans la roche.

Une caverne.

En règle générale, les gens de la horde n'approchent pas des cavernes. Elles sont toujours habitées par de grands fauves à éviter. Mais la pluie est si froide et ils craignent tant de retrouver le feu qu'ils emboîtent le pas à la femelle. Surprise : l'entrée de la caverne n'est protégée par aucun prédateur. En revanche, elle semble très profonde. Ils s'immobilisent sur le seuil et regardent la pluie écraser la nature et d'autres arbres s'enflammer.

IL pense que les nuages sont en colère contre les êtres de la surface de la terre.

« Peut-être ne fallait-il pas tuer la hyène porteuse d'espoir pour son espèce », se dit-il.

Les siens se pelotonnent pour former une grosse boule de façon à réchauffer les unes contre les autres leurs chairs inquiètes et tremblantes.

La pluie n'en finit pas de tomber. Ils s'enferment dans leur chaleur réciproque.

Au loin, un arbre frappé par la foudre s'illumine.

20. L'ARBRE DES FUTURS

C'était « l'arbre des futurs ».

Isidore Katzenberg avait entraîné Lucrèce Nemrod dans une petite pièce aménagée au rez-de-chaussée de son château d'eau. Elle ne contenait que deux chaises et un grand tableau blanc posé sur un chevalet avec des crayons-feutres sur le rebord.

Lucrèce Nemrod s'en approcha et contempla l'immense dessin tracé dessus. Tout en haut, une longue étiquette indiquait : ARBRE DES FUTURS. Au-dessous s'étalait tout un fouillis de branches et de feuilles plus petites.

— De nos jours, les politiciens ne réfléchissent qu'à très court terme, de cinq à sept ans, tout au plus, le temps de se faire élire ou réélire, concéda Isidore Katzenberg. Il serait pourtant intéressant de réfléchir sur les cent, mille, dix mille prochaines années... Quelle terre laisserons-nous à nos enfants ?

— Nous sommes en effet dans la politique du moindre mal. On gère de façon à éviter les catastrophes les plus proches.

— Normal, les politiciens dépendent des sondages qui eux révèlent l'émotionnel collectif instantané. Il n'y a pas de perspectives.

Lucrèce Nemrod se laissa tomber sur l'une des petites chaises inconfortables. Elle soupira.

— O.K. pour jouer les visionnaires, mais la plupart des propositions d'avenir radieux ont débouché sur de tels échecs... Il est normal que maintenant les gens se montrent prudents face aux grands projets.

— Mais l'humanité a droit à l'erreur, protesta Isidore Katzenberg s'asseyant à son tour, sa lourde masse débordant de part et d'autre du siège et du dossier. On a beau critiquer le communisme, le libéralisme ou le socialisme, ils présentaient quand même l'avantage de proposer des cheminements. Même si ces idéologies ont échoué, il n'en faut pas moins continuer à en suggérer d'autres. Beaucoup d'autres, et que les gens choisissent. Ce n'est pas parce qu'on s'est trompé par le passé que l'on doit renoncer à faire des propositions d'avenir. De nos jours, on n'a plus le choix qu'entre les forces de l'immobilisme et celles de la marche arrière.

— Vous voulez dire entre les conservateurs ou les réactionnaires ? interrogea-t-elle.

— Si vous voulez. Quoi qu'il en soit, à part « ne pas bouger » ou « faire demi-tour », on ne propose plus rien. Tout le monde est terrorisé à l'idée d'accomplir un pas en avant. Il n'y a plus que les auteurs de science-fiction pour oser envisager d'autres possibilités de sociétés humaines dans le futur. C'est navrant.

Lucrèce Nemrod se leva pour examiner l'arbre de plus près.

— Donc vous, vous avez imaginé cet arbre.

— Oui. L'arbre de tous les futurs probables.

— L'idée est liée au concept de Voie de Moindre Violence exposé dans votre livre bizarre ?

— En couchant sur ce tableau tous les futurs possibles, je tente de découvrir le chemin qui, à long terme, nous permettra d'avoir un futur meilleur que notre présent.

Il rejoignit la jeune fille et lui désigna du doigt les feuilles de l'arbre du futur. Sur chacune était inscrite une hypothèse d'avenir. Certaines étaient modérées telles : « Si on privatisait le système carcéral », « Si on supprimait la Sécurité sociale » ou « Si on augmentait les minima sociaux ». D'autres étaient plus radicales : « Si on déclarait la guerre aux blocs économiques rivaux », « Si on revenait à un système dictatorial » ou « Si on supprimait les gouvernements ». D'autres étaient à première vue carrément utopiques : « Si on colonisait d'autres planètes », « Si on imposait un contrôle des naissances mondial », « Si on arrêtait la croissance économique ».

Lucrèce Nemrod considéra différemment la

masse sphérique à ses côtés. Elle était surprise qu'un simple individu s'autorise à dessiner ainsi en prospective tout l'avenir de son espèce dans le temps. Un instant, elle fut tentée de se moquer de lui, mais se reprit aussitôt. C'eût été si facile de détruire tant d'heures et d'heures de réflexion par une simple boutade. Tout ce travail méritait le respect. Son second mouvement fut de chercher à en savoir davantage.

— Vous gardez votre arbre des futurs ici. Personne ne peut donc en profiter.

Il approuva.

— C'est vrai mais, pour l'instant, il n'est pas assez étoffé à mon goût. Je le montrerai quand je serai prêt.

— A qui ?

— A tout le monde. Et peut-être qu'un jour, grâce à mon arbre, les hommes politiques auront enfin le courage de dire : « Regardez bien. Tel est le cheminement que je propose de choisir car il faut passer par là, puis par là, puis par là pour que, dans deux cents ans peut-être, même si certains passages sont pénibles, nous parvenions enfin ici, à ce point où nos enfants, ou les enfants des enfants de nos enfants, seront parfaitement à leur aise sur cette planète. »

Il exhiba un cigare en caramel qu'il mâchouilla.

— ... C'est du sort de toute l'humanité et même de tout ce qui vit sur cette planète qu'il s'agit. Il est grand temps de réfléchir non plus en tant qu'électeurs ou consommateurs mais en êtres vivants intégrés à tout un ensemble beaucoup plus vaste. Oui, j'espère qu'un jour nous entrerons en harmonie avec le monde qui nous entoure. « Homéostasie », tel est le terme exact : équilibre entre le milieu intérieur et le milieu extérieur, équilibre entre l'espèce humaine et toutes les autres formes de vies existantes.

— Rien que ça !

— Oui, insista-t-il. Nous serons alors capables d'entrer en empathie avec toutes les formes de vie terrestres. Toutes seront nos partenaires et, avec elles toutes, nous construirons un monde meilleur. A long terme, que pourrait-il nous arriver de mieux ?

— D'accord, mais à court terme, et même pour l'instant, à quoi vous sert tout ce travail ?

— A déduire les principales tendances, et ce en tenant compte de tous les facteurs dans tous les domaines possibles : économique, politique, social, technologique, culturel... et en vérifiant comment ensemble ils se connectent, répondit-il modestement. Avec ce tableau, je détermine les cycles des crises. Je déduis les phases de croissance et de décroissance des cours des matières premières. Je me sers de mon arbre pour miser en Bourse. Et ça marche. Mes tractations boursières constituent ma principale source de revenus. Avec ça je gagne ma vie, n'est-ce pas là une preuve pratique et évidente que mon arbre fonctionne ? Croyez bien que ce n'est pas avec mon dérisoire salaire de journaliste scientifique que j'aurais pu m'offrir et aménager ce château d'eau.

La jeune stagiaire ne cessait de fixer l'arbre.

— ... Evidemment, reprit-il avec un large sourire sur sa face de bébé, je ne me prends pas pour Nostradamus. Je ne prétends pas prédire l'avenir, mais je tente de prévoir les grandes trajectoires d'évolution logiques de notre société. Et, pour l'instant, sans me vanter, ça marche plutôt mieux que je ne m'y attendais.

Lucrèce Nemrod considéra les ramures les plus fines de l'arbre des futurs.

— Et en géopolitique, vous percevez quoi ?

— Le pouvoir se déplace d'est en ouest. Au départ, le centre du monde se trouvait en Inde. Selon moi tout est parti de l'Inde, il y a plus de 5 000 ans. On glisse vers l'est en suivant la trajectoire du soleil. Les Mésopotamiens et les Egyptiens prirent ensuite le relais au sommet du pouvoir. Encore plus à l'ouest. Vinrent ensuite les Grecs, les Romains. Encore plus à l'ouest : l'Empire austro-hongrois, le front occidental (France, Espagne, Hollande), puis l'Angleterre. Encore plus à l'ouest. Traversée de l'océan Atlantique. Le pouvoir s'est retrouvé à New York. Encore plus à l'ouest. Traversée du continent américain. Le pouvoir est arrivé à Los Angeles. Toujours vers l'ouest. Traversée du Pacifique. Voilà le pouvoir à Tokyo et bientôt en Chine. Après la Chine, il reviendra en Inde. Ainsi se résume l'histoire géographique du pouvoir et sa trajectoire probable à travers les continents et les nations.

— Un autre thème. Le chômage en France ?

Isidore Katzenberg reprit son souffle :

— En ce qui concerne les sociétés occidentales modernes, logiquement, dans le futur, il ne devrait plus y avoir de problèmes de chômage. Dix pour cent des gens travailleront énormément dans des métiers créatifs et quatre-vingt-dix pour cent ne travailleront pas du tout, ou bien sporadiquement en tant qu'exécutants non créatifs. Les dix pour cent de créatifs seront essentiellement des manipulateurs de concepts. Ils se passionneront pour leur travail, consacreront tout leur temps à leur tâche et gagneront beaucoup d'argent, qu'ils n'auront que rarement le temps de dépenser.

— Et les autres ? interrompit la jeune fille.

— Les autres ? Eh bien, les quatre-vingt-dix pour cent de non-créatifs changeront souvent de métier, ne gagneront que peu d'argent, s'intéresseront peu à leurs tâches éphémères, et profiteront énormément du monde des loisirs. Ces quatre-vingt-dix pour cent, d'ailleurs, ne s'identifieront plus à leur métier, mais plutôt à leurs loisirs. Je crois beaucoup au développement des activités associatives bénévoles. Exemple : une fille secrétaire intérimaire, pratiquant parfois le baby-sitting et tournant à l'occasion de petits rôles au cinéma, se définira comme membre d'une association de quartier visant à promouvoir l'écologie.

— Je n'ai pas saisi pourquoi vous affirmez que les créatifs seront dans l'avenir des « manipulateurs de concepts ».

— Ah, mais c'est que, dans le futur, il n'y aura plus d'inventions, plus de découvertes, plus d'innovations particulières. Toutes les technologies étant simultanément connues dans le monde entier, les gens disposeront partout des mêmes voitures, des mêmes lessives, des mêmes ordinateurs. Alors, qu'est-ce qui fera qu'on achètera l'un plutôt que l'autre ? Les petits « plus » dans la présentation, la couleur, la désignation du produit, l'énoncé de la marque, le slogan, la manière de le vendre.

— Mais c'est injuste pour les non-créatifs.

— Nous rejoignons là un autre thème qui m'est cher : l'éducation. A long terme, il faut espérer que l'école permettra à chacun de développer ses dons innés de créativité. Et, dès lors, se développera le marché de l'art et de la communication qui préparera l'ère suivante.

— Tout le monde ne possède pas de dons innés ! se récria la jeune fille.

— Si, assura Isidore Katzenberg, tout le monde en possède. Mais les gens ne savent pas toujours les repérer et les exploiter. L'école doit les y aider en proposant une plus grande diversité d'enseignements avec l'objectif de développer les talents particuliers de chacun. Il ne s'agira plus alors de « travailler » mais d'exploiter sans fatigue son don inné, en offrant sa différence et son talent particulier en cadeau aux autres. Plutôt que de « travailler », on « s'occupera » à faire ce pour quoi l'on est fait.

Lucrèce Nemrod chercha une faille dans le raisonnement du gros homme.

— Et dans le domaine de la pensée ?

— Un jour, l'homme deviendra spirituel. D'ailleurs, la Bible l'annonce depuis longtemps. Voyez les Dix Commandements. La religion juive ne juge pas. Lorsqu'elle dit « tu ne tueras point », elle parle au futur. Elle ne dit pas : « Tu ne dois pas tuer, sinon tu seras puni. » Elle dit : « Un jour, tu ne tueras pas », donc « tu comprendras un jour pourquoi cela ne sert à rien de tuer ». Et ainsi de suite : un jour, tu comprendras pourquoi cela ne sert à rien de voler, de mentir, etc. Un jour nous serons spirituels.

Lucrèce Nemrod s'abîma dans l'observation de l'arbre des futurs.

— Pourquoi vous investissez-vous tellement là-dedans, Isidore ?

Il sourit.

— Par égoïsme. Mon intérêt égoïste est de vivre entouré de gens non stressés. Lorsque les gens sont heureux, ils vous fichent la paix. Donc, pour que moi, Isidore Katzenberg, je sois bien dans ma peau, il faut que l'humanité tout entière et l'univers tout entier le soient également. Je veux être en homéostasie avec l'humanité et que l'humanité soit en homéostasie avec l'univers. Maintenant, suivez-moi, Lucrèce, une nouvelle tâche nous attend.

Il la ramena dans la grande salle conique qui occupait la plus grande partie du rez-de-chaussée du château d'eau. Là, il tira d'un placard un autre tableau blanc, jumeau de celui que la jeune fille avait observé dans la petite pièce, le posa sur une pile de livres et, au crayon-feutre rouge, inscrivit en haut en grosses lettres :

ARBRE DES PASSÉS.

Comme par magie, Isidore Katzenberg fit apparaître une bouteille de champagne et deux flûtes ternies.

— Fêtons cette inauguration.

Ils trinquèrent. Ils burent. Puis Isidore Katzenberg se concentra et commença à remplir le tableau en y inscrivant de mémoire, sur le tronc puis sur les branches, tous les grands événements et principaux tournants du passé. Inventions, dynasties, empires, explorations, batailles, mouvements de populations, révolutions, crises, mouvements sociaux... Il s'efforçait de ne rien oublier.

Isidore Katzenberg partit de « maintenant » pour descendre sur la décennie, puis le siècle, puis tous les siècles précédents.

Au bout d'une heure de création de branches et de feuilles, épuisé, il se passa la main sur le front. Lucrèce, admirative, n'avait pas prononcé un mot. Elle observait l'arbre des passés de l'humanité se déployer de haut en bas comme un végétal dont elle aurait vu les racines croître en accéléré.

— Reste évidemment le mystère des origines, remarqua Isidore Katzenberg en contemplant son œuvre. « Quand » et « Pourquoi » est apparu le premier être humain.

Au feutre bleu, il porta une dernière touche, un point d'interrogation dans la zone couvrant moins 4 à moins 2 millions d'années.

— Le Pr Adjemian, lui, le savait probablement, rappela la journaliste stagiaire.

Isidore Katzenberg considéra son tableau et le vide au bas de l'arbre.

— Dans ce cas, le mieux serait de retourner explorer à fond son appartement.

— Je l'ai déjà fait et ça ne m'a pas servi à grand-chose.

Le gros homme remit soigneusement le capuchon sur les feutres et les rangea dans un plumier en bois.

— Si quelqu'un a cherché à réduire en cendres le lieu du crime, dit-il, c'est qu'il y a là-bas, quelque part, une information qu'on veut nous cacher.

21. AU FOND DE LA CAVERNE

La horde regarde la pluie tomber et se réjouit d'être à couvert. Qu'ils ne se soient pas encore fait attaquer par un hôte de cette caverne leur redonne du courage. Ce lieu doit être abandonné. Les enfants veulent explorer le reste de la grotte. Les parents sont trop fatigués pour les retenir. Alors, par désœuvrement ou par curiosité, les jeunes décident d'aller voir ce qu'il y a au bout.

Ils s'avancent à petits pas vers le fond.

Ils trouvent d'abord des excréments de chacals.

Plus loin, ils trouvent des excréments de lycaons.

Ils s'enfoncent encore dans le labyrinthe. La lumière du jour ne parvient que faiblement jusque-là.

A l'entrée de la caverne, IL sent confusément qu'il s'est passé ici des événements étranges.

Il y a une odeur de sang et de combat.

22. LE LIEU DU CRIME

Il y avait une odeur de cire et d'eau de Javel.

La concierge avait consciencieusement astiqué l'entrée de l'immeuble. Isidore Katzenberg scruta la rangée de boîtes aux lettres et pria Lucrèce Nemrod d'utiliser son couteau suisse pour crocheter celle au nom du Pr Adjemian.

— Pour quoi faire ? demanda la jeune fille.

— Pour s'assurer de la date de sa mort. Il suffit d'examiner les cachets de la poste pour voir à partir de quel jour le Pr Adjemian a cessé de relever son courrier.

Elle obtempéra.

Il s'empara de la liasse de lettres. Le cachet le plus ancien confirmait que la femme de ménage avait bien découvert le cadavre au lendemain du crime.

Ils montèrent. La porte de l'appartement était restée ouverte et ils n'eurent aucun mal à y pénétrer. Dans les angles du plafond, déjà des araignées avaient commencé à tisser leur toile. Lucrèce Nemrod conduisit son compagnon dans le bureau du défunt. Elle observa une nouvelle fois les tableaux représentant principalement des faces de singe et une idée lui vint. Un par un, elle souleva les cadres et découvrit ce qu'elle cherchait derrière celui où le petit poisson demandait à sa maman « qui étaient ceux qui sont sortis de l'eau en premier ». Le coffre-fort mural était nanti de trois molettes chiffrées que l'ancienne pensionnaire d'orphelinat entreprit aussitôt de manipuler.

Isidore Katzenberg alluma toutes les lampes du plafonnier.

— Vous êtes fou ! Nous allons nous faire remarquer, éteignez-moi ça tout de suite.

— Mais non, la calma-t-il. Je préfère enquêter en pleine lumière plutôt que dans la pénombre. De toute façon, la police ne reviendra pas. Quant aux voisins, ils sont toujours trop lâches pour réagir aux bruits ou aux lumières suspectes.

— Et l'homme au masque de singe ?

— Il n'est pas près de revenir non plus.

Isidore Katzenberg ne se priva pas, de surcroît, de mettre en marche la chaîne hi-fi. Un chant polyphonique pygmée se répandit dans la pièce. Il farfouilla dans le bar et en ramena une bouteille de cognac.

— Eh bien, vous au moins, vous ne vous gênez pas pour prendre vos aises quand vous enquêtez, dit Lucrèce Nemrod en s'acharnant sur ses molettes. Pourquoi ne m'aideriez-vous pas plutôt à ouvrir ce coffre ? Il contient sûrement la clef du problème.

— Vous vous débrouillez très bien toute seule, répondit-il en déambulant devant les livres de la bibliothèque.

Il en saisit un et se carra dans un fauteuil pour le feuilleter.

— J'aime bien m'imprégner du cadre et de l'état d'esprit de la victime avant sa mort, précisa-t-il.

— Et comment était donc le Pr Adjemian avant sa mort ?

— D'ores et déjà, je peux vous dire que c'était un excellent connaisseur en matière de cognac et de polars. Les scientifiques apprécient souvent la littérature policière parce qu'elle se fonde sur des intrigues construites, alors que la littérature née du nouveau roman se noie généralement dans des autobiographies plus ou moins romancées, rédigées avec beaucoup de style mais dont l'histoire est peu charpentée. Tout se passe comme si nos écrivains actuels oubliaient qu'ils sont les héritiers des premiers conteurs, hommes des cavernes qui savaient instinctivement raconter et magnifier autour du feu la chasse du jour. Voilà la vraie source de tous les romans.

Lucrèce Nemrod se battait toujours contre les trois molettes, tirant une langue rose dans son application.

— Ah, s'exclama-t-elle, vous reconnaissez donc qu'on perd toujours à se couper de ses racines.

Même pour écrire un roman, il vaut mieux en connaître les origines.

Isidore Katzenberg feuilleta encore quelques livres puis, comme saisi par une idée, il s'empara d'une trousse à stylos sur le bureau. Il en sortit une gomme qu'il posa sous le bloc-notes.

— C'est quoi encore, ces gamineries ? demanda la journaliste, l'oreille collée au coffre-fort. A votre âge, il serait temps de cesser de jouer avec des stylos et des gommes.

— J'ai trouvé, répondit-il posément.

— Vous avez trouvé quoi ?

— Eh bien, pratiquement toute l'histoire de l'assassinat du Pr Adjemian.

Cette fois, elle consentit à abandonner un instant sa tâche pour dévisager son interlocuteur.

— Déjà ?

— Trois personnes connaissent l'histoire du chaînon manquant. Le Pr Adjemian avait confiance en toutes les trois et l'une d'elles l'a tué.

La jeune fille écarquilla tout grands les yeux.

— Comment savez-vous ça ?

— Passez-moi votre poudrier.

Elle obéit sans poser de questions.

Il utilisa la houppette pour saupoudrer toute la surface du bloc-notes. Puis il souffla doucement. La poudre s'envola sur les côtés. Ne resta que celle qui s'était enfoncée dans les sillons tracés sur le papier. Lucrèce Nemrod s'approcha et put lire distinctement trois noms : Pr Sanderson, Pr Conrad, Dr Van Lisbeth.

Au-dessous était écrit : « Le club "D'où venons-nous ?" doit m'apporter à présent son soutien. J'ai besoin de vous trois pour dévoiler le secret. Je vous contacterai en temps et en heure et, alors, vous devrez absolument répondre présent. »

23. ENCORE PLUS PROFONDÉMENT DANS LA CAVERNE

La horde s'enfonce lentement dans la roche creusée. Les aînés ont rejoint les jeunes. Après les excréments de lycaons, ils découvrent ceux de lions. Là, ils ralentissent le pas. De gros animaux ont exploré cette caverne avant eux. Ils ont laissé leurs traces mais, pour des raisons inconnues, ils n'y sont pas restés.

Quel animal a pu faire peur aux lions ?

Tous sentent qu'il y a quelque part une menace, mais ils continuent pourtant d'avancer. Soudain, ils perçoivent comme un grognement contenu. Ils espèrent que c'est le bruit d'une rivière souterraine. Si jamais cette caverne est vide et qu'elle contient une rivière, quelle aubaine ! Tous se sentent déjà prêts à s'y installer pour de bon. Les femelles enceintes repèrent des recoins où abriter leurs petits. Certains mâles urinent discrètement sur le sol pour marquer leur zone préférée.

Mais le bruit s'arrête. Ce n'est donc pas une rivière.

En réponse, le chef de horde lance un grognement interrogatif.

Ils continuent à s'enfoncer dans la caverne. Elle devient de plus en plus sombre et de plus en plus vaste. Ils sont maintenant dans le noir total, mais leurs sens olfactif et auditif sont suffisamment développés pour leur permettre d'estimer la forme des parois de la grotte et, d'habitude, repérer les animaux qui y vivent.

Nouveau grognement étrange.

Nouvelle réponse du chef, cette fois-ci un peu plus appuyée. Il ne veut pas se laisser intimider.

Ils trouvent des déjections à l'odeur forte. Ils ne reconnaissent pas quel animal est capable de produire de tels étrons, mais tous goûtent et déduisent que, non seulement ils proviennent d'un carnivore mais, de plus, d'un carnivore de haut niveau dans l'échelle de la prédation.

Dans ces excréments, ils détectent même des restes de lion adulte. Un frisson parcourt la horde. Ils ont toujours cru que le lion adulte était au sommet de tous les prédateurs...

Les femelles proposent de rebrousser chemin. Le chef de horde grogne de nouveau pour faire comprendre que ce ne sont pas les plus couards qui auront le dernier mot. Ils avancent et quelqu'un se prend les pieds dans les restes d'une cage thoracique de lion.

A nouveau, un son étrange. Une respiration profonde.

Les enfants ralentissent le pas. Les femelles aussi. Les mâles dominants refusent de renoncer si facilement. Les mâles dominés ne veulent pas paraître aussi poltrons que les femelles. Ils poussent quelques petits cris mitigés comme pour demander au monstre tapi quelque part de se manifester.

C'est précisément ce qu'il fait à cet instant.

En une seconde, il y a deux morts. Leurs morceaux volent dans le noir. On n'entend qu'un bruit puissant de mâchoires qui se referment pour broyer.

On ne discerne pas de quoi il s'agit, mais ça doit être énorme.

24. FUMÉES ET VAPEURS

Isidore Katzenberg alluma la lampe sur le bureau du Pr Adjemian pour mieux éclairer la feuille du bloc-notes.

— Il existe donc un club « D'où venons-nous ? »,

composé de gens qui mènent des recherches concernant les origines de l'humanité. Le Pr Adjemian a dû contacter un de ses membres pour qu'il lui vienne en aide. Pas le bon, indubitablement, puisque, au lieu de l'aider, l'autre est venu pour le tuer.

La jeune fille approuva de la tête puis tourna dans la pièce à la recherche d'un outil. S'emparant d'un des piolets, elle s'en servit comme levier pour achever de faire sauter les serrures du coffre.

— Vous êtes une adepte de la solution du nœud gordien ? interrogea Isidore Katzenberg.

— C'est quoi le « nœud gordien » ?

— Dans l'Antiquité, Alexandre le Grand s'est retrouvé face à un nœud de cordes entremêlées réputé impossible à dénouer. Comme tout le monde avant lui, il a commencé par essayer de les délier et puis il s'est énervé et les a tranchées d'un coup d'épée. Depuis, l'expression est restée pour qualifier les gens qui n'ont pas la patience de venir à bout calmement d'une situation et préfèrent donc tout casser.

— En ce qui me concerne, disons que je suis une adepte des solutions simples et rapides.

Elle souleva encore et, d'un coup, la charnière céda. La jeune fille éclaira l'intérieur du coffre avec sa lampe de poche. Elle ramena au jour douze billets de deux cents francs et quelques revues pornographiques qu'elle lança en vrac sur la moquette. Rien d'autre.

Isidore Katzenberg baissa le son du chant pygmée et vint se pencher sur les molettes et le coffre. Il admira :

— Vous aviez quand même réussi à en faire jouer deux sur trois. C'est à l'orphelinat que vous avez appris l'art du cambriolage ?

— Perceuse de coffres-forts, c'était en option, fit-elle modestement. Mais comme je pensais faire carrière dans le grand banditisme, j'ai suivi des cours du soir avec les grandes. Vous savez, à l'orphelinat, il n'y a que deux options à la sortie : Banditisme ou Prostitution.

— Et qu'est-ce que vous aviez contre la prostitution ? interrogea Isidore Katzenberg.

— J'aime trop faire l'amour pour supporter que ça devienne un métier. Sinon, comme cambrioleuse, j'ai pas trop mal commencé ma carrière.

— Pourquoi avoir divergé vers le journalisme, alors ?

Isidore Katzenberg prit ses aises sur le sofa qui s'enfonça d'un coup sous son poids tandis que Lucrèce lui racontait son histoire.

C'était par accident qu'elle était entrée en journalisme. C'était à Cambrai, dans le Nord. Elle avait entrepris de dévaliser un appartement, en apparence déserté, dans un quartier bourgeois. Elle était en train d'entasser de l'argenterie dans un sac, l'argenterie c'est plus facile à revendre que des tableaux, quand elle avait entendu une clé tourner dans l'entrée. Elle avait aussitôt éteint sa lampe de poche et s'était blottie derrière un rideau. Mais cela ne lui avait servi à rien. Le nouveau venu avait vite constaté le désordre dans son salon, cherché le coupable et tiré la voleuse de sa cachette.

L'homme était costaud, une vraie armoire à glace. La jeune Lucrèce avait immédiatement compris que, malgré tous ses talents en orphelinat-kwondo, elle n'en viendrait pas à bout par la force. Elle opta donc pour l'attendrissement.

Elle était assez mignonne pour que ça marche. Elle fit donc au colosse son grand numéro de pauvre petite orpheline abandonnée par ses parents dans la misère. Elle avait rapporté les abominables conditions de vie dans les orphelinats religieux. Tous les mythes y passèrent, les bonnes sœurs adeptes des châtiments corporels, les rapports lesbiens sous la contrainte...

Ils avaient discuté toute la nuit. L'homme lui confia être le rédacteur en chef d'un quotidien de province. Loin d'en vouloir à sa cambrioleuse, il loua son cran, son imagination et sa faculté d'adaptation, qualités qui selon lui manquaient fort parmi la gent journalistique. Il déplorait que, dans les rédactions de nos jours, il n'y ait plus que des gens à l'esprit fonctionnaire, comptant leurs heures de présence bien au chaud dans leurs bureaux et rechignant à se bouger les fesses pour enquêter sur le terrain. Et ça ne risquait pas de changer avec la nouvelle génération. Tous ses stagiaires étaient de petits pistonnés qui promettaient de devenir aussi nuls et blasés que leurs aînés.

Il était émerveillé par le culot et l'esprit d'entreprise de Lucrèce Nemrod. Il lui offrit de l'engager à l'essai comme stagiaire dans son journal, à Cambrai.

Au début, elle avait couvert les « chiens écrasés ». Puis, étaient venus des reportages sur l'élection de la Miss Tee-shirt mouillé du village ou le concours de la plus grosse citrouille, enfin des histoires plus sérieuses de grèves et d'accidents dans les mines. Au bout d'un an, estimant que sa protégée se débrouillait fort bien et méritait de faire carrière, son rédacteur en chef lui conseilla de ne plus perdre son temps en province et de « monter » à Paris. Il la recommanda à l'un de ses copains de promotion de l'École de journalisme, Franck Gauthier, chef de la rubrique scientifique du *Guetteur moderne*.

— Au fond, nous avons débarqué tous deux dans le journalisme un peu de la même manière, constata Isidore Katzenberg. Moi par la police, vous par le banditisme.

Il se leva et tourna dans la pièce.

— Vous devez être habituée à vite repérer les lieux. Alors... souvenez-vous bien. Qu'est-ce qui vous a frappée lorsque vous êtes entrée ici la première fois ?

Elle réfléchit.

— Les articles. J'ai été frappée par l'assurance du Pr Adjemian. Il clamait partout qu'il avait découvert le chaînon manquant.

La réponse ne satisfit pas le gros journaliste.

— Non, fit-il. Il y avait forcément quelque chose d'anormal. Qu'est-ce qui vous a incitée à penser que le meurtre n'était pas œuvre d'un serial killer du quartier, comme l'affirmait l'inspecteur de police ?

La jeune fille plissa le front pour mieux se concentrer.

— J'ai observé la pièce... Les portraits de singes. Les squelettes suspendus aux potences.

— Fermez les yeux, proposa Isidore Katzenberg. Visualisez la scène. Remémorez-vous chaque seconde depuis que vous avez franchi le seuil de l'appartement du crime. Qu'est-ce que vous avez trouvé de bizarre ?

Elle crispa ses paupières, les rouvrit.

— Désolée. Je ne vois pas.

— Refermez les yeux, respirez à fond, dit-il, comme s'il voulait l'hypnotiser. Respirez encore. Irriguez votre cerveau, chacun de vos neurones. Réveillez les zones endormies. Repassez-vous le film au ralenti. Alors, qu'est-ce qui vous a convaincue qu'il ne s'agissait pas d'un crime banal ?

Elle se massa les tempes, referma les yeux et, soudain, les rouvrit tout grands.

— La position du cadavre ! s'exclama-t-elle. Il était dans la baignoire et il brandissait un doigt vers le miroir en face de lui.

Ensemble, ils se précipitèrent dans la salle de bains.

— J'ai pensé sur le moment : « Comme s'il voulait désigner son assassin »...

Isidore Katzenberg examina le miroir.

— ... Ou comme si, de son doigt, il avait voulu écrire quelque chose sur la glace.

Lucrèce Nemrod secoua la tête, dubitative.

— Même s'il avait réussi à écrire quelque chose dans la buée, cela ne nous avancerait guère. Avec toutes les allées et venues et les courants d'air ici, ça se sera forcément effacé.

— Peut-être pas, dit Isidore Katzenberg.

Il ferma la porte et tourna à fond les robinets d'eau chaude. Des nuées de vapeur ne tardèrent pas à envahir la salle de bains. Quand l'endroit eut tout d'un sauna, il coupa les robinets. Il repoussa alors la porte pour dissiper la vapeur.

La buée avait fait apparaître comme un chiffre. Au début, la jeune fille pensa qu'il s'agissait du 5 mais non, la forme était plus courbe. Il n'y avait pas là un chiffre mais une lettre.

Un S.

Lucrèce était impressionnée.

— Simple souvenir des observations d'enfance, signala Isidore. Les doigts déposent toujours une infime pellicule de graisse sur les vitres ou les glaces. Infime, mais suffisante pour subsister après évaporation. Quand on renvoie de la vapeur, le dessin réapparaît, même longtemps après.

Ils observèrent la lettre.

— S, probablement l'initiale du nom de l'assassin, remarqua Lucrèce Nemrod.

Ils retournèrent vers la feuille recouverte de poudre sur le bureau. S... Dans la liste dressée par le Pr Pierre Adjemian, une seule personne portait un nom commençant par cette lettre. Le Pr Sanderson.

— Benoît Sanderson ! s'exclama Katzenberg. C'est un ponte de l'astronomie, à l'observatoire de Meudon.

Dans la salle de bains, une lettre se tortilla à la

surface du miroir pour progressivement redisparaître.

S.

25. TROP AU FOND DE LA CAVERNE

« S... Ssss, ssss, tchac. »

Des griffes sifflent dans les airs et tranchent des chairs.

A ce moment, les gens de la horde aimeraient être tortues pour disposer de carapaces de protection. Leurs fins poils et leur peau molle ne suffisent pas à les protéger des griffes et des dents de l'agresseur. Surtout lorsqu'elles ont cette puissance-là, cette taille-là, cette vitesse-là.

Il y a une odeur épouvantable. Ce n'est pas exactement du félin, ce n'est pas exactement du canin. Un mélange des deux, peut-être. Ils savent pourtant que ce n'est ni l'un ni l'autre. Un nouvel animal non encore répertorié dans leur mémoire.

C'est grand. C'est féroce. C'est mortel.

Il n'y a même pas de bataille. Dans le noir, ils sentent juste des lames longues, dents ou griffes, lacérer leur ventre et fendre leurs os. La patte est lourde. Les mâchoires sont puissantes. Ça semble prêt à briser des arbres, fracasser des rochers.

Les gens de la horde regrettent d'avoir dérangé cette bête inconnue. Ils se baissent ou se poussent contre les parois de la caverne pour éviter les lames qui s'abattent sur eux. Ils ont très peur. Certains relâchent leurs intestins. D'autres, hagards dans l'obscurité totale, tremblent convulsivement et attendent comme une délivrance d'être fauchés à leur tour. Des morceaux de corps coupés pleuvent sur eux.

La bête de la caverne n'aboie ni ne crie. Elle tue

tranquillement, en silence, comme négligemment. Qu'est-ce que ce peut être ? Il n'est plus temps de se poser la question. Il est temps de fuir.

Fuir. Fuir. Fuir. Et vite !

Les courageux et les hésitants sont priés de ne plus ralentir les peureux et les lâches. IL trébuche sur les ossements du lion, mais se rétablit vite. Déjà IL n'entend plus ce qui se passe au fond de la caverne.

Dehors, ceux qui ont réussi à sortir indemnes se regroupent. Beaucoup manquent à l'appel. Un tribut à l'exploration des mondes inconnus.

Maintenant, il ne pleut plus. Les rescapés se hissent le plus vite possible dans les branches du premier arbuste venu afin de ne plus demeurer à portée du monstre tapi dans la caverne qui pourrait encore les frapper. Ils restent là un moment, chacun crispé sur ses ramures.

Le chef de horde se gratte les dents. Tous connaissent ce geste. Il signifie : « Je sais que j'ai commis une bourde, mais le premier qui ose une remarque désobligeante se prend un paquet de phalanges sur le coin du museau. » Cela fait partie des privilèges des dominants. Se tromper sans qu'on puisse leur faire de reproches. Afin de dissiper l'énorme stress, le chef prend un maigre dominé-dominé et le roue de coups. D'autres dominés-dominés se font frapper par les dominants.

Ça va mieux.

Pour tous les survivants, cependant, l'expérience est malgré tout porteuse d'un enseignement : il est trop tôt pour tenter de conquérir le monde des cavernes. Il faut encore rester dans celui des arbres.

Evidemment, IL aurait bien aimé savoir ce que c'est que ce monstre nouveau, mais il est conscient comme tous ceux de sa horde qu'ils ont beau être au sommet de l'évolution ils ne connaissent pas tout et qu'il restera encore pour quelque temps des questions sans réponse. Ils sont fiers d'avoir été prêts à risquer leur vie pour en savoir un peu plus.

IL contemple les branches protectrices comme autant de bras amicaux. Chaque feuille est un minuscule bouclier qui le protège contre les monstres incompréhensibles tapis au fond des cavernes creusées dans les roches.

C'est à ce moment qu'il entend, émanant de l'écorce, un sifflement caractéristique.

« SSSsss. »

26. THÉORIE DE L'ASTRONOME SANDERSON

Sanderson. Benoît Sanderson. L'astronome était un grand type élancé, avec une longue barbe blanche. Un regard bleu clair, un gros pull sans doute tricoté par sa maman avec de la laine brute. Des chaussures aux semelles en plastique très épaisses.

Ce devait être le dernier look en vogue chez les astronomes. Il était équipé, de surcroît, d'une prothèse auditive qu'il régla sur la meilleure fréquence afin de bien entendre ses visiteurs.

Isidore Katzenberg et Lucrèce Nemrod s'étaient présentés comme des journalistes effectuant un reportage sur les origines de l'humanité.

Benoît Sanderson accueillit donc ces deux représentants du quatrième pouvoir sur le seuil du grand centre d'études astronomiques de l'observatoire de Meudon.

— On ne peut pas comprendre les origines de l'humanité sans comprendre les origines de la vie. Et on ne peut comprendre les origines de la vie sans comprendre les origines de l'univers.

Il les guida vers une vaste salle sphérique abritant un immense télescope en son centre. Le dôme du toit était clos et l'œil de l'instrument obturé par un cache sombre.

— On n'effectue plus d'observations ici, leur expliqua-t-il. Le ciel de Paris est trop pollué pour qu'on distingue encore quelque chose dans le très lointain. En revanche, nous sommes branchés sur tous les observatoires du monde.

Il désigna différents écrans où se lisaient des points blancs, plus ou moins flous. Sous chacun, une plaque précisait de quel observatoire prestigieux émanaient les images : « Mont Palomar », « Zelentchouk », « Pic du Midi », et même le télescope spatial Hubble.

Le couple de journalistes observa attentivement ces poussières de points blancs qui clignotaient faiblement et le Pr Sanderson expliqua :

— Au commencement, était le big-bang. Cette explosion d'énergie s'est produite il y a quinze milliards d'années.

— Et on peut le voir, ce big-bang ? interrogea Lucrèce, son calepin à la main.

— Non, mais on peut en entendre l'écho dans l'univers.

Le Pr Sanderson alluma un écran d'ordinateur, tourna plusieurs potentiomètres de haut-parleurs et ils ouïrent un grésillement assez semblable à celui produit par un poste de radio mal réglé. Sur l'écran de l'ordinateur, des crêtes s'alignèrent, se transformant et s'agitant selon les intensités sonores.

— C'est là un des paradoxes de l'astronomie que de pouvoir entendre l'écho d'une explosion qui a eu lieu il y a une quinzaine de milliards d'années. Plus on voit loin dans l'espace, plus on remonte le temps. La lumière des étoiles mettant des lustres à voyager, les astronomes contemplent des phénomènes ayant eu lieu dans des passés de plus en plus reculés. Il est tout à fait possible d'espérer qu'un jour les hommes disposeront de télescopes assez puissants pour pouvoir assister de visu à cet événement historique entre tous : la naissance de l'univers. Le big-bang. Pour l'heure, il faut se contenter de sa seule résonance.

Selon Sanderson, l'évolution pouvait se représenter sous forme d'une tour Eiffel. A la base, l'énergie, puis plus haut la matière, les planètes, puis la vie. Enfin, tout au sommet de la pointe, les êtres humains, animaux les plus sophistiqués de tous, mais les plus tardifs aussi.

Il déroula sur un mur un tableau que Lucrèce Nemrod s'empressa de recopier et qui résumait l'évolution telle qu'il l'entendait.

— 15 milliards d'années : naissance de l'univers.

— 5 milliards d'années : naissance du système solaire.

— 4 milliards d'années : naissance de la terre.

— 3 milliards d'années : premières traces de vie sur terre.

— 500 millions d'années : premiers vertébrés.

— 200 millions d'années : premiers mammifères.

— 70 millions d'années : premiers primates.

Replacés ainsi dans cette vaste perspective, tous les événements historiques ayant jalonné l'histoire des hommes apparaissaient soudain dérisoires, comme serrés dans une infime portion du bout extrême de la pointe de la cime, ce temps immense.

— Appartenez-vous au club « D'où venons-nous ? », professeur ? demanda Lucrèce Nemrod.

— Certes, les membres de ce club sont un peu comme des jockeys au départ d'une course, précisa l'astronome en souriant. Tous sont lancés, tendus vers un but commun : découvrir le secret des origines, mais chacun avec son cheminement particulier et tentant d'y convertir les autres.

— Et vous, quelle théorie défendez-vous en ce qui concerne l'apparition de l'homme sur la terre ? interrogea Isidore Katzenberg.

Le savant manipula sa prothèse auditive pour mieux entendre la question, la fit répéter puis entraîna ses hôtes dans son laboratoire personnel. Sur les murs, ils observèrent, enfermées dans des vitrines, posées sur des étagères, une quantité de pierres de toutes tailles.

— L'univers est si vaste, dit le Pr Sanderson, il contient une telle quantité de planètes que, forcément, mathématiquement même, un certain nombre se doivent d'être habitées. Oh, pas obligatoirement par des humains, des animaux ou même des végétaux, mais au moins par des organismes vivants infimes : bactéries, germes, microbes. Certains ont d'ailleurs déjà été décelés sur la planète Mars. Or, l'univers est parcouru en tous sens de vaisseaux spatiaux naturels : les météorites.

L'astronome leur présenta quelques échantillons de roches qu'il sortit d'une des vitrines.

— Elles accomplissent des voyages infinis à travers l'espace. Parfois, elles s'abattent sur les planètes, parfois n'y font que des ricochets avant de reprendre leur voyage, comme dans un grand jeu de billard cosmique. Ces météorites sont comme autant de millions de spermatozoïdes capables de fertiliser les immenses ovules que sont les planètes.

— Ces météorites, c'est ce que nous appelons des étoiles filantes ? s'informa Lucrèce Nemrod.

Le Pr Sanderson approuva. Beaucoup se désintègrent en pénétrant dans l'atmosphère, ce qui donne cette impression d'étoile en mouvement.

Il estimait à trois mille en moyenne le nombre d'objets extraterrestres tombant chaque jour sur la terre. Mais certaines météorites sont encore assez consistantes à leur arrivée pour contenir de l'air et donc des microbes, des bactéries, des virus.

D'un sarcophage de verre, l'astronome dégagea un caillou sombre, comme passé au chalumeau, qu'il plaça sous un microscope avant d'inviter les journalistes à l'observer. Il désigna de minuscules symboles de quelques micromètres, certains ronds, d'autres en forme de ver.

Pour lui, aucun doute. Les météorites ont fécondé l'univers. Une première a amené la vie sur terre, une seconde un virus qui a fait disparaître les dinosaures, une troisième un autre virus encore, celui qui a fait muter les primates en leur inoculant cette étrange maladie : l'humanité.

Sanderson reconnut qu'il n'était pas le premier à émettre cette théorie de météorite porteuse de vie à l'origine des humains. Désignée sous le nom de panspermie, cette idée a été évoquée une première fois en 1893 par le Suédois Svante Arrhenius puis reprise en 1902 par l'Anglais lord Kelvin. Elle a ensuite été longtemps abandonnée. Mais en 1969, la météorite de Murchison fut retrouvée en Australie. Contrariant tous les raisonnements précédents, elle était porteuse de soixante-dix acides aminés intacts — dont huit composant les protéines humaines !

Calcinées en pénétrant dans l'atmosphère donc mortes, ces protéines, pourraient objecter certains. Mais voilà, depuis peu, avait été découvert le prion, protéine résistant à de très hautes températures. Or le prion est plus puissant que les virus et capable de transmettre une maladie beaucoup plus rapidement.

— Adam serait issu d'un prion ? s'étonna Lucrèce Nemrod.

Le Pr Sanderson en était convaincu. L'humanité est issue d'une façon ou d'une autre d'une maladie extraterrestre ayant affecté un singe qui aurait alors muté pour devenir légèrement différent.

— D'ailleurs, toutes les maladies nous font évoluer, affirma l'astronome.

Il caressa l'une de ses météorites comme il l'eût fait d'un chat. Sa théorie était issue d'une longue réflexion qui l'avait conduit à renverser bien des idées reçues. Il insista. Chaque grippe, chaque rougeole, chaque hépatite fait muter un peu sa victime.

— Les maladies ont de tout temps contribué à l'évolution de l'espèce humaine. La peste nous a appris l'hygiène, le choléra à filtrer l'eau, la tuberculose a conduit à la découverte des antibiotiques. Qui peut prédire ce qu'apporteront de bon les nouvelles maladies qui, pour l'heure, effraient encore tant les humains ?

Isidore Katzenberg circulait à travers la pièce, tripotant tout, soulevant ici une pierre lisse, là un caillou de forme curieuse, examinant objets et machines, mais ne perdant pourtant rien de ce que disait Sanderson.

— Chaque maladie est porteuse d'enseignement. Le cancer est une maladie de la communication, les cellules saines ne sachant plus informer les cellules malades qu'elles doivent cesser de se reproduire. Le sida est une maladie de l'amour, les cellules ne sachant plus distinguer ce qui leur est bon de ce qui leur est néfaste. Cette perte des valeurs et cette perte de la communication ne sont-elles pas révélatrices de l'état actuel de l'humanité ? Pour les vaincre, il lui faut encore muter. Ensuite surviendront d'autres maladies qui feront encore progresser les hommes.

— Avec de tels propos, vous devez susciter pas mal de débats au sein de votre club « D'où venons-nous ? », remarqua de loin Isidore Katzenberg.

Le scientifique admit que les séances y étaient parfois tendues, surtout entre religieux et athées, darwiniens et lamarckistes.

— Mais si en astronomie, faute de preuves, il est possible d'affirmer à la fois le tout et son contraire, il en va autrement en paléontologie. Là, les savants font parler n'importe quel morceau d'os.

— Comme le Pr Adjemian ? questionna Isidore.

L'autre sursauta mais ne répondit pas.

Le journaliste approcha tout près de l'astronome et, tout à trac, lança :

— Vous détestiez le Pr Adjemian.

L'autre se recula, surpris.

— Qu'est-ce qui vous fait dire ça ?

— Votre visage. Vous avez tiqué à l'évocation du Pr Adjemian. Une physionomie est comme un tableau de bord rempli d'indicateurs.

Sanderson s'efforça de reprendre contenance, mais ne put contrôler son tic.

— Adjemian... Le Pr Adjemian était un peu spécial. Mais je ne lui en ai jamais voulu. Même après mon accident.

— Quel accident ?

Sanderson porta une main à sa prothèse auditive.

— Ma surdité est la conséquence d'une des mauvaises plaisanteries d'Adjemian. Un jour, il s'est approché et m'a chuchoté : « Alors, tu veux l'entendre ton big-bang ? » Et, avant que j'aie pu répondre, il a fait exploser un gros pétard tout près de mes oreilles. Il était comme ça, Adjemian. C'était son genre d'humour. Pour lui, un homme passionné par le big-bang se devait de le vivre. Et tant pis si mes tympans étaient fragiles. Depuis, mon ouïe a diminué de près de quatre-vingts pour cent. Or l'ouïe nous permet de nous situer dans l'espace bien davantage que la vue. Depuis que je n'entends plus bien, j'ai perdu la conscience du volume des lieux où je me trouve.

— Vous l'avez tué ? demanda Isidore Katzenberg.

— Non.

— Alors, qui aurait pu le tuer selon vous ?

L'astronome ne perçut que comme un léger bruit le fracas de verre brisé qui retentit soudain. Lucrèce Nemrod n'eut que le temps de le plaquer au sol tandis qu'une énorme pierre s'abattait près de sa tête et que les morceaux de verre pleuvaient dru.

Les trois occupants du laboratoire se redressèrent prudemment et aperçurent derrière ce qui avait été la vitre celui qui avait lancé le boulet. Un singe. Il était debout sur une branche, en face, observant l'effet de son projectile. L'animal s'éloigna en sautant d'arbre en arbre, balançant les bras.

— Un singe ! s'exclama Lucrèce.

— Il a voulu m'assommer avec ce rocher ! s'effara Sanderson en se passant la main sur le front où il n'avait, grâce à l'intervention de Lucrèce, qu'une égratignure.

— Pourquoi un singe voudrait-il tuer un homme ? demanda Isidore Katzenberg.

Le Pr Sanderson, quoique encore sous le choc, se reprit vite.

— Conrad, dit-il dans un souffle.

— Quoi, Conrad ?

— Les Prs Conrad et Adjemian étaient les deux sommités de la paléontologie française. Or, ils se détestaient. Pour Conrad les théories farfelues d'Adjemian jetaient le discrédit sur toute la profession. Les deux hommes en étaient même venus aux mains un jour. Je ne voulais pas vous en parler, mais là ça commence à prendre des proportions qu'il faut contenir. Le Pr Conrad n'est pas seulement paléontologue, il est également primatologue. Il dirige la section « Singes » du zoo du Jardin des Plantes, au Muséum d'histoire naturelle de Paris. Il sait parfaitement les contrôler.

Lucrèce Nemrod nota sur son calepin le nom du suspect et où le localiser.

Isidore Katzenberg fixa les branches par où le singe avait disparu. Il se demandait si le S sur le miroir de la salle de bains ne signifiait pas tout simplement :
« Singe. »

27. SERPENT

« SSS... sss », émet le serpent.
IL est à peine revenu de ses émotions après l'incendie et l'étrange rencontre dans la caverne qu'il se retrouve en face d'un serpent de bonne taille. IL déteste les serpents.
C'est viscéral et il a particulièrement horreur de ceux-là, les pythons.
Le serpent s'enroule autour de sa jambe et remonte vers son cou pour l'étouffer. IL frissonne sous la sensation de gluante froideur. Deux tours de serpent cernent déjà son cou. IL sent la pression se resserrer et tente alors d'attraper la tête de l'ennemi. Les serpents qui entourent pour étouffer n'ont pas en général de crocs venimeux. Un seul inconvénient à la fois : ou le poison ou l'étouffement.
IL cherche à écarter les deux mâchoires. Les autres le regardent sans intervenir. Chacun ses problèmes. Le serpent lui compresse la trachée artère. IL tousse pour que l'air s'échappe du tuyau intérieur et tire plus fort sur les mâchoires. En réponse, le serpent serre plus fort. IL est désormais en apnée.
IL se dit qu'il va mourir. Aussitôt, toute sa vie se met à défiler dans sa cervelle. Les courses, les saillies, les guerres, les duels, les festins. Comme IL n'a aucun moyen d'inscrire ses pensées sur un support solide, personne ne saura jamais ce qui

lui est arrivé. Venue de très loin, d'un tréfonds inconnu de lui-même, une phrase lui traverse l'esprit.

Tous ces instants se perdront dans l'oubli.
Comme des larmes dans la pluie.

D'où lui vient cette succession de mots ? Du futur ? Du passé ? Des nuages ? D'un autre monde parallèle ?

Comme des larmes dans la pluie...

IL trouve cela très beau. Son espèce est capable d'avoir des pensées comme ça. IL est fier d'être né dans la bonne catégorie animale. Ce serpent, lui, doit être incapable de penser ça. Le mérite de vivre revient donc à IL.

Dans un sursaut d'énergie, IL parvient d'un coup sec à déchirer la tête du reptile. IL tient maintenant une mâchoire dans chaque main. La pression de la longue masse froide et lisse se relâche. L'air recommence à circuler entre sa gorge et ses poumons. IL mange la tête du serpent et donne le reste à dévorer aux enfants. IL leur dit de se méfier quand même des petits os qui parfois se fichent fâcheusement dans la gorge. Même morts, les serpents peuvent être dangereux.

IL monte tout en haut des branches. Au sommet, il a l'impression que tout est différent. IL est loin des menaces du sol, mais aussi plus près des merveilles du ciel. IL aurait aimé être un oiseau pour monter vers les nuages. IL aurait aimé qu'un aigle vienne, le kidnappe lui aussi afin qu'il vole vers là-haut. Ne serait-ce que quelques instants.

Les autres ont dû se figurer tout à l'heure qu'il s'est accroché aux pattes de la femelle pour la sauver. Mais non. C'était pour monter au ciel avec elle.

IL observe le firmament. Déjà, une étoile commence à scintiller. IL reste à la regarder. Une météorite passe tout près de cette étoile et raie le ciel de plus en plus sombre. Une autre météorite fend l'espace mais IL n'est pas capable d'imaginer ce que cela peut être.

Pour lui, ce sont des petits oiseaux de lumière ultra-rapides.

28. THÉORIE DU PR CONRAD

— Vous y croyez, vous, à ces histoires de météorites ? demanda Lucrèce Nemrod.

Isidore Katzenberg ne répondit pas, paya les billets d'entrée au guichet. Il prit sa monnaie et ils pénétrèrent ensemble dans l'enceinte du zoo du Jardin des Plantes de Paris.

De vastes cages aux barreaux rouillés permettaient aux bufflons de côtoyer des ours sans dommages et aux girafes de s'isoler des tigres. Les deux journalistes ne s'attardèrent pas et se dirigèrent droit vers le secteur des primates.

Blouse blanche impeccable que ne souillait aucune tache, petite moustache blonde bien taillée, cheveux longs gris soigneusement lissés, le Pr Conrad était justement dans une cage, affairé à nourrir une famille de babouins goguenards. Le savant s'adressait aux singes comme à des enfants chahuteurs :

— Allons, allons, soyez sages, sinon papa va se mettre en colère et vous serez privés de lolo.

Les babouins changèrent aussitôt d'attitude et émirent de petites plaintes. Ils reçurent les friandises sucrées ou salées que leur distribua le professeur. Les plus grands en réclamèrent davantage, plissant leurs yeux en forme d'accent circonflexe et en tendant des mains de mendiants.

— Inutile de chercher à m'avoir par la pitié. Ça ne marche pas avec moi. Je ne donnerai du lolo qu'à ceux qui n'en demandent pas.

Ainsi, à sa façon, le paléontologue réinventait le principe du « lâcher prise ».

Isidore Katzenberg et Lucrèce Nemrod se décidèrent à l'interpeller.

— Bonjour, professeur Conrad. Nous sommes journalistes au *Guetteur moderne* et nous aimerions discuter avec vous des origines de l'humanité.

Charles Conrad promit à ses pensionnaires de revenir plus tard. En guise de réponse, les trois babouins montrèrent les dents, grognèrent et soufflèrent de l'air par les naseaux comme pour refroidir un plat trop chaud. Le professeur referma la porte de la cage derrière lui, se lava énergiquement les mains, serra fermement celles de ses visiteurs et leur proposa de discuter en marchant.

— Eh bien, mademoiselle et monsieur, vous pouvez déjà apercevoir autour de nous un petit échantillon du jardin d'Eden ou, tout du moins, de l'arche de Noé.

Il s'arrêta et caressa un minuscule lémurien qui passait la tête entre les barreaux pour grignoter dans sa paume. Avec leurs petites mains à cinq doigts et leur regard curieux de tout, les petites bêtes ressemblaient à des vieillards miniatures.

Le Pr Conrad expliqua qu'il n'était pas zoologue mais que son métier de paléontologue l'avait tout naturellement amené à s'intéresser non seulement aux fossiles mais aussi aux animaux vivants. Il était donc devenu également primatologue.

Un orang-outang indonésien déploya un bras particulièrement long et parvint à agripper les boucles rousses de Lucrèce dont il attira la tête contre sa cage. Il lui lécha l'oreille. Le Pr Conrad intervint immédiatement. D'un geste vif, il pinça la peau de l'animal jusqu'à ce qu'il libère la jeune fille.

— Un peu de tenue, Jean-Paul. Ne craignez rien, mademoiselle, Jean-Paul n'est pas vraiment méchant. Il manque seulement de délicatesse avec les dames.

Déçu et frustré, l'orang-outang montra le poing et cria en tirant sur son sexe, inutile dans cette cage où il vivait en solitaire.

— C'est peut-être sa façon de réclamer qu'on lui alloue une femelle, plaida Isidore Katzenberg, compatissant.

— Oh, Jean-Paul en a déjà possédé une, mais il l'a tellement mordue que, maintenant, nous préférons le laisser seul. Au moins ainsi, il ne fait de mal à personne.

Le Pr Conrad proposa aux deux journalistes de leur faire une visite guidée de la Grande Galerie de paléontologie du muséum.

Dans ce rez-de-chaussée, tous les animaux étaient présentés dénudés dans un strip-tease allant jusqu'au squelette. A l'exception de l'homme qui, plus pudiquement, avait conservé, lui, ses muscles rouges et était exhibé en écorché. L'humain dressait un bras victorieux comme s'il venait tout juste de remporter une course. Son sexe était masqué par une feuille de vigne. Satisfait, il souriait de tous ses muscles rouges faciaux et de tous ses ligaments blancs.

Sur la gauche, il y avait des petits squelettes de fœtus humains récupérés dans des sous-sols de monastères. Sur la droite, les mammifères supérieurs et, derrière, en toute logique, les mammifères « inférieurs ».

— Je vais vous révéler les deux grands moteurs de l'évolution : 1) le hasard; 2) la sélection des espèces.

Le Pr Conrad désigna un squelette d'oiseau nanti d'un petit bec et un autre squelette d'oiseau pourvu d'un long bec. Il montra celui de droite.

— Regardez ce volatile. C'est une mésange. Elle se nourrit en attrapant les vers qui vivent dans l'écorce des arbres. Mais un jour l'espèce a tellement proliféré que les vers se sont faits rares. Les mésanges ont commencé à disparaître. Seule une petite partie d'entre elles avaient par hasard un bec plus long et plus pointu. Avec cet appendice, elles pouvaient aller chercher les vers dans des trous plus profonds.

Il désigna le squelette de l'autre oiseau au bec plus long.

— Ceux qui avaient le bec court ont presque tous disparu et il ne reste que ceux qui ont le bec long.

— Pourquoi ont-ils muté ?

— Par « hasard ». C'est un peu comme si la nature tentait des millions d'expériences en même temps. Puis la sélection naturelle des espèces élimine les moins aptes.

— Alors, dit Lucrèce, transposé à l'homme cela signifie qu'un jour peut-être il n'y aura que ceux qui sont bossus ou qui ont de grandes dents qui survivront...

Le Pr Conrad éclata de rire.

— Cela dépend du prochain critère de sélection de l'humanité future. Mais, de toute façon, cela se passe sur des millions d'années...

Ils continuèrent de marcher au milieu des cadavres d'animaux laqués numérotés et identifiés par des mots latins imprononçables.

— Je n'ai aucun mérite. Cette idée n'est même pas de moi, mais de Darwin, notre maître à tous. C'est la seule théorie officielle sur l'évolution. Le hasard. La sélection des espèces.

Il attira l'attention des journalistes sur un arbre généalogique des espèces. Ils avaient devant eux un grand tableau de l'histoire de leurs ancêtres.

— 70 millions d'années : apparition des premiers primates. Insectivores, ils ressemblaient beaucoup à des musaraignes.

— 40 millions d'années : apparition des premiers lémuriens.

Il y avait tout près un squelette de lémurien dont les dimensions étaient en tout point semblables à celles de son congénère que le primatologue avait nourri quelques instants plus tôt. Le savant considérait les lémuriens comme tout particulièrement intéressants en tant que première ébauche d'un pré-homme.

— Ces animaux possédaient déjà en effet les trois caractéristiques essentielles des humains : pouce opposable, ongles plats, visage plat. Le pouce opposable permet de saisir les objets et de les manier comme des outils. Des ongles plats au lieu de griffes permettent de fermer le poing et d'utiliser l'ensemble pour mille usages. Les lémuriens ont ainsi inventé la main.

Sans y réfléchir, Lucrèce détendit ses doigts et les ferma pour produire diverses formes.

— Avec leur visage plat, les lémuriens ont également inventé la vision en relief. Avant, avec leurs yeux sur les côtés, les animaux ne pouvaient ni estimer les distances ni discerner le relief. Avec les lémuriens, les yeux s'avancent sur le devant de la face, le museau se réduit et ils peuvent voir devant eux en trois dimensions.

Le Pr Conrad invita ses interlocuteurs à en faire l'expérience. S'ils placent leurs deux poings sur leur nez, leur vision stéréoscopique en est gênée. En revanche, avec le nez en retrait, ils distinguent parfaitement l'espace proche, les volumes, les distances lointaines. Et c'est ainsi qu'il devient possible, notamment pour les lémuriens, de ne pas rater une branche en s'élançant dans le vide.

— Pratique pour la vision peut-être, le visage plat, mais je croyais qu'un museau long permettait de disposer d'un bras de levier plus grand pour mieux mordre et tenir sa proie, objecta Isidore Katzenberg.

— Avec le développement des mains, une telle faculté perd de sa primauté.

Le primatologue poursuivit sa démonstration en avançant entre des squelettes de singes suspendus à des potences, pareils à ceux que les journalistes avaient vus dans le bureau du Pr Adjemian.

— Il y a 20 millions d'années, les lémuriens ont été chassés par les singes, lesquels étaient leurs cousins mutants et bien plus débrouillards qu'eux. Ils n'ont pu survivre qu'en un seul lieu, Madagascar, car cette île est comme un radeau qui, en se séparant du continent africain, a sauvé les derniers rescapés d'une espèce dépassée. Il subsiste encore vingt-neuf espèces de lémuriens à Madagascar contre six seulement pour tout le reste de l'Afrique.

Le Pr Conrad ramena son auditoire devant le tableau des espèces.

— Entre moins 4,4 et moins 2,8 millions d'années, d'entre les singes, le rameau australopithèque se détache pour donner l'homme. L'homme s'est différencié du gorille ou du chimpanzé sans doute en raison d'un changement climatique. Là où vivaient les singes, en Afrique orientale, il y eut un tremblement de terre qui a provoqué l'ouverture d'une faille, qu'on a appelée le Rift. La faille a entraîné la création de trois zones climatiques particulières : une zone de forêt dense, une zone montagneuse, une zone de savane clairsemée. Dans la forêt dense, les seuls à survivre ont été les ancêtres des chimpanzés. Dans la montagne, ce furent les ancêtres des gorilles, et dans la zone de savane clairsemée, ce furent les australopithèques, donc les ancêtres des hommes.

Le Pr Conrad suivit du doigt le Rift sur une carte, cette grande balafre qui au départ de l'Afrique du Sud courait jusqu'en Turquie.

— La principale différence entre l'australopithèque et les pré-chimpanzés ou les pré-gorilles était la disparition de la queue, laquelle avait cessé d'être indispensable pour garder l'équilibre lors des sauts de branche en branche. Touchez votre coccyx. Cet inutile petit chicot de queue au bas de notre dos est l'ultime vestige du singe arboricole que l'homme a été avant le Rift.

Lucrèce et Isidore s'amusèrent à palper ce moignon de queue dans leur propre dos.

— Mais l'absence de queue n'était pas le seul signe de différenciation de l'homme d'avec le singe. En vrac, il y avait aussi le redressement du tronc, l'accroissement du volume crânien, l'aplatissement de la face améliorant encore la vision stéréoscopique, sans oublier la descente du larynx. Auparavant, le primate poussait de simples grognements, mais la descente du larynx permit de beaucoup mieux les nuancer. De même, la fourrure disparut tandis que s'allongeait la durée de l'enfance et donc le temps d'éducation des petits. Naquirent en même temps des comportements sociaux beaucoup plus sophistiqués.

Le savant caressa l'écorché à la feuille de vigne.

— Et voilà l'*homo sapiens sapiens,* c'est-à-dire nous. Une forme de perfection dans l'œuvre de la nature. Un monument de complexité.

— Connaissiez-vous le Pr Adjemian ? demanda Lucrèce Nemrod.

Interloqué, le Pr Conrad suspendit son exposé.

— Bien sûr que je connaissais Adjemian, fit-il. Il était l'un des plus doués parmi les paléontologues de notre génération. Mais, vers la fin, il est devenu fou. Il s'était mis à prôner des théories parfaitement farfelues, au risque de jeter le discrédit sur toute notre profession.

Il les entraîna dans l'escalier, vers son bureau.

— Adjemian n'est pas le seul savant à avoir succombé aux sirènes de l'irrationnel. Certains cas sont demeurés célèbres. Charles Dawson, par exemple, qui a clamé avoir découvert le chaînon manquant en brandissant le crâne de Piltdown, en 1912. On le crut pendant des décennies avant de constater, en 1959, qu'il ne s'agissait en fait que d'une fabrication humaine : une mâchoire de singe accolée à un crâne humain !

Conrad estimait logique la disparition d'Adjemian. Somme toute, la paléontologie obéit aux lois de la nature : ne survivent que les plus aptes. Or, selon lui, Adjemian s'était exclu de lui-même.

— Cet homme était nuisible à tous. En discréditant la paléontologie, il réduisait les chances des scientifiques sérieux de trouver des subventions.

Le Pr Conrad fouillait maintenant fébrilement dans ses tiroirs à la recherche de photocopies de ses dernières publications scientifiques.

— Pour votre article sur les origines de l'humanité, avec ces photocopies de mes cours, il vous sera plus facile de retranscrire directement les passages qui vous intéresseront.

Il remit également aux journalistes une photo de lui-même souriant, tel Hamlet, un crâne auprès de lui.

Pendant que le Pr Conrad cherchait des documents, l'œil de Lucrèce avait fait le tour de la pièce. A présent, ses yeux étaient braqués sur les piolets aiguisés, disposés sur un petit établi. Le paléontologue-primatologue suivit son regard :

— Je sais, dit-il. Il est mort d'un coup de piolet dans le ventre, un outil semblable à ceux-ci. Seriez-vous en train de vous demander si c'est moi qui l'ai assassiné ?

Il fit une moue.

— Non, mille fois non. Ne serait-ce que pour ne pas en faire un martyr. On soupçonne toujours les assassinés d'avoir eu raison trop tôt.

Isidore Katzenberg l'interrompit.

— Alors, selon vous, qui aurait pu le tuer? Vous avez bien votre petite idée là-dessus, non?

— « Cherchez la femme » n'est-il pas le leitmotiv de toute enquête policière?

Le Pr Conrad signala que ce n'était pas les femmes qui avaient manqué dans la vie du défunt avant sa mort violente. Il cita, en particulier, le nom de Solange Van Lisbeth, laquelle avait juré de se venger lorsque Adjemian l'avait quittée.

Solange Van Lisbeth... Lucrèce Nemrod nota que cette maîtresse se trouvait sur la liste du club « D'où venons-nous? » avant de passer à l'autre interrogation qui la taraudait :

— Avant de vous rencontrer, nous sommes passés chez le Pr Sanderson. Or, pendant notre entretien, nous avons été attaqués par un singe. Estimez-vous possible qu'un singe puisse s'en prendre à un homme?

— Un singe à l'état naturel, non. Un singe dressé, oui.

— Vous savez dresser les singes?

— Désolé, je suis juste leur ami, pas leur professeur. En revanche, le Dr Van Lisbeth, elle, a créé dans sa clinique une école pour primates. Elle possède notamment des chimpanzés bonobos du Congo, les singes les plus intelligents et les plus proches de l'homme. Leurs performances sont étonnantes. Vous devriez allez la voir dans sa clinique des Mimosas.

Il saisit l'épaule de Lucrèce Nemrod, qui griffonnait rapidement le nom de la clinique sur son calepin. La journaliste ne réagit pas immédiatement, elle était habituée à ce que les mâles se servent de n'importe quel prétexte pour rechercher un contact épidermique.

— D'où venons-nous, mademoiselle? D'où venons-nous, tous? D'où viens-je? La question est si cruciale que celui qui lui apportera une réponse neuve obtiendra aussitôt une gloire immense. Il n'est donc pas étrange que cette course à la connaissance entraîne dans son sillage quelques excès.

Ayant dit cela, le Pr Conrad consulta sa montre, s'excusa auprès de ses interlocuteurs et s'éclipsa pour retrouver ses pensionnaires.

Demeurés seuls, Lucrèce Nemrod et Isidore Katzenberg décidèrent de poursuivre à leur rythme leur visite du Muséum d'histoire naturelle.

Dehors, la nuit commençait à tomber.

Abrités par les vieux murs du bâtiment, réchauffés par un système de climatisation électronique, éclairés par le jour artificiel de dizaines de néons fluorescents, ils ne s'en aperçurent même pas.

29. LA NUIT VORACE

La nuit tombe.

Les gens de la horde n'ont pas eu le temps de construire un vrai bivouac et tous savent que, dans quelques minutes, les ténèbres vont devenir leur cauchemar.

Au fur et à mesure que la lumière décroît, leurs pupilles se dilatent et leurs yeux s'écarquillent pour profiter de la moindre lueur. Chacun s'installe du mieux qu'il peut dans les branchages.

IL monte pour atteindre les branches les plus hautes, les plus fines. IL chasse les hiboux. IL est bien là-haut. Certains soirs, il préfère être seul. Pour des raisons qu'il ignore, IL n'a pas besoin de sentir les autres près de lui pour avoir moins peur le soir.

La nuit se fait encore plus sombre et plus froide. D'épaisses ténèbres entourent à présent ceux de la horde. C'est ce qu'ils redoutent le plus. Si on pouvait les observer, on distinguerait chacun d'eux recroquevillé, inquiet, effrayé. La nuit se fait plus dense, la rumeur de la jungle devient de plus en plus assourdissante.

Un sens s'éteint progressivement, un autre s'amplifie. Du tout image, ils passent au tout son. Imperceptiblement, leurs oreilles se dressent. Ils entendent d'abord le bruit de fond des insectes qui appellent leurs femelles. Criquets, sauterelles, mouches du soir... Rien à craindre de ceux-là.

En revanche, au-delà des bruits des insectes, on perçoit nettement des respirations rauques. Les gens de la horde savent que plus la respiration est ample, plus son possesseur est dangereux. Il s'agit en général de léopards, ces chats monstrueux qui sautent d'un coup dans les branches pour voler les frères et les sœurs.

Comme ceux de la horde ne disposent pas de vision nocturne, ils se sentent sans défense contre ces voleurs. C'est aussi pour cela qu'IL essaie le plus souvent de s'installer dans les branches les plus hautes. Pour ne pas se faire voler la vie par un léopard.

On attend.

On attend quoi ?

Un ululement. Ils tressaillent. Au loin les hiboux encouragent les peuples de la nuit à prendre leur revanche sur les peuples du jour. Brusquement, une chauve-souris suceuse de sang s'échoue sur le sommet velu du crâne de IL. C'est l'inconvénient de camper dans les branches hautes. On se fait déranger par les chauves-souris. Alors que le minuscule chiroptère s'agrippe à sa tignasse, il le saisit d'un coup, brise ses humérus pour replier ses ailes et casse ses longs doigts pour en faire une boule compacte qu'il mâche. Les chauves-souris, c'est un peu caoutchouteux mais ce n'est pas mauvais au goût. Ça aide à avoir moins peur de la nuit. Entre sa langue et son palais, un instant, la chauve-souris se débat sans espoir puis se laisse aller, poussée par une langue humide vers la trachée.

A la question « vaut-il mieux vivre pour manger ou manger pour vivre ? », la chauve-souris pourrait répondre qu'elle préfère vivre et ne pas être mangée, mais c'est trop tard.

Ceux de la horde s'efforcent de trouver le sommeil tout en restant vigilants. Ils savent qu'ils ont besoin de récupérer des fatigues de la journée, mais ils savent aussi que, dès qu'ils partent au pays des songes, ils deviennent vulnérables.

Un bruit de respiration ample s'approche. Pas de doute. C'est un léopard. Plus personne ne bouge. Ça se rapproche encore. Tous perçoivent intuitivement la taille de l'animal. La respiration un peu nerveuse signale deux mauvaises nouvelles : que le léopard a faim et qu'il les a repérés. Certains paniquent et décident de grimper dans les branches hautes.

IL leur enjoint de redescendre car ces branches sont trop menues pour supporter le poids de plusieurs individus et qu'ils risquent de tomber ensemble si elles se brisent. Mais les autres ont trop peur. La peur est la principale cause de tous les désastres. Ils sont maintenant nombreux autour de lui, accrochés à lui et à sa branche. IL en a sur la tête, sur les épaules, sur les coudes.

Advient ce qui devait advenir. La branche casse, tous chutent de l'arbre, pratiquement sous le museau du léopard. Celui-ci profite immédiatement de l'aubaine. Il n'a qu'à planter la patte dans le ventre du plus proche puis à le saisir dans sa gueule pour le dévorer tranquillement.

IL regrimpe sans attendre. « Ouf. Cette fois-ci, cela a été moins une », pense IL. Voilà l'inconvénient de la vie en groupe, il faut supporter la bêtise de ses congénères.

Maintenant que le danger a frappé, ils se sentent soulagés. Ils peuvent presque dormir tranquilles. La nuit a pris sa dîme.

30. DANS LA CAGE

Ils payèrent leur droit d'entrée pour visiter la Grande Galerie de l'Evolution qui était encore plus impressionnante que celle pourtant vaste de paléontologie. Ici, les animaux étaient recouverts de leur fourrure ou de leur peau, soigneusement recousues.

De petits spots éclairaient les faces hagardes des animaux comme s'ils avaient été immobilisés subitement alors qu'ils se livraient à leurs activités quotidiennes. Au rez-de-chaussée, tous se suivaient en une longue procession immobile qui allait vers une zone de plus en plus lumineuse.

— Qu'est-ce que vous en pensez, Isidore ?

— Il est coupable.

— Vous pensez que le Pr Conrad a assassiné le Pr Adjemian ?

— Il a fait pire. Il a légitimé les meurtres de toute cette cohorte d'animaux innocents qui ne demandaient qu'à gambader paisiblement dans leur forêt ou leur savane, sans même parler des peines d'emprisonnement à perpétuité imposées à tous ceux du zoo sans qu'ils aient commis le moindre mal.

Lucrèce Nemrod était d'humeur à réfléchir, pas à philosopher.

— Je vous interroge sérieusement, Isidore.

Le gros journaliste tournait autour d'un ours blanc du Labrador.

— Mais je vous réponds sérieusement, Lucrèce. De toute façon, je n'ai aucune confiance dans les gens qui ont des poils sur le visage. Moustache ou barbe, ils ont forcément quelque chose à cacher, ne serait-ce que leur menton.

Lucrèce Nemrod jugea cette théorie un peu simpliste.

Un taxidermiste avait installé son tabouret face à un animal naturalisé. Il s'agissait d'un orang-outang en tout point semblable à celui qui avait caressé la chevelure de Lucrèce. Le spécialiste lui ôta les yeux et les remplaça par deux billes de verre peint. Il profita de ce qu'il était là pour recoudre un peu la peau des bras d'un chimpanzé, laquelle commençait à se défaire, laissant entrevoir la mousse sous-jacente.

La jeune fille contempla l'éléphant dressé en tête du cortège de l'Evolution animale, comme s'il était en train de diriger un groupe s'apprêtant à monter à bord de l'arche de Noé. Elle regarda le lion à la crinière laquée tirée en arrière pour lui donner des allures inquiétantes. Elle croisa les yeux menaçants et fixes d'un loup et d'un renard. Ces bêtes avaient dû être abattues dans leur sommeil et, ensuite, des professionnels s'étaient attachés à les doter d'une apparence terrifiante.

Une idée traversa l'esprit de Lucrèce. Elle se dit que les hommes ne conduisaient nullement ces animaux vers une arche salvatrice. Ils les menaient vers le néant. Pour les hommes, les animaux n'avaient plus d'avenir. Ils ne servaient à rien. Juste à décorer des musées afin d'informer les enfants sur leur passé. Un jour, peut-être n'y aurait-il plus du tout d'animaux.

Isidore Katzenberg parut partager son trouble. Le lieu n'était pas seulement une salle d'exposition. Ils se sentaient au beau milieu d'un cimetière consacré à l'écrasante suprématie humaine sur le reste de la nature. Les vaincus avaient piètre allure.

— Même empaillés, ils conservent cependant

un peu d'âme. Même empaillés, ils peuvent nous aider, observa son compagnon.

Isidore Katzenberg croisa intensément le regard artificiel du zèbre, du buffle et de la gazelle.

— Avez-vous vu le premier homme? interrogea-t-il.

Les bêtes naturalisées ne répondirent pas.

— Racontez-moi, insista-t-il encore. Comment était-il? Etait-ce un singe mutant malade? Un singe accidentellement surdoué?

Un hurlement au loin. Ils sursautèrent. C'était, à n'en pas douter, la voix du Pr Conrad. Ils se précipitèrent.

Cela venait bien du secteur des primates.

Il y avait déjà un petit attroupement quand ils y parvinrent. Les deux reporters jouèrent des coudes parmi les badauds en brandissant leur carte de presse. Devant une cage, le Pr Conrad était étendu à terre, sans connaissance. Les babouins lui caressaient les cheveux pour tenter de le réveiller. L'un d'eux profita de l'occasion pour lui faire les poches et voler quelques biscuits salés.

— Quelqu'un a-t-il vu ce qui s'est passé? demanda Lucrèce Nemrod à la cantonade.

— Moi, affirma une vieille dame.

Elle témoigna. La victime en blouse blanche s'occupait à nourrir les singes. Personne, pas même lui, n'avait prêté attention à un primate, plus grand que les autres, qui jouait sur le côté dans la paille.

— Et puis l'animal s'est dressé et j'ai vu qu'il tenait un objet, précisa la dame, encore frissonnante à ce souvenir. Ce n'était pas du tout un jouet, c'était un revolver que la bête tenait maladroitement mais qu'elle a quand même braqué droit sur la tempe du monsieur en blouse. Il en a été tellement surpris qu'il est demeuré immobile, bouche bée. Le singe a tourné le barillet comme pour jouer à la roulette russe et a pressé une seule fois la détente. Le monsieur en blouse s'est mis alors à hurler et puis il est tombé en arrière, évanoui.

Plusieurs personnes dont le propre petit-fils de la vieille dame, un gamin de douze ans fort éveillé, confirmèrent cette version des faits. Elles aussi étaient là, à s'amuser de la gloutonnerie des babouins, quand soudain la scène avait mal tourné.

— Un singe, dites-vous ? Vous êtes bien sûrs de n'avoir pas vu en fait un homme déguisé avec un masque de singe ? demanda Lucrèce Nemrod, calepin et crayon à la main.

Non. Tous étaient d'accord. Tout le corps de l'animal était couvert de poils et il s'était enfui à travers les arbres, sautant de branche en branche en se servant uniquement de ses bras.

Alertés par téléphone portable, la police et le SAMU arrivèrent simultanément. Le professeur, toujours sans connaissance, fut emporté sur une civière par des ambulanciers diligents tandis que les policiers demandaient à leur tour à l'assistance de leur relater les événements.

Les deux journalistes s'éloignèrent parmi les grognements attristés des babouins.

— Isidore, vous pensez que, réellement, il s'agit encore d'un singe ?

— Un singe sacrément intelligent, alors, remarqua le « Sherlock Holmes scientifique » en grattant le haut de son crâne dégarni. Un singe capable de pénétrer seul dans une cage avec une arme, d'attendre patiemment dans un coin le bon moment pour jouer à la roulette russe puis de s'enfuir pour survivre quelque part en un territoire extrêmement urbanisé.

— Un singe très intelligent. Ou un singe très bien dressé, rappela Lucrèce.

Isidore Katzenberg signala que, même si la vie ressemblait parfois à un roman, le truc du singe tueur avait déjà été utilisé dans une nouvelle d'Edgar Allan Poe : « Le double crime de la rue Morgue ». Lucrèce Nemrod rétorqua que le sujet lui avait été inspiré par un fait divers réel. Isidore Katzenberg ignorait ce détail historique.

— Ce qui me trouble, c'est l'humour de l'assaillant. L'astronome convaincu du bien-fondé de sa théorie sur les météorites a failli être frappé par un... rocher volant; le biologiste, assuré que l'homme était issu du hasard, menacé par un jeu de hasard !

La journaliste stagiaire souleva d'un joli geste de la main sa longue chevelure rousse pour mieux relire ses notes.

— Tout se passe comme si le chaînon manquant était revenu de nos jours afin de ridiculiser toutes les théories émises à son endroit.

Isidore Katzenberg fut soudain frappé par la grâce du mouvement de la jeune fille et, à présent, il la regardait, la regardait vraiment, et la trouvait extraordinairement belle. Il perçut différemment son parfum. Il perçut différemment sa présence si féminine. « Cette fille est magique », pensa-t-il tout à coup, et il se demanda alors d'où venait cette magie. La réponse s'imposa aussitôt. La vie. Lucrèce Nemrod était vibrante de vie. Son enthousiasme à vivre la dotait d'un éclat spécial. Isidore Katzenberg eut l'impression de tomber dans un précipice infini. Il était en train de s'éprendre de la jeune fille, et cette simple idée l'épouvanta. Lui, le gros éléphant, succombant à la séduction de la frêle souris ? Il n'osait imaginer cette fragile petite chose broyée sous son énorme poids.

— Vous rêvez, Isidore ? s'enquit Lucrèce.

Il ne lui répondit pas et baissa timidement les yeux pour cesser de la trouver extraordinaire.

31. RÉVEIL GLUANT

Un sexe de femelle chaud, presque fumant, surgit soudain devant lui. Pour un réveil tonique, c'est un réveil tonique. Le sexe de la donzelle est sous son nez. Pareil à une bouche verticale en train de se moquer.

Ça sent fort les hormones.

IL regarde derrière le sexe pour voir à qui il appartient. Il est à une jeune femelle qui n'est pour l'instant propriété d'aucun mâle en particulier. Elle a le périnée gonflé, luisant et rose à force d'être en chaleur. Son sexe est comme deux grosses aubergines turgescentes et mauves collées à son arrière-train. IL se dit que cela doit être très douloureux quand elle a besoin de s'asseoir.

Evidemment, elle veut se faire emboîter. Mais IL n'en a pas vraiment envie. Pas comme ça, pas tout de suite le matin. Il lui faut d'abord prendre son bol d'air et mâcher quelques feuilles. Elle insiste en se frottant. IL commence donc à la besogner, l'esprit ailleurs, son sexe travaillant à sa place. IL a à peine entrepris de la coulisser que la femelle se met à saisir les ramures alentour et à les secouer nerveusement tout en respirant fort.

Elle bouge avec entrain. Son souffle bruyant se transforme en cris. Ses beuglements sont si tonitruants qu'il est obligé de se tenir les oreilles tout en s'activant. Est-il besoin de réveiller toute la forêt pour une simple petite tentative de fécondation matinale ? Mais la jeune femelle semble savoir ce qu'elle fait. Probablement la peur de la mort frôlée dans la caverne au monstre lui donne-t-elle des surcroîts de pulsions de vie.

Ah, les femelles...

Placé derrière elle, IL voit les fesses de la donzelle changer de couleur comme un arc-en-ciel virant du mauve à l'orange écarlate. Maintenant, sa compagne secoue si fort les ramures qu'il en tombe des petits écureuils comme autant de glands mûrs. Heureusement, ces petits animaux, étant pour la plupart des écureuils volants, déploient la membrane planante qui relie leurs quatre membres.

Naturellement ce tapage ne laisse pas tout le monde indifférent. Un jeune mâle survient, touche IL à l'épaule et le provoque en duel. IL lui demande de patienter quelques minutes le temps qu'il finisse, et puis il s'occupera de lui. Mais l'autre le pousse et le désemboîte, il ne veut pas attendre. Il veut lui casser la figure.

Les deux mâles se font front. IL essaie de dissuader l'autre de se battre en se frappant le thorax. IL tape fort. IL hérisse son poil. IL montre les dents. L'intimidation sera-t-elle suffisante ? Non. Sans même respecter le temps pour les parades d'intimidation, son vis-à-vis fait mine de vouloir le mordre.

Alors, IL prend son sexe encore en érection et l'agite comme une épée. Mais la manœuvre n'impressionne pas son adversaire qui prend son propre sexe bandant (après quelques manipulations) et accepte le duel. Voilà les deux mâles dans les arbres en train de se frapper à l'aide de leur pénis utilisé parfois comme un bâton, une matraque, ou un fouet.

La jeune femelle qui a provoqué tous ces tracas encourage ses prétendants. On ne sait pas bien auquel elle tient mais, à entendre ses cris, elle souhaite que le combat soit le plus féroce possible. Toute la horde accourt pour assister au spectacle dans les branches.

D'un coup de pénis en revers croisé, IL assomme à moitié son adversaire. Heureusement que de ce côté-là IL n'est pas trop mal équipé. L'autre pénis, plus court et trop émotif, commence déjà à débander malgré les cris de la jeune femelle qui le conspue.

En principe, IL a gagné. Mais l'autre veut montrer à la femelle de quoi il est capable. Alors, sans aucun respect pour les règles de la horde, il fonce et tente de l'étrangler avec ses mains. Folle jeunesse.

IL n'a plus le choix. Pour ne pas perdre davantage de temps et d'énergie, il frappe du tranchant de la main la trachée de son adversaire. L'autre tombe net. C'est l'avantage de l'âge et de l'expérience. On sait calmer les excités.

La jeune femelle aux fesses turgescentes crie de colère car elle trouve que le duel est trop court. Il faut se battre encore pour elle. Elle est frustrée dans son besoin de spectacle qui semble au moins aussi grand que son besoin d'être fécondée. Elle ne veut pas seulement du sperme, elle veut aussi voir le sang couler.

IL regarde le corps inanimé de son adversaire. IL a un instant de dégoût de lui-même. IL sait qu'il n'avait pas le choix, mais il n'aime pas être obligé d'utiliser la violence pour se faire comprendre.

Déjà, la femelle revient lui coller son sexe dans le visage en poussant de petits gloussements. Elle est prête à l'excuser d'avoir abrégé le combat s'il reprend là où il s'est arrêté. IL la regarde, la trouve mignonne, hume ses hormones poivrées et, nonchalamment, revient vers elle.

Elle se met à faire des huit avec son bassin pour l'encourager.

32. THÉORIE DU DR VAN LISBETH

Elle était grande et brune. Sous ses fines lunettes d'écaille, un masque de chirurgien lui barrait le visage. Elle lissa une mèche de fil opératoire, l'enfila dans le chas d'une aiguille puis plongea ses deux mains dans la chair palpitante.

Le Dr Solange Van Lisbeth officiait à la clinique des Mimosas, à Clamart, dans la banlieue parisienne. Quand Isidore Katzenberg et Lucrèce Nemrod la repérèrent derrière une porte vitrée, la chirurgienne, entourée d'un essaim d'assistants en blouse lavande, était en train de farfouiller dans le corps d'un gros barbu endormi, bardé de tuyaux, dans le nez et dans les bras. Ses gestes étaient calmes, précis, sereins, comme si elle se livrait à une messe. De temps à autre, elle tendait une main et, sans qu'elle prononce un mot, elle recevait aussitôt entre ses doigts l'instrument nickelé adéquat. L'opération touchait à sa fin. La chirurgienne recousit l'épiderme humain, comme on referme un couvercle.

Les deux journalistes la rejoignirent au moment où, gants et masque ôtés, elle se frottait énergiquement les mains devant un lavabo. Ils se présentèrent comme envoyés du *Guetteur moderne* et elle consentit à répondre à leurs questions.

Son visage nu était grave, son regard droit indiquait un tempérament fort. Elle demanda à ses interlocuteurs de bien vouloir l'attendre le temps qu'elle se change et revint très vite pour leur proposer de l'accompagner à la cafétéria de l'établissement.

Dans les couloirs circulait toute une cohorte de patients en peignoir-éponge. Emirs du pétrole, stars du rock ou vedettes de cinéma, tous arboraient des lunettes noires et étaient généralement suivis de gardes du corps au cas où des fans excessifs ou des ennemis politiques les auraient pourchassés jusqu'ici. Une musique d'aéroport flottait dans les corridors comme pour rasséréner tout ce petit monde. La clinique des Mimosas était synonyme de luxe et de calme pour ceux qui avaient les moyens d'en acquitter les tarifs prohibitifs.

A un croisement, des panneaux indiquaient des directions : « bloc opératoire », « salles de repos », « laboratoires » et « CIRC ». « Réservé au personnel accrédité », était-il précisé sur la pancarte du CIRC.

Isidore Katzenberg demanda la signification de ce sigle.

— Centre d'Implants et de Recherche sur les Cellules, précisa la doctoresse. C'est là que les chercheurs de l'établissement mettent au point les techniques de greffes d'avant-garde qui ont fait la renommée universelle de la clinique des Mimosas. Vous savez, c'est grâce à ce laboratoire que nous pouvons prétendre être la meilleure clinique du monde en ce qui concerne la tolérance des tissus étrangers après opération.

— Ce doit être rudement cher ici..., dit Lucrèce en avisant quelques tableaux de maîtres ornant les murs.

— Les prestations sont onéreuses, certes, mais l'argent est indispensable pour maintenir notre avance sur tous nos concurrents dans le domaine de la recherche pure, rétorqua le médecin. Alors que les hôpitaux publics affichent un taux de soixante pour cent de réussite pour les greffes qu'ils pratiquent, ici, aux Mimosas, nous avons soixante-quinze pour cent de réussite. Cela nous vaut un afflux de clients du monde entier et légitime nos prix.

Ils arrivèrent dans la somptueuse cafétéria où ils participèrent à la cérémonie du « café dans le gobelet de polystyrène ». La boisson était sans saveur, mais la chaleur amère fut très appréciée par la chirurgienne dont les nerfs avaient été mis à rude épreuve durant l'opération.

Elle engouffra une cigarette et se mit à aspirer très fort le tube de papier blanc pour remplir ses poumons de l'apaisante nicotine. Pouvoir du végétal sur l'animal.

— En fait, nous n'avons qu'une seule question à vous poser, dit Lucrèce Nemrod. D'où venons-nous ?

La chirurgienne hésita entre plaisanter ou répondre sérieusement. Elle choisit finalement de boire d'un trait son café.

— Vous savez, mon cursus est assez spécial. J'ai une formation de chirurgienne mais j'ai aussi suivi de solides études de biologie des cellules pour me spécialiser dans les greffes. En m'intéressant à la genèse des cellules, à leur mode d'organisation et de tolérance entre elles, j'ai compris pourquoi certaines s'acceptaient et d'autres se repoussaient. Venez, je vais vous montrer quelque chose qui devrait vous intéresser.

Elle invita les deux journalistes à la suivre dans une salle d'expérimentation où se côtoyaient cages et aquariums. Là, elle leur montra un bocal dans lequel, en scrutant attentivement comme elle les y conviait, ils découvrirent une nuée de minuscules petits points mobiles beiges.

— Vous voulez savoir d'où nous venons ? D'eux.

Elle prit une pipette et aspira un peu d'eau remplie de vie.

— De ces bactéries, de ces êtres unicellulaires. Ils ont régné sur terre pendant des millions d'années puis, sur la fin, il y a eu transformation. De paramécies, ils sont devenus poissons.

Un aquarium plus grand renfermait de petits poissons guppys. Solange Van Lisbeth s'empara d'une épuisette, pêcha ailleurs un scalaire qu'elle déposa parmi les guppys. Plus grand, mieux denté et plus agressif, le scalaire se mit aussitôt à mordre les guppys.

Le docteur signala que, si les deux visiteurs revenaient dans deux semaines, ils constateraient la disparition des larges queues multicolores des mâles guppys.

— Ils se feront plus discrets afin de ne plus attirer l'attention du scalaire prédateur. Ils transformeront leur organisme afin de s'adapter à ce nouveau facteur « perturbateur » dans leur environnement. Et tant que celui-ci restera là, il ne naîtra pas un seul petit mâle à large queue multicolore. Ainsi fonctionne l'évolution et il est possible de l'observer ici en accéléré et en direct. Si, en revanche, on retire le scalaire de leur aquarium, les guppys retrouvent leurs couleurs flamboyantes, plus seyantes pour capter l'attention des femelles.

Elle expliqua que les modifications du milieu extérieur contraignent les cellules à se transformer.

— Il en va exactement de même pour l'homme. Il s'est adapté.

— A quel « élément perturbateur » ?

— Le Rift. Le creusement du Rift a contraint les premiers pré-humains à vivre dans la savane déboisée. Là, il n'était plus possible pour eux de grimper dans les arbres pour se protéger de leurs prédateurs. Ils ont donc dû se redresser pour pouvoir les voir venir de loin par-dessus les herbes hautes. Et, à force de se dresser par crainte d'être attaqués, ils sont passés de « régulièrement arboricoles et exceptionnellement bipèdes » à « régulièrement bipèdes et exceptionnellement arboricoles ».

La peur des prédateurs... Lucrèce se remémora le dessin sur l'évolution dans le bureau du Pr Adjemian. Le petit poisson questionnant sa maman. Quels sont ceux qui sont sortis de l'eau ? Quels sont ceux qui ont évolué ? Les angoissés. Ceux qui avaient peur. Les mécontents. Ceux qui voulaient que le monde change. Elle aurait pu ajouter les paranoïaques. Ceux qui voyaient des dangers partout ou qui voulaient anticiper les problèmes à venir.

Solange Van Lisbeth se voûta et mima un singe penché.

— Le fait de se dresser sur deux pattes postérieures a libéré les pattes antérieures, expliqua-t-elle. Du coup, devenues libres, les mains pouvaient tenir des bâtons comme autant d'armes pour combattre.

Le fait d'être debout a ouvert la porte à d'autres changements, tel celui opéré dans la charpente osseuse. Debout, le bassin devient panier et retient les viscères. La jonction de la colonne vertébrale et du crâne s'effectuait auparavant latéralement. Avec la station debout, elle a basculé en dessous, ce qui a permis au crâne de se développer en volume puisqu'il n'était plus bloqué par la moelle épinière.

— Il passera ainsi de 450 à 1 000 cm^3 en l'espace de deux millions d'années, puis de 1 000 à 1 450 cm^3, de nos jours, expliqua-t-elle en montrant des crânes de différents volumes.

— Pourquoi n'avons-nous presque plus de poils ? demanda Isidore Katzenberg.

— Encore une adaptation. Les poils étaient nécessaires pour que les petits puissent s'accrocher au ventre de leurs mères. Mais ils sont devenus inutiles lorsque celles-ci ont pu les prendre dans leurs bras. Ne sont restés que les poils au sommet du crâne afin de le protéger du soleil.

— Et les sourcils ?

— Un gadget. Ils sont demeurés pour servir de petites éponges en cas de pluie.

La théorie énoncée par le Dr Van Lisbeth avait pour nom « le transformisme » et avait été élaborée en 1815 par Jean-Baptiste de Lamarck, selon elle véritable et seul fondateur de la paléontologie humaine moderne.

— Quelle différence entre le lamarckisme et le darwinisme ? demanda Lucrèce Nemrod, retrouvant sur son calepin le cours darwinien du Pr Conrad.

— Pour les darwinistes, les humains sont des animaux qui disposaient par hasard des gènes aptes à leur permettre la station debout. Pour les lamarckistes, n'importe quel animal est capable, si nécessaire, de transformer ses gènes, expliqua le Dr Van Lisbeth.

Avec un petit sourire, elle conclut :

— Hum, les idées de Lamarck permettent à tout un chacun de conserver l'espoir de s'améliorer. Alors qu'avec Darwin, si on n'est pas bien né, on est fichu.

Dans un local avoisinant, divers fœtus flottaient dans des bocaux de formol. Il y avait là des embryons humains, mais aussi des fœtus de lézards, de singes et de plusieurs mammifères.

— Au cours de son évolution de neuf mois, un fœtus humain recommence l'histoire de son espèce.

La doctoresse fit le tour de la pièce. Dans un bocal, se distinguait tout juste une lentille rose : un embryon humain de six jours, en tout point semblable à l'un des protozoaires croisés plus tôt. A côté, un embryon de douze jours présentait une petite forme allongée, nantie de gros yeux.

— N'est-il pas identique à celui d'un poisson? Au commencement nous avons été poissons, remarqua-t-elle. A trente et un jours, l'embryon humain ressemble à un lézard, à neuf semaines à un rejeton de musaraigne et, à dix-huit semaines, il n'offre strictement plus aucune différence avec celui d'un singe.

Lucrèce notait à toute vitesse, très impressionnée.

— Comme si chaque humain récapitulait dès avant sa naissance tous les épisodes précédents de l'histoire de l'humanité, murmura Isidore Katzenberg, lui aussi fasciné.

— Le mystère de la forme des chiffres, chuchota Lucrèce Nemrod, en retour. 1, 2, 3, 4, 5.

Tous les stades d'évolution de la vie, nous les réapprenons juste avant de naître.

— Qu'est-ce que vous dites ? demanda la chirurgienne, intriguée.

Lucrèce Nemrod se retourna et désigna derrière eux les singes vivants placés dans de grandes cages.

— A quoi vous servent ces singes, ici ?

— Ils sont là pour les greffes. Les hommes ayant quatre-vingt-dix-neuf pour cent de gènes communs avec les chimpanzés, il est donc possible de prélever certains organes pour remplacer ceux des humains défectueux. Plus nous serons capables d'effectuer des greffes à base de prélèvements sur des animaux, moins il sera nécessaire d'avoir recours à des banques d'organes. Avec tous les excès que cela comporte.

— Quels excès ? s'étonna Lucrèce Nemrod.

— Dans les pays du tiers-monde, les pauvres vendent un par un leurs organes rien que pour pouvoir manger. Des reins, des poumons, des cornées... Des bandits s'attaquent à des vagabonds pour leur en voler et les vendre à des cliniques véreuses. Tout un commerce est ainsi né tant la demande est grande et l'offre rare. L'alternative saine à la pénurie de donneurs volontaires reste donc les greffes à partir d'animaux presque compatibles avec les humains, en l'occurrence les chimpanzés.

Mais elle expliqua que les chimpanzés eux-mêmes n'étaient pas tous égaux en la matière.

— Seuls les bonobos du Congo possèdent quatre-vingt-dix-neuf virgule trois pour cent de gènes communs à l'homme, meilleur gage de réussite. C'est donc sur eux que nous avons concentré nos efforts.

Solange Van Lisbeth sortit un jeune bonobo de sa cage. Il se blottit aussitôt tendrement dans ses bras, tel un enfant en quête d'affection. Il se pencha ensuite vers Lucrèce Nemrod, tout près, et joua avec ses cheveux roux comme pour s'en faire une perruque.

— Les bonobos sont des singes extraordinairement intelligents. Ils vivent en tribus. Ils règlent leurs conflits en jouant et en faisant l'amour. Ils sont toujours prêts à jouer. C'est un grand signe d'intelligence.

Solange Van Lisbeth tendit une balle au petit singe et, au dernier moment, la cacha derrière son dos. Le petit singe essaya de trouver dans quelle main se trouvait l'objet et poussa des petits soupirs de joie quand il réussit.

— Malheureusement les bonobos sont en voie de disparition. On ne les trouve qu'au Congo, et là-bas les gens les mangent comme un mets de choix. Alors on tente de les faire se reproduire ici, en captivité. Le problème est que le bonobo ne supporte que la vie sauvage. Il n'accepte de se reproduire en captivité que s'il se sent parfaitement bien. Et il ne se sent bien que si on le stimule en permanence.

Le Dr Van Lisbeth emmena les journalistes dans une pièce contiguë. C'était une salle de jeux. Ici, les cages étaient équipées de serrures à code et les singes devaient former des phrases cohérentes pour pouvoir en sortir.

— Qu'est-ce qu'une « phrase cohérente » ?

— Une phrase comprenant un sujet, un verbe et un complément. Les mots sont remplacés par des idéogrammes.

En effet, sur les touches, on voyait des têtes de singe, des bananes, des objets...

Dans d'autres cages, des singes s'escrimaient sur les serrures codées afin d'obtenir l'aliment de leur choix.

— Quand l'esprit des bonobos est stimulé, ils se sentent bien et acceptent de faire des saillies. Par contre, s'ils restent enfermés comme au zoo, ils deviennent mélancoliques et se laissent mourir. Quelque part dans ces cages nous essayons de leur faire croire qu'ils continuent d'évoluer.

La plupart des bonobos qui les entouraient semblaient en effet particulièrement vifs. Certains, dès l'entrée des humains, avaient cessé de jouer avec leur serrure pour observer le comportement des intrus avec une acuité presque dérangeante.

— Vous appartenez au club « D'où venons-nous ? ». Vous deviez donc bien connaître le Pr Adjemian, intervint Isidore Katzenberg.

— Je le connaissais, en effet, répondit Solange Van Lisbeth.

— Plus que bien, insista le gros journaliste. Vous avez même vécu quelques mois ensemble, après son divorce.

— C'est vrai, mais comment pouvez-vous être au courant ?

Isidore Katzenberg sourit.

— Je n'en savais rien. J'ai dit ça au hasard.

La chirurgienne eut un geste évasif.

— C'est de l'histoire ancienne, tout cela remonte à fort loin. Nous nous sommes séparés, il y a déjà de longues années. Nous n'en étions pas moins restés très proches. J'ai été bouleversée par son assassinat.

Elle s'interrompit et dévisagea les deux journalistes comme si elle se demandait si elle pouvait leur faire confiance ou non.

— D'autant plus bouleversée, reprit-elle après un temps d'hésitation, que moi aussi, après avoir reçu nombre de lettres de menaces, j'ai vécu tout récemment des événements plutôt inquiétants.

— Racontez-nous, demanda Isidore Katzenberg de sa voix la plus douce.

La scène s'était déroulée la veille au soir. Solange Van Lisbeth était occupée à installer un chimpanzé bonobo dans une cage d'adaptation nantie d'une serrure neuve lorsque, soudain, avait surgi un grand singe qu'elle ne connaissait pas, lequel avait refermé d'un coup la porte, brouillé les codes de sortie et puis s'en était allé. Elle en était convaincue, l'animal n'appartenait pas à la clinique des Mimosas, dont chaque primate lui était familier. Elle s'était débattue avec la serrure, essayant vainement chacune des phrases logiques habituelles susceptibles de la débloquer.

— Ce n'était peut-être pas un singe mais un homme déguisé en singe, suggéra Lucrèce Nemrod.

La doctoresse jugea la chose plausible. Elle n'avait pas eu le temps d'examiner longuement le primate inconnu, mais la phrase choisie pour briser le code ne pouvait émaner que d'une intelligence avancée.

— Qu'était-ce ?

— « Singe aime Humain. » Et ce n'est pas moi qui ai fini par la découvrir, mais le chimpanzé bonobo dont je m'étais retrouvée à partager la cellule, avoua-t-elle.

Solange Van Lisbeth soupçonnait des associations de lutte contre la vivisection d'être à l'origine de cette mauvaise plaisanterie. Elle avait tout un tiroir plein de missives du genre, « Fichez la paix aux animaux », « On te fera subir ce que tu leur fais subir », « Les hommes connaîtront le sort qu'ils réservent aux bêtes ».

— Ces gens ne comprennent pas que l'expérimentation animale est indispensable si l'on veut éviter l'expérimentation sur les humains, dit-elle.

— Comment votre agresseur s'est-il enfui ? interrogea Isidore Katzenberg.

La fenêtre était ouverte. Homme ou singe, il s'était élancé et avait bondi de branche en branche, en s'y retenant par les bras.

— Vous êtes vraiment sûre qu'il ne s'agissait

pas d'un de vos bonobos ? s'enquit Lucrèce Nemrod.

— Convaincue. Il n'en manque aucun ici et, d'ailleurs, ce primate-là était, il me semble, un peu plus grand qu'un chimpanzé.

Isidore Katzenberg se pencha à la fenêtre et considéra le parc. L'arbre qui surplombait le mur d'enceinte était particulièrement haut et ses branches les plus basses s'élevaient à près de deux mètres au-dessus de plates-bandes fleuries qui n'avaient pas été piétinées.

— Si c'était un homme, c'était pour le moins un acrobate doué, constata-t-il.

— Un acrobate, dites-vous ? Je n'y avais pas pensé.

Elle fronça les sourcils.

— ... Un acrobate, pourquoi pas « une » acrobate ? L'ex-femme du Pr Adjemian, habituée elle aussi du club « D'où venons-nous ? », a pratiqué le cirque.

— Comment se nomme-t-elle ? demanda Lucrèce en serrant son stylo.

— Sophie Eluant. C'est une riche héritière. Vous avez sûrement lu ou entendu la publicité : « Les charcuteries Eluant, on en mange depuis la nuit des temps. » C'était Adjemian qu'on voyait sur les affiches, c'était sa voix qu'on entendait à la radio. Ils avaient passé un accord : sa femme finançait ses recherches et ses fouilles paléontologiques, lui offrait en échange son image de marque de savant pour ses produits.

— Mais ces publicités ont disparu depuis un moment, remarqua Lucrèce Nemrod.

— Bien sûr. Ils se sont fâchés, ont divorcé et l'accord n'a plus tenu. En outre, Adjemian était peu à peu devenu un végétarien militant. Vous vous imaginez la tête de son épouse ! Une industrielle de la charcuterie mariée à un apôtre du végétarisme...

La journaliste rousse consulta son calepin.

— Le nom de Sophie Eluant n'apparaît pas dans la liste des membres du club « D'où venons-nous ? ».

— Parce qu'elle ne venait aux séances qu'à titre d'invitée. Elle n'a rien d'une scientifique. En tout cas, j'en suis certaine, elle a été acrobate et elle est parfaitement capable de s'élancer de branche en branche à travers les arbres, juste en se tenant par les mains.

33. DE BRANCHE EN BRANCHE

IL s'élance pour passer d'une branche à l'autre. IL aime bien se promener comme ça après une saillie. Mais là, il ne s'agit pas d'une simple balade dans les bois. IL participe à une expédition de chasse.

Devant lui, les autres mâles dominants s'avancent eux aussi à bonne allure en s'accrochant aux branches, bras tendus, jambes ballantes, mains crispées en crochet sur les ramures. En se balançant ainsi de branche en branche juste avec les bras, ils parviennent à se déplacer beaucoup plus vite qu'en courant au sol.

Leurs yeux visent un endroit précis, leurs mains trouvent des appuis et, déjà, leur centre de gravité se déplace en avant. Quand ils vont très vite, leurs doigts ne font qu'effleurer les branches, comme s'ils les caressaient. Ils ont alors l'illusion fugace de pouvoir planer à la hauteur des cimes. Mais il demeure pourtant cette petite peur de tomber et de se briser la colonne vertébrale. Sur le grand nombre de branches auxquelles ils s'accrochent, il suffirait qu'une seule soit vermoulue pour qu'ils risquent la chute. Une fois, IL est tombé de haut et c'est de justesse qu'il s'est rattrapé à une liane.

Les mâles dominants glissent entre les branches. Ils constituent une patrouille à la recherche de gibier. Tout en voltigeant, ils jettent de petits coups d'œil en bas pour repérer de la protéine sur pattes. Ils ne voient pas grand-chose. Plus de chacals, plus de hyènes, plus de lapins, plus de gazelles. L'orage et les incendies de la veille ont fait fuir tout le gibier des environs. Comment vont-ils se débrouiller pour nourrir les femelles et les enfants en bas âge ? Le ventre de IL commence à gargouiller, mécontent de ne pas être assouvi.

O nourriture, où t'es-tu cachée ?

IL sursaute. Un lapin couine quelque part. Mais avant que ceux de la horde aient pu courir sur lui, un aigle surgit et l'emporte vers son nid. La concurrence est rude. Dépités, les mâles dominants s'arrêtent, vacillant sous les branches, et se regardent.

« Manger », pensent-ils.

Que ne donneraient-ils pas pour manger ? Pour retrouver cette sensation incroyable de bouche pleine et mâcher.

Déjà, le corps de IL le punit en devenant douloureux. IL sait que s'il ne trouve pas de la nourriture rapidement tous ses muscles vont se remplir de toxines. Ses poumons deviennent brûlants. Son estomac le picote. Ses intestins se nouent.

Manger. Il faut trouver quelque chose à manger.

Et vite.

34. L'EMPIRE DES VIANDES

Au travers des fenêtres de la salle d'accueil, ils apercevaient des camions où s'entassaient par tonnes les spécialités des établissements Eluant :

saucisses, saucissons, jambons, rillettes, jarrets, boudins... Les charcuteries étaient emportées sous les conditionnements les plus divers : surgelés, congelés, salaisons, conserves, sous-vide, lyophilisés, déshydratés... Aux flancs des camions, un porc joyeux, affublé d'une panoplie façon « homme des cavernes », clamait le slogan de l'établissement : « Les charcuteries Eluant, on en mange depuis la nuit des temps. »

Le ballet des camions, chargeant et déchargeant leurs monceaux de protéines salées, paraissait ne devoir jamais cesser.

Des portraits d'acrobates garnissaient les murs de la salle d'accueil. Ils étaient trois en tenue de cirque : une jeune femme, sans doute Sophie Eluant elle-même, en « Jane » fraîchement sortie de la jungle, flanquée de son « Tarzan » en pagne tacheté et d'un homme déguisé en gorille, engoncé dans une fausse fourrure mitée. Certains clichés les représentaient en plein show, risquant de périlleux envols au-dessus du public dans un cirque ou se raccrochant à des trapèzes du bout des doigts.

Il y eut un bourdonnement quelque part et une secrétaire rondelette en strict tailleur prune se présenta.

— Mme Sophie Eluant ne va pas tarder à vous recevoir.

— Dans combien de temps à peu près ? s'enquit Lucrèce Nemrod.

— Oh, deux petites heures environ, répondit la secrétaire.

La journaliste bondit sur ses pieds.

— Mais..., protesta-t-elle, indignée.

Entrouvrant à son tour la porte de la salle d'accueil, un jeune homme en blouse grise, bien soigné de sa personne, les informa être Lucien Eluant, le propre frère de Sophie Eluant, et offrit de leur faire visiter l'usine en attendant que sa sœur puisse les recevoir. Ils hésitèrent puis, comme ils n'avaient rien d'autre à faire, acceptèrent cette proposition.

Dehors, Lucien Eluant fit grimper ses hôtes dans un petit véhicule électrique.

Lucrèce Nemrod et Isidore Katzenberg constatèrent que l'usine était un véritable village avec ses panneaux signalétiques, ses rues et ses entrepôts bourdonnant d'activité. Des uns sortaient des ouvriers charriant d'immenses bacs débordant de guirlandes de boyaux, dans d'autres se dressaient des montagnes de saindoux dans lesquelles étaient fichées des pelles.

Lucien Eluant stoppa devant une grande pancarte ÉLEVAGE. Derrière, un immense bâtiment dégageait des fumées blanches presque inodores. En y pénétrant, ils découvrirent des centaines d'employés et des dizaines de camions occupés à transporter du bétail.

— Avant de me mettre au service de notre entreprise familiale, j'ai fait mes classes dans des abattoirs ordinaires, les informa le jeune homme. Je suis donc bien placé pour vous dire que là-bas, c'était vraiment terrible. On tuait les bœufs avec des maillets de cinq kilos qu'il fallait projeter d'un coup sur leur crâne. Les types qui faisaient ça toute la journée finissaient par devenir fous. Ils se mettaient à boire pour se remettre et, plus ils buvaient, plus ils devenaient maladroits. Alors, ils rataient souvent leur cible et on voyait des vaches, le crâne à moitié défoncé, s'enfuir en beuglant à travers la cour et y semer la pagaille.

Lucrèce Nemrod serra les dents à cette macabre évocation et, pas mécontent de son petit effet sur la jolie fille, Eluant poursuivit :

— Les chevillards avaient inventé des cérémonies d'intronisation, une sorte de bizutage au cours duquel ils faisaient boire cul sec aux petits nouveaux un litre de sang frais encore chaud sortant des veines. Je ne vous dis pas le coup de fouet...

— Le personnel devait changer souvent, remarqua Isidore Katzenberg.

— Les sensibles ne tenaient pas longtemps. Les autres, pour ne pas devenir fous, finissaient par assumer, puis même par y trouver du plaisir, philosopha Eluant. Ils torturaient volontairement le bétail, ils leur donnaient des coups de marteau, les laissaient pendus vivants par une patte des journées entières. En devenant franchement sadique, ce métier redevenait pour eux supportable. Mais ces pratiques ont à peu près disparu. Pas seulement à cause des amis des bêtes, d'ailleurs... Les professionnels ont constaté que le stress de la vache altère le goût de sa viande. Même après cuisson, les molécules de stress y subsistent. Or, les humains sont sensibles à ces substances. Chaque fois que nous consommons de la viande stressée, nous devenons nous-mêmes un peu plus stressés.

— Vous voulez dire qu'en mangeant des animaux qui souffrent, on prend en nous un peu de leur souffrance ?

Lucien Eluant hocha la tête.

— Remarquez, je vous parle de la vache mais le poulet, c'est pire. Dans les abattoirs, ils les laissent suspendus à l'envers sur des chaînes puis leur arrachent la langue pour qu'ils pissent le sang en silence par la bouche afin que la viande soit bien blanche. Toutes les viandes blanches sont des viandes saignées à blanc.

— Arrêtez ou vous allez me dégoûter complètement, dit Lucrèce.

— En fait, dit Eluant, le problème c'est que les défenseurs des animaux sont si ridicules qu'ils discréditent la cause des bêtes. Il faudrait trouver des gens crédibles pour les défendre. La solution viendra des industriels consciencieux et non des apitoiements des acteurs ou des chanteurs.

— Et le poisson ? demanda Lucrèce Nemrod, inquiète.

— Maintenant, dans les nouveaux élevages industriels, ils les mettent dans des bacs de trois mètres sur deux. Pour des raisons de rentabilité, ces bacs sont surpeuplés. En volume, il y a plus de poissons que d'eau, si bien que les poissons des couches supérieures meurent asphyxiés.

Autour d'eux des affiches de cochons ravis à l'idée de nourrir les hommes s'étalaient de manière ostentatoire.

— Et le cochon ? coupa Isidore Katzenberg.

— Jadis, j'ai travaillé dans des abattoirs à cochons. Ça hurlait toute la journée, des cris terribles. Un cochon peut hurler avec une intensité de 80 décibels quand on l'égorge. Je ne vous dis pas le boucan.

— Vous avez l'air de supporter tout cela sans trop de gêne.

— Détrompez-vous. Je suis sensible. Et puis, il y avait cette odeur insupportable de sang caillé. Ça vous prend à la gorge dès que vous entrez dans des abattoirs vétustes. Donc, les animaux doivent le sentir aussi. C'est pour cela que j'ai particulièrement insisté pour moderniser le circuit d'élevage et d'abattage de mon usine. Suivez-moi.

Ils entrèrent dans un immense bâtiment blanc. Sur des centaines de mètres, des milliers de cochons étaient alignés, parfaitement droits, le corps totalement immobilisé entre quatre rambardes de métal, la tête bloquée dans une guillotine qui les obligeait à rester le groin trempé dans un rail où coulait de la nourriture semi-liquide.

L'endroit était sans bruits, sans odeurs, sans fumée. Juste quelques petits moteurs de pompe qui ronronnaient au milieu de grognements étouffés par les bouches bâillonnées de nourriture.

— Regardez comme c'est propre. Vous savez,

la réputation de saleté des cochons est imméritée. En fait, c'est un animal très propre qui en liberté n'arrête pas de se lécher. C'est parce qu'on les met dans des endroits sales qu'ils sont sales. Si on enfermait des humains nus dans des porcheries classiques au milieu de leurs déjections, ils seraient bien plus sales que les cochons.

Lucrèce Nemrod s'approcha des enclos.

— Mais tous ces porcs sont bloqués, ils ne peuvent pas se lécher.

— Bien sûr, ils sont immobilisés pour qu'ils ne puissent pas se muscler. Il faut qu'ils engraissent au maximum afin de fournir beaucoup de lard.

Isidore Katzenberg se plaça face au groin d'un porc.

— Ils se ressemblent tous...

— Normal. Ils sont issus d'une souche particulièrement résistante de porcs de la race « Large White ». Ils sont tous frères et, bientôt, grâce au clonage nous parviendrons peut-être même à faire des jumeaux du meilleur d'entre eux. Mais ceux-là sont déjà très « performants ». Ils deviennent adultes en dix fois moins de temps qu'il n'en fallait il y a quelques années. Regardez celui-ci, on dirait un porc adulte, c'est un bébé obèse. Le seul inconvénient, c'est qu'ils résistent moins bien au rhume. La grippe, le rhume, les angines sont les terreurs des éleveurs de porcs. Ces animaux sont si délicats que, si l'un d'entre eux s'enrhume, tous attrapent la maladie.

Lucrèce caressa le dos d'un goret.

Lucien Eluant semblait ravi de pouvoir parler de son métier à des journalistes.

— Nous avons sélectionné des souches génétiques pour qu'ils aient déjà les jambons bien apparents, ça permet de gagner quelques secondes à la découpe et, sur des milliers de bêtes, ça commence à faire un bon gain de temps.

— Et cette lumière de néon ne s'éteint jamais ? demanda le gros journaliste.

— Non, pour les faire devenir adultes plus vite, on ne les laisse pratiquement pas dormir. Ils doivent toujours manger, manger, manger. On les surveille de là-haut.

Il les conduisit sur une estrade d'où l'on pouvait contrôler toute l'usine. Il leur montra une grande console qui ressemblait au tableau de direction d'une centrale nucléaire. Plusieurs écrans d'ordinateurs affichaient des rangées de chiffres, suivis de tableaux de rendement et de schémas de projection logique des coûts par animal, par heure, par mètre carré d'usine utilisé.

— Tout est informatisé. Rien qu'avec ce clavier on contrôle l'ouverture des grillages pour libérer une par une les bêtes afin de les conduire à l'abattage. Ce simple bouton permet l'ouverture automatique d'un quartier entier. Et cet autre de tous les enclos. Celui-là régule le débit des antibiotiques. Et celui-ci guide les bêtes vers la zone d'abattage.

Ils redescendirent. Lucien Eluant les emmena vers un autre enclos où se trouvait un porc avec une immense médaille en collier. L'animal était tellement pansu qu'il n'était plus posé sur ses pattes mais sur son ventre.

— Celui-ci, c'est Alexandre. Il a remporté le concours agricole de cette année.

Juste au-dessus d'Alexandre se trouvait un immense cadre de verre avec à l'intérieur la carcasse d'un cochon.

— Et lui, c'est Aphrodite. Il a remporté le concours agricole de l'année dernière.

Aphrodite était crucifié, sans tête ni pattes, et tous ses muscles et sa graisse présentés en écarté. Des guirlandes et des petits bouquets de papier multicolores collés à la place des pattes donnaient à l'œuvre un air champêtre. La médaille en plastique doré « Grand Prix du concours agricole de la foire de Paris » surplombait le tout.

Alexandre détournait la tête de son illustre prédécesseur.

— *Sic transit opera mundi.* Ainsi il a traversé la gloire du monde, murmura en guise d'oraison Isidore Katzenberg.

L'ingénieur les entraîna ensuite vers une zone où l'on voyait des truies adipeuses immobilisées dans des cages de fer inoxydable. Seules leurs mamelles, où les gorets venaient téter avidement, étaient visibles.

— Regardez comme c'est touchant. On ne sépare plus les petits de leur mère jusqu'à ce qu'ils soient sevrés. C'est plus gentil, non ?

Quelques vétérinaires circulaient entre les travées. L'un d'eux déversa un liquide bleu dans le rail d'alimentation.

— Et ce liquide bleu, c'est quoi ?

— Un antibiotique. Je vous l'ai dit, nous ne pouvons pas nous permettre la moindre épidémie. Déjà que ces animaux ont une croissance forcée, nous ne pouvons leur demander d'avoir un système immunitaire au point. Ils sont si fragiles. Quant à la couleur bleue, nous mettons un peu de bleu de méthylène pour vérifier qu'ils ont pris le produit. Les porcs qui n'ont pas le museau bleu ne l'ont pas bu et le reçoivent alors en intraveineuses. Vous savez, ils encaissent tellement d'antibiotiques que leur viande est en soi un médicament ! Moi, je dis souvent à ma famille : si vous êtes malades, mangez du porc !

Lucrèce Nemrod regarda les cochons au groin bleuté. Ils avaient quelque chose d'étonnamment résigné dans le regard.

— Vous n'êtes pas écologistes au moins ? demanda Lucien Eluant, soudain méfiant.

— Non. Nous ne sommes que des êtres humains. On n'a pas besoin de référence à un groupe politique pour réfléchir, répliqua Isidore Katzenberg.

Lucien Eluant se demanda si l'autre se moquait de lui. Dans le doute, il préféra prendre la réplique à la légère.

— Vous me faites rire, vous les amis des animaux. Vous laissez les humains mourir et vous défendez les bêtes.

Isidore Katzenberg sortit une réglisse et la suçota.

— On peut être pour les humains et pour les animaux. Les deux notions ne sont pas antinomiques. Je suis aussi pour les végétaux et même les minéraux. En fait, pour résumer, je dirais que je suis pour la vie en général.

Lucien Eluant ne savait comment prendre cette profession de foi. Il flatta quelques beaux porcs puis proposa aux deux journalistes de continuer la visite en visitant le bâtiment contigu. Celui des abattoirs proprement dits.

35. LES CAILLOUX

Toujours rien à manger.

Ils rentrent bredouilles au bivouac improvisé.

En les attendant, sans écouter les exhortations de l'ex-chef de horde, les autres ont commencé à ronger des racines et des herbes extirpées de la terre. Beaucoup sont malades et vomissent. On a beau être omnivore, il y a des limites à tout.

Le chef de horde présente un rat crevé trouvé pendant la fuite. Il est déjà un peu faisandé, mais la première femelle le happe.

Tous ont si faim.

Manger est le premier besoin. Et si IL croyait pouvoir l'oublier en s'intéressant à l'évolution spirituelle, il en est quitte pour éprouver de douloureuses crampes d'estomac.

Les affres du manque de protéines commencent à rendre ses compagnons agressifs. Certains mâles frappent les enfants et suggèrent carrément de les manger. Les femelles sont obligées de se regrouper pour faire un mur afin de protéger la nouvelle génération.

Tous savent que, s'ils ne découvrent pas rapidement une solution au problème alimentaire, la horde risque d'éclater. Il faut tout faire pour ne pas en arriver à une telle extrémité.

Le vieux chef lance un appel. Il a trouvé quelque chose au pied de l'arbre. Les autres descendent.

L'ancien chef désigne une termitière. Femelles et mâles dominants se moquent de lui. Tout le monde sait que, si l'on s'approche des termites, ils s'en vont. Et même si on parvient à les rattraper, il en faut d'énormes quantités pour satisfaire ne serait-ce qu'un seul appétit. Le vieux prétend qu'il suffit d'agir avec méthode. Il s'empare d'un bâton, l'enfonce dans la termitière et l'en ressort recouvert de termites qui sont venus mordre le morceau de bois afin qu'il cesse d'embêter leur cité.

On dirait des sucettes noires et grouillantes. Au point où l'on en est, on n'a rien à perdre à essayer. A tour de rôle, chacun plonge sa brochette improvisée dans la cité et la ramène recouverte, en effet, de grappes de soldats défenseurs surexcités.

C'est croustillant.

Mais le chef de horde s'énerve. Cette technique est trop lente. En plus, les termites, ce n'est pas bon et vraiment pas assez nourrissant. L'ancien assure qu'au centre du monticule il y a la reine des termites, laquelle se présente sous la forme d'une grosse et succulente limace blanche.

Sans attendre, l'actuel chef de horde saisit une lourde pierre et la projette sur la termitière. Panique dans la cité. D'un coup, tous les insectes s'enfoncent sous terre. Il ne reste plus le moindre termite en vue. Ni espoir de nourriture. Le chef de horde fait le fier et, loin de reconnaître son erreur, demande que, comme lui, on assaille la termitière à coups de cailloux.

IL considère son supérieur avec déception. On a les chefs qu'on mérite, dit-on. Peut-être après tout ne sont-ils pas les plus évolués des animaux.

Le chef de horde s'acharne avec un rocher sur la cité désertée. Ce n'est pas parce qu'il a tort qu'il va reconnaître son erreur, ni s'arrêter d'avoir tort. C'est ça aussi, le privilège des chefs. Les dominants se sentent obligés de l'aider.

Il reste en retrait et les regarde, navré. IL pense qu'il n'est peut-être pas né au bon endroit.

La horde est une horde de primaires dirigée par un super-primaire.

36. LA THÉORIE DE L'INGÉNIEUR ÉLUANT

— Voici le nec plus ultra dans l'art d'abattre le bétail.

Isidore Katzenberg et Lucrèce Nemrod considérèrent les grosses machines qui vibraient et tournoyaient parmi des relents de désinfectants et d'ozone. Au-delà, ils perçurent des feulements de métal tranchant des chairs molles.

Des hommes en blouse circulaient dans les travées. Il ne s'agissait plus de vétérinaires comme dans la zone d'élevage mais de techniciens aux cheveux dissimulés sous un bonnet et au visage recouvert d'un masque de toile. Ils ressemblaient un peu aux équipes médicales que les reporters avaient croisées dans la clinique du Dr Van Lisbeth, mais ils étaient munis d'ordinateurs portables qu'ils alimentaient sans cesse en chiffres.

Lucien Eluant salua quelques-uns de ses employés qui lui montrèrent sur leurs écrans les derniers tableaux de rentabilité du lieu. Il distilla quelques conseils aux ingénieurs afin qu'ils réduisent encore les temps et les coûts de production tout en augmentant le nombre de porcs traités.

— Jadis, personne ne vous aurait permis de visiter un lieu tel que celui-ci, dit-il aux journalistes. Les abattoirs représentaient autrefois la mauvaise conscience des consommateurs. Mieux valait ignorer ce qui s'y passait, si on ne voulait pas que les gens soient troublés par leurs états d'âme au moment de déguster leur hot dog ou leur jambon-purée. A présent, les établissements Eluant s'enorgueillissent au contraire de pouvoir montrer à qui le demande leurs installations dernier cri.

Des centaines de porcs coulaient comme un liquide rose le long d'un gigantesque toboggan. Les attendait en bas un large entonnoir de plusieurs mètres de diamètre qui s'achevait par un goulet au travers duquel les porcs glissaient à l'étage au-dessous, un par un, à intervalles réguliers.

Là, les bêtes étaient guidées sur un tapis roulant. Deux bandes verticales appuyaient sur leurs flancs et les empêchaient de s'enfuir ou de bouger. Lorsqu'ils arrivaient en bout de tapis, une fourche était appliquée sur leur nuque et les électrocutait à 30 000 volts. Dans la zone de contact, le poil blond devenait un peu plus frisé, les animaux prenaient un air halluciné, la peau rose couverte de cloques plus ou moins fumantes dégageait une odeur d'ongle brûlé.

A peine morts, les porcs étaient suspendus par une patte à un crochet. On leur coupait les deux jugulaires pour les vider de leur sang qui coulait comme un sirop noir dans une gouttière, puis rejoignait des rigoles qui aboutissaient à des cuves.

— Ça c'est pour les boudins, expliqua Lucien Eluant.

Puis les porcs étaient plongés dans de l'eau à 53° et rejoignaient l'épileuse. Ils entraient alors dans la flagelleuse où des doigts de caoutchouc battaient leur épiderme. Puis ils passaient devant deux rampes de brûleurs à gaz, où ils restaient accrochés jusqu'à ce que les derniers poils soient grillés. A l'éviscération, une machine leur ouvrait l'abdomen du cou au pubis dans un craquement, alors qu'une ouvrière équipée d'une scie circulaire creusait un cercle autour du rectum de manière à ce que celui-ci s'arrache lorsque les intestins tomberaient.

Bruits de sacs qui se déversent.

On leur enlevait les ongles pour en faire de la colle.

De la cavité thoracique étaient extraits poumons, cœur, trachée qui allaient servir de nourriture pour les chiens et les chats.

Quelques secondes après, une nouvelle scie leur sectionnait la tête.

— Vous voyez comme ça va vite, l'animal était vivant il y a exactement soixante-quatre secondes, et il ressemble déjà à une charcuterie, annonça fièrement Lucien Eluant.

— Je crois que, même si on révélait ce qui se passe vraiment ici, les gens n'y croiraient pas. Ils penseraient qu'on exagère ou que c'est de la science-fiction issue de l'imagination d'un auteur exalté, dit Lucrèce, comme abasourdie.

L'ingénieur prit cela pour un compliment.

— Mais non, vous pouvez le constater, c'est la réalité, étonnant, non?

Les têtes de porc coupées étaient automatiquement plantées sur les piques d'un rail qui montait.

— Où vont ces têtes? demanda le journaliste.

— Avant on s'en servait comme décoration pour les plats de charcuterie, mais c'est une mode qui se perd. Alors, elles sont transformées en poudre et mélangées aux farines nutritives des zones d'élevage.

— Vous voulez dire qu'elles vont servir à nourrir les autres porcs ! Mais c'est une forme de... cannibalisme ! fit Lucrèce.

— Les porcs ne le savent pas. Le cannibalisme est un péché si le mangeur le sait...

Lucien Eluant leur fit un clin d'œil.

— Et puis, c'est mélangé à beaucoup d'autres poudres : farine de maïs, farine d'os, farine de poisson. On n'en perçoit même pas le goût.

Isidore Katzenberg décida qu'il en avait assez vu et entendu.

— Connaissiez-vous le Pr Adjemian ? lança-t-il, sans préambule.

— Pourquoi me demandez-vous ça ?

Le spécialiste ès abattoirs, un instant surpris, retrouva vite sa contenance.

— Ah, j'y suis. C'est parce que le Pr Adjemian a été mon beau-frère, mais c'était il y a si longtemps... Vous voulez voir ma sœur parce que vous pensez qu'elle a quelque idée sur son assassinat ?

— Le meurtrier est sans doute quelqu'un de très agile. Nous-mêmes avons été attaqués par un humain déguisé en singe, capable de sauter de branche en branche parmi des arbres. Or votre sœur a été trapéziste de cirque, il me semble.

Le frère afficha un large sourire.

— A été, comme vous dites. Hélas, ma sœur est tombée de son trapèze, il y a deux ans. Depuis, elle suit une rééducation intensive en piscine, mais de là à pouvoir s'élancer de nouveau de branche en branche, permettez-moi d'en douter. Ça relèverait du miracle.

— Elle s'entendait bien avec son ex-mari ? interrogea Isidore Katzenberg.

Lucien Eluant rappela que c'était l'entreprise familiale qui avait financé les premières fouilles paléontologiques du Pr Adjemian. Sans sa sœur et lui, le savant n'aurait jamais pu entreprendre ses chantiers. Il avait été lui-même un moment très lié au défunt, au point que celui-ci l'avait convié une fois à une réunion du club « D'où venons-nous ? » pour qu'il y expose sa propre théorie sur les origines de l'homme.

— Parce que vous aussi, vous avez une théorie sur les origines de l'homme ? s'étonna Lucrèce Nemrod.

— Bien sûr, se rengorgea l'ingénieur. On pourrait l'appeler « la théorie de la superprédation ». En fait, selon moi, c'est la manière dont on mange qui définit notre degré d'évolution. Regardez les herbivores. Ils sont stupides. Quelle difficulté y a-t-il à brouter de l'herbe immobile ou à cueillir des fruits qui ne se défendent même pas ? Par contre, pour chasser de la viande, de la bonne viande rouge, c'est différent. Il faut de la ruse. Il faut savoir se cacher. Guetter. Surprendre. Courir. Se battre. Bref, le cerveau est obligé de se surpasser. Regardez parmi les singes, les chimpanzés et les babouins sont les plus sociaux et les plus intelligents parce qu'ils mangent de la viande. Savez-vous que, pour eux, la viande est une sorte de drogue qui leur procure des effets hallucinogènes !

Il désigna à ses visiteurs les tripes et les viscères suspendus à divers crochets comme des pelotes de laine.

— Voilà, selon moi, l'histoire de nos origines. Nos premiers ancêtres étaient des singes arboricoles et donc des fainéants, ils se reposaient toute la journée, ramassant mollement les fruits à portée de leur main. Mais la sécheresse due au tremblement de terre du Rift les a forcés à changer de nourriture. Faute de fruits, ils se sont mis à manger des cadavres. Au début, les premiers de nos ancêtres carnivores devaient être des charognards. Ils passaient après les hyènes, les chacals et les vautours. Et puis, ils en ont eu assez de cette nourriture aléatoire non choisie et ils ont dû commencer à chasser des petits animaux vivants. La chasse à la viande nous a rendus dynamiques, musclés, puissants. Il faut dépenser beaucoup d'énergie pour poursuivre des herbivores, que ce soit des gazelles ou des lapins. Cela a développé des facultés nouvelles. Une vue plus perçante. Une ouïe plus fine. Pour tuer un animal mobile, on est obligé de comprendre son comportement et donc de prévoir ses réactions. La chasse oblige à observer, réfléchir, anticiper. On développe sa psychologie. « Tiens, les petits de nos gibiers sont placés dans cette zone à cette période. Tiens, les malades sont casés ici », devaient penser nos ancêtres. Il faut observer. Il faut inventer des pièges. Je pense même que la vie sociale est née de ce besoin de chasser de la viande rouge mobile. Nos lointains ancêtres se sont aperçus qu'en se groupant en horde ils arrivaient à encercler les animaux et même à s'attaquer à des bestiaux de plus en plus volumineux.

Il jeta un œil sur le calepin par-dessus l'épaule de Lucrèce Nemrod.

« THÉORIE DE LA SUPERPRÉDATION », lut-il. Encouragé, il poursuivit.

— De nos jours, on assiste, hélas, à la décadence de l'espèce humaine. On en a pour signe frappant le retour à la mode du végétarisme.

— Qu'est-ce que vous avez contre le végétarisme ?

— Il y a une preuve vivante que le végétarisme est une dégénérescence de l'espèce. Le panda. Le panda est l'un des rares cas de carnivore redevenu herbivore. Et, comme on le voit, il a peu à peu décliné au point de devenir l'un des symboles des animaux menacés de disparition totale de la planète. Qu'est-ce que vous avez en faveur du végétarisme ?

— Rien, si ce n'est que la première fois qu'on m'a mis un morceau de viande dégoulinant de sang dans mon assiette cela m'a semblé obscène, répondit Lucrèce.

— Dites-vous que, si nous n'élevions pas les animaux, il y aurait beaucoup d'espèces qui auraient disparu.

Lucien Eluant leur désigna d'un large geste toutes les machines qui tournaient pour découper la chair de plus en plus vite.

— Vous n'êtes pas fiers, vous, d'être humains ? Nous n'avons plus peur de personne. Et voilà le summum de la prédation : l'usine qui traite et tue en rythme des milliers de bêtes sans la moindre possibilité de fuite. Nous avons même réussi le tour de force suprême : nous arrivons à tuer sans... la moindre violence.

Vacarme. Un technicien surgit pour lui murmurer quelque chose à l'oreille.

— Excusez-moi, dit-il en se dirigeant aussitôt vers la zone d'élevage.

Isidore Katzenberg et Lucrèce Nemrod lui emboîtèrent le pas. Une clameur provenait de la porte. Une centaine de manifestants, le visage dissimulé sous des masques d'animaux, brandissant des banderoles hostiles, avaient fait irruption dans l'usine. Lucrèce Nemrod constata que, parmi ces faces représentant toutes sortes de créatures, il y avait au moins une dizaine de singes.

Une barre de contrariété s'inscrivit sur le front de Lucien Eluant.

— Encore l'ALF, dit-il. L'Animal Liberation Front... Ces cinglés qui libèrent les chats, les chiens et les lapins des laboratoires. Depuis peu, ils s'en prennent aux abattoirs. En Angleterre, on n'hésite pas à les envoyer droit en prison pour trouble de l'ordre public, mais en France, on ne les prend pas au sérieux et on persiste à les considérer comme des écologistes un peu têtus. En tant que journalistes, j'espère que vous témoignerez de leur agressivité et de leur volonté de nuisance.

Des techniciens des usines Eluant surgirent pour se placer en ligne de résistance face aux manifestants. Lucien Eluant se hâta de les rejoindre pour en prendre la tête. Les deux groupes se firent face, hostiles, jeans, blousons et faces d'animaux contre blouses de travail et casques de techniciens.

« Non aux élevages intensifs », « Non aux tortures animales », « La paix aux animaux », scandaient les manifestants.

Un cadre apporta un porte-voix électrique à son patron.

— Je sais qui vous envoie, clama Lucien Eluant. Depuis la crise de la vache folle en 1996, la consommation de porc a triplé tandis que celle de bœuf est tombée en flèche. Alors, les abattoirs de bovins vous expédient ici pour que vous flanquiez la pagaille.

Un individu au masque de poulet, apparemment le chef des trublions, brandit à son tour un porte-voix électrique.

— Non. Nous sommes parfaitement indépendants. Nous défendons librement la cause des animaux.

— Alors, pourquoi ne vous en prenez-vous jamais aux abattoirs de bovins ?

— Leur tour viendra, dit sobrement le poulet en faisant signe aux siens d'avancer.

— Ne bougez pas, je vais appeler la police ! tonitrua Lucien Eluant.

— C'est ça, appelez la police. Qu'elle voie ce qui se passe ici. Personne n'est au courant. Si les gens savaient !

— Tout est conforme aux législations européennes sur l'hygiène et les contrôles sanitaires !

tempêta l'industriel en charcuterie. J'ai même avec moi des journalistes auxquels j'ai tout montré. Je n'ai rien à cacher.

Il désigna Lucrèce et Isidore qui n'eurent pas le temps de contredire l'ingénieur et furent bien obligés de servir de caution. Une voix frêle, et pourtant sonore, de jeune fille intervint de sous un masque de lapin :

— Ça n'a rien à voir avec les lois de l'hygiène. Ça concerne le cœur. Quand on sait comment vous traitez ces pauvres bêtes, on a honte d'être humain ! Nous nous battons pour notre dignité d'espèce humaine.

Derrière, ses compagnons aux masques de chèvre, zèbre, singe ou lion, frappèrent le sol de leur manche de pioche en signe d'approbation.

— Vous êtes humains, alors montrez vos faces d'humains ! lança Lucien Eluant en s'approchant du chef dont il voulut ôter le masque de poulet.

L'autre riposta d'un coup de bec en plastique au front du charcutier. Ce fut comme un signal. La bande se jeta sur le rang des employés de l'usine. Chaque manifestant poussa le cri de son animal fétiche en guise de cri de guerre. Il y eut des « meuh-meuh » et des « coin-coin », des « miaou » et des rugissements. Lucien Eluant tenta de contenir l'assaut mais il devint bientôt évident que lui et ses hommes seraient vite submergés sous le nombre des assaillants.

Lucrèce Nemrod se jeta dans la mêlée. Son « orphelinat-kwondo » faisait merveille. La jeune fille distribuait joyeusement horions et bleus avec une prédilection pour les faces à masque de singe. Ici un coup de pied, là un coup de genou, une morsure à droite, un une-deux à gauche, elle abattait sa besogne avec des ahans de bûcheron canadien.

Lucien Eluant quant à lui, cerné de toutes parts, tentait de protéger son crâne de son mieux d'une volée de dangereux coups de manche de pioche.

Les porcs qui allaient automatiquement à la mort sur les rails d'électrocution regardaient la scène avec un certain intérêt. Au moins ils auraient vu quelque chose d'amusant avant de mourir.

Isidore Katzenberg contourna l'échauffourée, monta dans la zone de contrôle et fit face au clavier automatique régulant l'ouverture des enclos. Il appuya sur tous les boutons à la fois, déclenchant simultanément divers mécanismes : jets d'eau, ouverture de portes, vidage de cuves, levée de guillotines.

Soudain, les cochons se retrouvèrent désincarcérés et libres de leurs mouvements. Ils hésitèrent. Toute une vie en captivité ne les avait pas préparés à une soudaine chance d'évasion. Seuls les plus hardis se dégagèrent de leur enclos pour s'aventurer vers le monde de la liberté, tels des astronautes débarquant à l'improviste sur Mars. Nés prisonniers et n'ayant connu que la servitude, ils ignoraient ce que c'était que de vivre sans entraves. Certains se demandèrent s'ils n'étaient pas en train de rêver tant une fuite leur avait paru jusqu'ici improbable.

Les cochons explorèrent précautionneusement le monde hors de leur prison. Tout près, des humains s'empoignaient. Alors, laissant parler leur instinct naturellement joueur, ils se joignirent à la partie. Ils coururent au travers en grognant d'aise. Des truies retrouvèrent avec émotion les gorets dont elles avaient été séparées d'emblée après leur sevrage.

La confusion devint totale.

C'était soudain comme une grande fête improvisée dans ce lieu dédié à la mort industrielle. Des porcs peu rancuniers léchèrent affectueusement les joues d'ingénieurs nourriciers qu'ils connaissaient bien. Des cochons plus âgés, et donc plus gras, s'efforçaient de marcher mais, ayant été privés de tout mouvement depuis leur naissance, ils demeuraient là, immobiles, à trembloter sur leurs pattes.

Les manifestants commençaient à prendre le dessus. Certains poussèrent des employés de l'usine vers les cages abandonnées par les mammifères ongulés et les y enfermèrent. D'autres cherchèrent à inciter à grands cris les porcs encore rencognés dans leur enclos à gagner le dehors. Mais, à ceux-là, il était trop difficile d'oublier en quelques minutes leur esclavage.

Lucien Eluant avait profité de l'effet de surprise pour se dégager et remonter vers la plate-forme de contrôle. Il prit à partie Isidore Katzenberg.

— Pourquoi avoir déclenché l'ouverture des cages ? s'exclama-t-il, furieux.

— Je vous ai sauvé la vie. Vous devriez me dire merci, riposta le gros journaliste.

Lucien Eluant frappa d'un coup de poing rageur le bouton d'alerte générale. Des sirènes retentirent d'un bout à l'autre de l'usine-village. Partout des lumières rouges clignotèrent. Tous les employés au grand complet accoururent à la rescousse pour chasser les manifestants et rattraper les porcs évadés.

Soudain, la secrétaire de Sophie Eluant fit irruption dans le poste de contrôle.

— C'est terrible ! C'est terrible !

— Calmez-vous, mademoiselle Agnès. Ces manifestants sont dangereux, dit Lucien Eluant, mais ne vous en faites pas, on a la situation en main.

— Mais non, ce n'est pas ça. Un singe !

Elle semblait épouvantée.

— Quoi, un singe ?

— Un singe vient de kidnapper votre sœur !

Isidore Katzenberg et Lucrèce Nemrod furent

les premiers dans la cour. Ils eurent le temps d'apercevoir une silhouette de gorille emportant Sophie Eluant dans ses bras. Celui-ci n'arborait pas un masque mais un déguisement en fourrure complet. La femme rouait le torse du primate de petits coups de poing tout en hurlant sa détresse. Sans ralentir sa course, l'animal rejoignit une voiture, jeta la kidnappée sur la banquette arrière et démarra en trombe.

Manifestants et employés restèrent un instant médusés.

— Vite !

Lucrèce Nemrod avait déjà enfourché sa moto Guzzi, Isidore Katzenberg se jeta de son mieux dans le side-car et ils se lancèrent à grande vitesse à la poursuite du primate ravisseur de charcutière.

Devant eux, l'automobile prit tous les risques pour les semer. Son conducteur zigzagua sur l'asphalte, roula sur la file de gauche, doubla des camions au dernier moment, grilla des feux rouges. Mais Lucrèce Nemrod avait de solides réflexes et son side-car répondait au quart de tour à ses sollicitations. Pourtant, une fois sur l'autoroute, la voiture du ravisseur, au moteur bien plus puissant que celui du trois-roues, ne tarda pas à prendre de la distance.

— Si c'est un singe, il est vraiment très doué, vociféra Isidore Katzenberg dans le vent, en enfilant le bonnet de cuir qu'il avait dégotté dans la nacelle, et en jetant les objets qui l'encombraient trop.

Un panneau indiqua que le véhicule se dirigeait vers l'aéroport du Bourget. Là, il se gara rapidement et, de loin, par le grillage de la piste, les journalistes virent un primate charriant une humaine sur son épaule pour s'engouffrer dans un petit avion-taxi dont les moteurs tournaient.

Lucrèce Nemrod voulut courir sur le tarmac,

mais Isidore la retint. Trop tard. En effet, l'appareil s'élançait sur la piste de décollage puis s'éloignait dans le ciel.

— J'aime bien notre adversaire, émit son compagnon de sa voix fluette. Il saute de branche en branche, il connaît les secrets de la conduite sportive, il pilote des avions le cas échéant. Ce n'est plus un singe, ni un humain. C'est un surhumain !

— Montons à la tour de contrôle vérifier où il va, haleta Lucrèce Nemrod. Singe ou pas, il a forcément laissé un plan de vol.

— Inutile, je sais où ils vont, rétorqua Isidore Katzenberg, très serein, s'asseyant dans l'herbe pour observer, une herbe au coin des lèvres, l'avion qui disparaissait au loin.

Là-bas, vers le sud, le petit appareil emportant Sophie Eluant et son singe n'était plus qu'un point scintillant dans un ciel rougeoyant.

— Et où vont-ils, selon vous ?

Le gros journaliste se releva lourdement, secoua quelques brindilles de paille de son pantalon de velours et soupira :

— Vers le berceau de l'humanité.

DEUXIÈME PARTIE

PENCHÉ SUR LE BERCEAU DE L'HUMANITÉ

1. QUITTER LE CONNU

Ils se recroquevillent pour se mettre en position fœtale.

Quand ça ne va pas, on fait ça sans y penser.

Ils ont faim.

Ils peuvent demeurer quelques jours sans manger mais pas une semaine. Là, ils ont vraiment trop faim.

Le chef de horde se lève, prend son air « laissez-moi réfléchir, je crois connaître la solution » : il faut changer de territoire. Quitter les zones connues, mais pour aller où ?

Le chef, plus haute instance hiérarchique de la horde, fait semblant de humer l'air comme s'il repérait des relents remplis d'informations. Il ferme les yeux pour bien se pénétrer de la réponse et désigne une direction. Le nord. Là où l'on prétend que les montagnes grouillent de gibier.

Les femelles approuvent. Elles estiment de toute façon le nouveau nid trop petit pour accueillir leur future progéniture. Les vieux sont plus sceptiques. Ils disent qu'au nord il fait plus froid, mais à eux on ne demande pas leur avis.

On décide de partir. Tout le monde se lève et

reprend espoir. Les malades et les blessés promettent qu'ils ne ralentiront pas la troupe. Ils sont donc tolérés au sein de la horde.

Peu à peu, la cohorte des sans-bagages se met en rang de marche vers le nord.

Comme ils vont devoir traverser à découvert de grandes distances, ils se placent naturellement en position de migration. Le chef de horde à l'avant, les mâles dominants sur les flancs, les malades à l'arrière afin de ralentir les prédateurs.

Ils marchent dans la plaine.

IL lève la tête. Au-dessus d'eux, un immense vol de flamants roses fonce dans la même direction. C'est très beau. Cela ressemble à un éparpillement de fleurs dans le ciel. Les flamants roses étendent leurs larges ailes aux bords soulignés d'un trait noir.

IL lève au maximum la tête tout en continuant de marcher. Son cou lui fait mal, il ne cesse d'observer les oiseaux. Il se demande comment eux les voient depuis ces altitudes lointaines.

2. PLANER

A travers le hublot, Isidore Katzenberg contemplait la terre. Il voyait les pays défiler : le sud de la France d'abord, puis l'Italie, la Grèce, direction l'Egypte, l'Ethiopie, le Kenya, la Tanzanie.

Le Sud.

La Tanzanie était le but de leur voyage. Et tout spécialement Kilimandjaro Airport vers où, ils s'en étaient assurés au Bourget, fonçait l'avion-taxi du gorille et de sa charcutière kidnappée.

« Reprenons-nous le chemin inverse de celui qu'empruntèrent les grandes migrations de nos ancêtres ? » se demanda Isidore Katzenberg. Il s'efforça de visualiser tous ces troupeaux de futurs humains déplacés par les aléas de la météorologie, les avancées des prédateurs, les guerres inter-espèces...

Il imagina sous les nuages la horde des prémices de l'humanité, partie il y avait plus de 3 millions d'années de quelque part en Afrique orientale et se dispersant sur les cinq continents.

Sous les ailes de l'avion, en sens inverse, filait un vol de flamants roses.

Une hôtesse de l'air aux gestes pressés tira juste à ce moment la tablette devant le siège d'Isidore Katzenberg et y déposa un plateau-repas. Il souleva le couvercle métallique au-dessus du plat chaud et découvrit un fragment de volaille blafard égaré au milieu d'une purée indéfinissable.

Tant pis, ce poulet serait mort pour rien. Il l'ensevelit dans la purée, déposa une carotte en épitaphe puis referma la barquette.

Lucrèce Nemrod, elle, était affamée. Elle dévora son repas sans s'appesantir sur son aspect. Ce n'est que rassasiée qu'elle cessa de mâcher pour contempler les reliefs de son festin. Tous ces petits os plus ou moins enfouis sous la purée la ramenèrent à son centre d'intérêt du moment : la paléontologie. Elle repoussa le plateau et tira son éternel calepin de son sac. Elle énuméra pour son collègue :

— Théorie du Pr Sanderson : l'homme serait né d'une maladie transmise par un virus venu des étoiles.

« Théorie du Pr Conrad : l'homme serait issu du hasard des combinaisons génétiques.

« Théorie du Dr Van Lisbeth : l'homme serait né d'une adaptation volontaire à un changement climatique.

« Théorie de l'ingénieur Eluant : l'homme serait issu de la nécessité de surpasser tous les autres animaux pour les manger. »

Elle se tut. Les hypothèses tournaient dans leur tête. La météorite. La chance. L'adaptation. La superprédation.

Lucrèce Nemrod se pencha sur son dessert, une barquette de crème gélatineuse verdâtre surmontée d'une cerise confite luisante.

— Je n'ai pas bien compris la différence entre Lamarck et Darwin, avoua-t-elle.

Isidore Katzenberg éluda :

— Pour Darwin, nous serions nés du hasard d'une erreur de copie d'un singe. Selon Lamarck, l'homme est un singe qui a tenté de s'améliorer.

Le maigre individu en gris qui occupait le troisième siège de la travée, et qui était resté jusque-là la tête plongée dans des magazines économiques et financiers, ne put s'empêcher d'intervenir :

— Excusez-moi, je n'ai pas pu faire autrement qu'entendre votre conversation, aussi je tiens à vous rappeler que votre Lamarck a inspiré de bizarres savants russes tels que Lyssenko. Pour vérifier le lamarckisme, il a carrément voulu obliger des enfants à s'adapter à des conditions de vie abominables, histoire de voir si leurs caractères ainsi acquis seraient ensuite génétiquement transmis. Cette théorie est scandaleuse. Se figurer que ce qu'apprend le père sera automatiquement connu du fils, c'est insensé.

Dans la rangée précédente, un autre passager se contorsionna sur son siège pour retourner une physionomie toute rose couronnée de cheveux blond-blanc.

— Moi aussi, je vous ai écoutés et, pour ma part, je tiens à vous dire que Darwin a également entraîné son lot de catastrophes. Le darwinisme a constitué un prélude au fascisme puisque cette idéologie prétend que certaines races humaines sont plus dignes de survivre que les autres. La sélection naturelle des espèces non aptes conduit tout droit au racisme !

Lucrèce Nemrod n'avait pas encore songé à considérer les théories du Pr Conrad et du Dr Van Lisbeth sous un angle politique. Elle écouta ses deux voisins en débattre.

L'ennemi du lamarckisme argua que ce n'était pas parce que des parents avaient appris l'anglais que leur enfant parlerait automatiquement cette langue.

Son interlocuteur haussa les épaules :

— Peut-être, mais si je m'installe en Angleterre, non seulement mes enfants parleront parfaitement anglais, mais ils oublieront même que leurs ancêtres ont autrefois parlé français. C'est cela l'adaptation au milieu !

Un homme se leva de son siège de l'autre côté du couloir pour se joindre à la conversation. Il arborait une petite croix d'or au revers de sa veste et, sous son complet noir, un col de clergyman surmontait sa chemise blanche empesée.

— Bonjour. Père Mathias, je suis prêtre, se présenta-t-il. Puis-je emprunter un instant votre calepin ? demanda-t-il à Lucrèce Nemrod. J'aimerais moi aussi examiner vos différentes théories sur les origines de l'humanité.

Elle lui tendit le carnet dont il s'empressa de feuilleter les pages.

— Etudions une par une vos différentes hypothèses, proposa-t-il d'une voix conciliante. La météorite porteuse de virus ? Impossible, l'entrée dans l'atmosphère provoque une forte hausse de température entraînant la destruction de toute forme de vie.

« Le darwinisme ? S'il était juste, les singes des zoos seraient devenus des humains.

« Le lamarckisme ? Croyez-vous franchement qu'il suffit de placer des gens dans des situations à problèmes pour les rendre plus intelligents ? Dans ce cas, les prisons regorgeraient de génies.

« La superprédation ? Cela signifierait que les

requins qui font peur aux sardines, aux thons et aux pieuvres, et n'ont aucun prédateur au-dessus d'eux devraient posséder comme nous à présent des voitures, des fusils et des postes de télévision.

« Messieurs, mademoiselle, soyons sérieux. En matière d'origines de l'humanité, les scientifiques piétinent car c'est à cette barrière précisément que se heurte la limite de la compétence de la science.

— Alors, que proposez-vous ? demanda Lucrèce Nemrod, lui reprenant son calepin afin d'y noter le cas échéant une nouvelle hypothèse.

Le prêtre sourit à la ronde, l'air serein.

— Une théorie bien plus simple : Dieu, assena tranquillement l'homme de foi, comme s'il énonçait là une évidence que seuls des sots oseraient se permettre de contester.

Isidore Katzenberg songea que Galilée avait dû user du même ton sage pour tenter de convaincre les gens de l'Inquisition que la terre était ronde. Mais, avec le temps, les rôles s'étaient inversés. C'était maintenant le tenant de la religion qui prenait des allures de pionnier subversif en prétendant avancer une théorie complètement révolutionnaire, et trop en avance sur l'époque, pour être comprise en ce siècle obscurantiste.

— Dieu, répéta-t-il. Dieu est à l'origine de tout. On trouve d'ailleurs de plus en plus de savants pour admettre que « l'hypothèse Dieu » est au moins aussi valable que toutes ces théories prétendues scientifiques.

— Dieu, quelle idée neuve ! ironisa le darwiniste.

Sans se préoccuper de cette interruption blasphématoire, le père Mathias sortit une bible de la poche intérieure de sa veste noire et entreprit de lire à voix haute les phrases qui lui apparaissaient essentielles à une bonne compréhension des origines de l'humanité.

— « Au commencement, Dieu créa les cieux et

la terre... Dieu fit les animaux. Et Dieu vit que cela était bon... Dieu dit : faisons l'homme à notre image et qu'il domine les poissons de la mer, les oiseaux du ciel, les reptiles qui rampent sur la terre... Dieu façonna l'homme à partir de poussières détachées du sol. Il souffla dans ses narines un souffle de vie et l'homme devint un être vivant. »

— Jolie légende en vérité, mais... ce n'est qu'une légende justement, compléta le lamarckiste.

— Dieu a dit...

Un signal résonna alors. Les petits panneaux lumineux : « Eteignez vos cigarettes, accrochez vos ceintures » s'éclairèrent tandis que dans les haut-parleurs une voix de baryton enjoignait aux passagers de regagner leurs places, l'appareil pénétrant dans une zone de turbulences.

Comme le prêtre restait debout près des sièges de Lucrèce Nemrod et d'Isidore Katzenberg, une hôtesse de l'air vint lui ordonner sèchement d'obéir aux ordres, le repoussa vers son fauteuil et se chargea elle-même de lui reboucler sa ceinture.

Frustré dans sa démonstration, le père Mathias afficha une mine boudeuse avant de se raidir contre son dossier lorsque l'avion chuta brusquement d'une centaine de mètres dans un trou d'air. Sur les tablettes, des gobelets en plastique s'entrechoquèrent et se renversèrent. Les récalcitrants, qui, tout à leur nécessité, s'étaient obstinés à continuer à faire la queue devant les toilettes malgré les instructions, cherchèrent des poignées où se raccrocher, n'en trouvèrent pas et tombèrent lourdement sur le sol où ils roulèrent, endoloris. Quelques hôtesses s'affalèrent sur les genoux des passagers. Un steward parut nager de rangée en rangée avant de gagner un strapontin qu'il enserra comme une bouée de sauvetage.

— On dirait que Dieu n'aime pas trop qu'on parle de lui, chuchota Isidore Katzenberg, amusé.

« Tu n'invoqueras pas en vain le nom du Seigneur », n'est-ce pas là un de vos préceptes, mon père ? lança-t-il en direction du prêtre, de l'autre côté du couloir.

Mais le père Mathias, les yeux clos, était tout à sa prière tandis que le lamarckiste et le darwiniste, tout à l'heure si fermés à la religion, n'étaient maintenant pas loin de l'imiter.

— En tout cas, cette fois, pas de singe perturbateur à la simple évocation de la question « D'où venons-nous ? », fit remarquer Lucrèce Nemrod.

— A moins que ce ne soit le dieu des singes qui nous taquine ? ironisa Isidore Katzenberg en tirant sur la ceinture qui entamait douloureusement son ventre rebondi.

Par le hublot, le journaliste observa que le ciel s'était encore assombri. Les trous d'air succédaient aux trous d'air et l'avion tanguait comme du petit linge dans le tambour d'une machine à laver. Des gens piaillaient. Des bouteilles roulaient dans le couloir central. Des compartiments à bagages s'ouvrirent ici et là, déversant leur contenu hétéroclite sur les têtes et les épaules de passagers qui hurlèrent, terrorisés.

L'avion montait et redescendait en cadence. Sur la rangée de devant, le lamarckiste, peu adapté à ces conditions extrêmes, ne put contenir sa platée de poulet-purée. Il n'eut que le temps de fouiller en toute hâte le filet devant lui pour trouver le sac en papier offert par la compagnie à l'intention des passagers sensibles.

Pour sa part, le darwinien, côté couloir, était aux prises avec un monsieur resté debout qui voulait absolument s'emparer de son siège. Les deux hommes, l'un penché, l'autre assis, s'attrapèrent par le col et luttèrent silencieusement parmi les turbulences. La sélection du plus fort désignerait celui qui, au bout du compte, bénéficierait du siège.

Le prêtre psalmodiait toujours. Comme en réponse, la voix de baryton se fit entendre pour la deuxième fois dans les haut-parleurs :

« Restez calmes. Restez calmes. Que chacun rejoigne sa place. Nous traversons une zone de turbulences. »

Mais la voix, elle, n'était pas calme du tout. Lucrèce Nemrod y décela comme un début de panique et s'agrippa au bras d'Isidore Katzenberg. Des bébés braillèrent, des chiens s'échappèrent des sacs au moyen desquels ils avaient été introduits en fraude dans l'appareil et ajoutèrent à la pagaille.

Puis un lourd silence gagna petit à petit la cabine dont les lampes clignotèrent tandis que l'avion tressautait de plus belle, surfant de turbulence en turbulence comme un chalutier de vague en vague sur une mer houleuse.

Isidore Katzenberg, lové dans son siège avec sa graisse en guise de bouée, était le seul à paraître se divertir de ce spectacle d'Apocalypse.

— J'ai toujours pensé qu'il était illogique que ces gros tas de ferraille parviennent à se maintenir en suspension dans les airs, dit-il calmement à sa voisine.

Mais Lucrèce Nemrod était trop occupée à se battre avec le masque à oxygène qui avait chu inopinément devant elle pour lui répondre. L'avion venait d'un coup de perdre à nouveau de l'altitude et toutes les lumières des travées s'éteignirent, ne laissant subsister ici et là que de faibles veilleuses.

— Je crois que nous sommes en piqué, remarqua Isidore Katzenberg, le visage collé à son hublot. Au cas où nous devrions mourir dans les prochaines minutes, je tiens à vous signaler, Lucrèce, que j'ai pris beaucoup de plaisir à ce début d'enquête avec vous, déclara-t-il très courtoisement.

— Merci, de même pour moi, balbutia, souffle

coupé, la journaliste stagiaire dont les doigts étaient tellement crispés sur les accoudoirs qu'on n'imaginait pas qu'ils puissent s'en décoller.

Et tout à coup, aussi brusquement qu'elle avait commencé, la tempête cessa. Plus aucune sensation de chute. Plus de tumulte. La lumière revint.

« Mesdames et messieurs, vous pouvez détacher vos ceintures », annonça avec gentillesse la voix de baryton.

Des « oh » et des « ah » retentirent. Il y eut des applaudissements à l'intention des pilotes qui avaient su les tirer de cette mauvaise passe. Des impatients se précipitèrent à nouveau vers les toilettes où une file ne tarda pas à se reformer. Une par une, Lucrèce détacha ses phalanges des accoudoirs.

Ils avaient dû quitter pour de bon la zone de turbulences car plus aucun nuage noir n'apparaissait derrière les hublots. Au contraire, on distinguait au sud un soleil délicat qui, peu à peu, brilla de mille feux.

Le prêtre, le lamarckiste et le darwiniste restaient figés à leur place et, ayant cru périr, ne semblaient plus du tout désireux de débattre des origines de l'humanité.

Une hôtesse pria les passagers de tirer les rideaux tandis qu'une autre distribuait des paires d'écouteurs à la ronde. Les voyageurs avaient le choix entre une projection du film *Star Wars*, remastérisé pour la huitième fois, ou un sommeil réparateur.

Lucrèce Nemrod choisit le repos et se couvrit les yeux d'un masque protecteur. Isidore Katzenberg, lui, se sentit incapable de dormir. Il souleva légèrement son rideau pour ne pas gêner ceux qui regardaient le film et glissa un œil vers son hublot.

« Dieu... »

Dieu serait-il la clé de l'énigme ? Dieu, était-ce une hypothèse à prendre en compte au même titre que le lamarckisme ou le darwinisme ? Pourquoi pas ?

En bas, un trou dans les nuages révélait le fin entrelacs des routes.

Comment Dieu nous voit-il ? Sans doute comme des petites fourmis qui grouillent.

Isidore Katzenberg songea que des milliers de gens avaient déjà emprunté des avions sans même s'apercevoir du privilège qu'il y avait à contempler de haut le monde. L'avion permettait d'avoir un peu de recul sur l'humanité. Une vision divine.

3. LE LAC SEMI-ASSÉCHÉ

Ils ne voient rien à l'horizon.

Ils sont harassés.

Ils ont faim.

La horde arrive devant une zone boueuse. Un lac en train de s'assécher. Il y a là de nombreux hippopotames calfeutrés dans la boue. Ils n'ont pas d'autre choix que de s'immerger pour se protéger des rayons du soleil. Mais le niveau de l'eau baisse et ils n'ont pas le courage de quitter ce marigot, autrefois leur havre. Ils préfèrent se battre à mort entre eux pour occuper les endroits où les trous d'eau sont les plus profonds.

La horde s'arrête pour contempler le spectacle impressionnant de ces hippopotames qui s'entretuent pour régler leur crise du logement. Les énormes bestiaux exhibent leurs longues dents carrées pour se mordre l'un l'autre le museau. Les perdants sont obligés de s'abriter dans des zones peu profondes où leur dos commence à cuire.

IL se dit que son peuple est peut-être primitif mais qu'au moins il a le courage de se déplacer. Les hippopotames de ce lac en voie d'assèchement sont, eux, forcément tous condamnés. Et au lieu de se mouvoir, ils préfèrent rester sur place et s'entre-tuer. Les derniers survivants seront sans doute ceux dont l'agonie sera la pire.

Pourquoi tant de violence ? A cause de l'immobilisme.

IL comprend d'un coup une première loi de sagesse : accepter le changement.

Le chef de la horde propose d'attendre qu'un hippopotame blessé dans les combats territoriaux meure. Ils le mangeront.

Pour mieux profiter du spectacle de ces sumos aquatiques, la troupe s'assoit sur les bords du lac et chacun encourage son champion. Ils espèrent que le perdant sera bien épais.

Les combats d'hippopotames sont spectaculaires. La boue éclabousse les alentours tandis que leurs beuglements et leurs bonds font trembler la terre. Quel plaisir de voir autant de force alliée à autant de bêtise ! Le sang coule, gris-rouge à travers la carapace de leur cuir souillé. Ils poussent des glapissements de rage ou de terreur. Ils plantent leurs dents dans les oreilles ou dans le cou.

Ceux de la horde patientent. Voilà une excellente manière de chasser : attendre que le gibier s'entre-tue tout seul.

Enfin un hippopotame blessé s'immobilise et il semble consommable. Ceux de la horde s'approchent et commencent à le creuser avec des cailloux tandis qu'il tressaille encore un peu.

Les autres hippopotames sont choqués de voir de petits êtres bipèdes mettre en pièces l'un des leurs, mais ils n'osent pas bouger de peur de perdre leur territoire.

Ceux de la horde se repaissent de la sottise d'une espèce cérébralement mieux lotie en volume mais dont la culture fondée sur la défense du territoire restreint les horizons. Finalement, ceux de la horde sont parmi les plus évolués, se dit IL. Ce n'est pas qu'ils soient intelligents en valeur absolue, mais les autres sont encore plus abrutis.

Ceux de la horde creusent dans l'hippopotame vaincu comme dans une immense caverne comestible. Certains descendent à l'intérieur de la dépouille pour fouiller dans les intestins. Les enfants les rejoignent pour s'amuser, mais l'odeur est trop forte et ils préfèrent attendre que les mâles terminent leur travail d'excavation. On se passe fébrilement de main en main les morceaux de protéines. La horde ne mourra pas de faim aujourd'hui.

Mais soudain, un rugissement les fait tous sursauter. Ils tournent la tête en direction du bruit et voient :

Une lionne !

La horde est parcourue d'une vague d'adrénaline. S'il y a une lionne, c'est qu'il y en a plusieurs. Et s'il y en a plusieurs, c'est qu'elles sont en chasse. Et si elles sont en chasse, c'est qu'elles veulent manger des gens comme eux. Tous cherchent les autres lionnes qui doivent déjà s'être cachées pour les encercler et les rabattre. Pas de chance. Les roseaux avoisinant le lac semi-asséché se prêtent parfaitement aux embuscades et masquent les assaillantes.

Le chef de horde pousse un glapissement pour faire comprendre qu'il faut partir à tout prix. Ceux qui sont dans l'hippopotame hésitent entre se cacher dans les recoins du ventre de leur gibier ou sortir. Ils décident de remonter.

Justement, trois lionnes apparaissent sur la droite. C'est aussitôt la débandade. Contre les lionnes, on ne peut rien faire.

Déguerpir ?

Déguerpir !

Les trois lionnes les poussent dans une direction et soudain, face à eux, se lève une herse de cinq lionnes. C'était un piège. Elles ne viennent pas pour manger de l'hippopotame!

Ils sont fichus.

Pas d'autre solution que de lâcher du lest. Le lest, ce sont les enfants, les malades et les vieux. On n'a même pas besoin de leur indiquer ce qu'ils doivent faire pour sauver la horde. Etant donné qu'ils courent moins vite, ils se font attraper. Un mâle dominant, constatant qu'un vieux court aussi vite que lui, lui fait un croc-en-jambe.

IL galope. A force de faire l'appât, il sait comment égarer ces poursuivantes. Les lionnes courent vite, mais ne sont pas très tenaces sur de longues distances. Ce n'est pas comme les hyènes qui suivent un gibier plusieurs journées d'affilée.

Les lionnes ont attrapé trois d'entre eux. Elles les mettent en pièces. La chasse s'arrête.

Quand la lionne a ce qu'elle veut, elle devient douce comme une herbivore. Ils savent qu'ils peuvent maintenant passer à côté d'elles sans le moindre risque.

Après la peur, tous sont à la joie d'être vivants. Ils ont mangé, ils ont survécu aux lionnes.

Que demander de plus à la vie?

4. À LA POURSUITE D'UN SINGE

La splendeur.

La beauté.

Le Kilimandjaro.

Vue du ciel, la montagne forçait l'admiration. Elle avait surgi soudain, immense roche noire au sommet recouvert de crème glacée chatouillant les brumes basses. D'un coup, le Kilimandjaro avait envahi tout l'espace visuel derrière les hublots.

Au-dessus, un soleil blanc. Et sous le soleil, un plateau d'herbes hautes où l'homme était toléré.

L'Afrique enfin.

L'avion atterrit comme il put. Il zigzagua sur une piste défoncée en tâchant de ne pas déranger les impalas et les gazelles de Thomson qui y paissaient sans souci. L'herbe perçait le bitume. Sur les côtés, des autochtones contemplaient en badauds oisifs et ricanants le gros tas de tôle blanche qui bringuebalait pesamment, tout à ses efforts pour imiter l'atterrissage des oiseaux.

Comme pour bien montrer aux pilotes comment procéder, plusieurs pélicans à la large envergure amorcèrent un processus de descente en parallèle. Certains parvinrent même à se poser d'un coup sur la pointe d'un piquet et ce, sans la moindre manœuvre d'approche.

Une passerelle fut posée contre l'appareil et les passagers commencèrent à descendre. Au sortir de la cabine climatisée l'air était caniculaire. Un soleil flasque écrasait toute vie. Seules d'audacieuses armées de mouches vinrent inspecter l'avion pour tenter de comprendre comment la chose volait sans agiter ses ailes.

Encouragée par la chaleur et l'humidité, une végétation envahissante gagnait sur le ciment. Les voyageurs passèrent la douane et se soumirent à l'échange obligatoire pour l'entrée dans le pays de cinquante dollars américains contre des shillings tanzaniens froissés et collants.

Lucrèce Nemrod chaussa des lunettes de soleil et protégea sa tête rousse d'un foulard de mousseline.

— Et maintenant, qu'est-ce qu'on fait ?

— Le père de nos pères nous attend quelque part, répondit Isidore Katzenberg.

— Et comment le retrouver avec un continent tout entier pour terrain de chasse ?

Il l'invita pour commencer à s'asseoir tranquillement au bar, dans le bâtiment de l'aérogare, en attendant l'arrivée des bagages.

Les journalistes commandèrent deux Coca-Cola et un jeune garçon svelte déposa devant eux des breuvages transparents au fond desquels s'amoncelait un résidu noir. Il leur expliqua qu'il fallait secouer les bouteilles pour mélanger ces deux matières chimiques. Puis, de ses dents étincelantes, il les décapsula.

Des enfants entourèrent les deux touristes européens en leur proposant des bijoux artisanaux locaux, assenant en anglais des tarifs sans concurrence.

— *Hapana asante sana,* énonça Isidore.

Surpris, les enfants éclatèrent de rire et déguerpirent.

— Que leur avez-vous dit ?

— *Hapana* signifie non et *asante sana,* merci. C'est du swahili.

— Vous parlez cette langue ? s'étonna Lucrèce Nemrod.

— Je triche, sourit Isidore Katzenberg.

Il souleva son bras sous lequel il avait glissé un guide touristique de la Tanzanie ouvert à la page consacrée aux vingt phrases les plus indispensables aux touristes : « Où sont les toilettes ? », « C'est trop cher », « Je veux un avocat », « Contactez mon ambassade », « Non, ça ne m'intéresse pas ».

Au-dessus d'eux, de gros ventilateurs brassaient dans une chaleur étouffante des cohortes de moustiques plus ou moins contaminés par la malaria. Assommés par les pales, des groupes entiers tombaient autour d'eux en une pluie fine et sporadique.

— Alors, que préconisez-vous pour la suite de notre périple ? questionna Lucrèce Nemrod.

— Suivons le singe.

— Vous croyez toujours que le S sur le miroir signifie « singe » ?

Son gros compagnon haussa ses énormes épaules.

— Ça m'étonnerait. Il y a peut-être plusieurs créatures simiesques différentes dans cette affaire. Un, la bande aux masques de singe qui vous a kidnappée près de chez moi et qui, elle, peut très bien être à l'origine du décès du professeur, deux, le singe acrobate lui-même.

— Sans parler des écolos de l'ALF qui eux aussi ont des masques.

— Il ne manque plus que des singes avec des masques d'humains et ce sera complet.

— « S » peut aussi signifier « Sanderson », « Sophie Eluant », « Solange Van Lisbeth ».

— Ou « Satan », « Serpent », « Simulacre ».

— En prenant l'hypothèse du singe, les questions sont : pourquoi lance-t-il des météorites sur l'astronome ? joue-t-il à la roulette russe avec l'adepte du hasard ? et enferme-t-il dans une cage à serrure codée la fervente du tout-adaptation ?

— Vous voulez dire pourquoi a-t-il de l'humour ? suggéra Isidore Katzenberg.

Le hall résonna des éclats de voix sonores de touristes en bermuda et chapeau de brousse marchandant des sculptures en bois noir. Le *Made in Singapour*, très lisiblement gravé sur le côté d'une œuvre d'art indigène, ne les troublait pas outre mesure. Au contraire, l'inscription ne leur apparaissait que comme un argument supplémentaire pour en faire baisser le prix.

— Peut-être le singe acrobate ne cherche-t-il qu'à s'amuser ? hasarda Lucrèce Nemrod.

Sur le tourniquet de livraison des bagages, les premières valises commençaient à dégringoler à grand bruit et, tout autour, les passagers s'agitèrent et jouèrent des coudes pour s'emparer au plus vite qui de son sac, qui de sa valise. A peine leurs bagages récupérés, ils se précipitaient au-dehors pour s'engouffrer dans de petits bus blancs réservés aux touristes. A l'intérieur, des marchands ambulants leur vendaient déjà des tee-shirts marqués « I love Tanzania », des tamaguchis aux décors de jungle, des appareils photo jetables, de la poudre de rhinocéros censée raviver les ardeurs sexuelles, des petits tam-tams certifiés en peau de buffle; des tambourins déclarés en peau de macaque, des masques rituels prétendument sacrés, des tableaux représentant des couchers de soleil violet foncé sur le Kilimandjaro, des hamburgers, de l'eau minérale, des porte-clés ornés de pattes de bébés crocodiles, des jeux d'échecs aux pions en vrai ivoire, de la crème solaire, des colliers de dents indéterminées, des maillots de bain imitation peau de zèbre, des cassettes vidéo des aventures d'Indiana Jones, des disques « bruits et rumeurs de la jungle comme si vous y étiez » et jusqu'à des cigarettes de foin, production garantie également locale.

Si leurs clients étaient bien appâtés, les vendeurs n'hésitaient plus à leur proposer de surcroît des tours Eiffel en plastique, des gondoles de Venise en bois noir, des statues de la Liberté en pierre de savon.

La fête commençait déjà avec ces achats et les touristes étaient si émerveillés par cet amoncellement de trésors synthétiques qu'ils en oubliaient de contempler le paysage environnant et les animaux sauvages qui le parcouraient. Parfois, de petits singes s'accrochaient au toit des bus pour observer les touristes dans leur cage de métal.

Lucrèce Nemrod cessa d'étudier la grande carte du pays qu'elle avait étalée sur ses genoux.

— Comment les retrouver?

Une grosse main potelée lui tapota gentiment l'épaule.

— Remontons les traces de l'humanité telles qu'elles ont été définies par les paléontologues. Du plus tard vers le plus tôt.

Un doigt boudiné chercha un moment sur la carte puis s'abattit sur une zone verte marquée « parc national Ngorongoro ».

Isidore Katzenberg se pencha et montra à sa compagne d'expédition un petit cercle souligné d'une phrase : « Laetoli : musée paléontologique ».

Lucrèce lut au-dessous une inscription entre parenthèses : « sur la trace du plus ancien ossement humain ». Isidore avait raison. Il suffit d'observer, tout est en permanence indiqué partout.

Un moustique venait de la piquer et lui avait laissé en repartant un peu de sa salive anticoagulante. Elle commença à se gratter. Isidore se gratta lui aussi. L'Afrique commençait à les démanger.

5. TOILETTAGE

Après toutes ces émotions, il convient de marquer une pause, et quoi de plus relaxant pour la horde qu'une grande séance de toilettage ?

Ils s'installent à l'ombre d'un baobab, ils choisissent un lieu suffisamment dégagé pour pouvoir distinguer de loin l'arrivée d'éventuels trouble-fête.

Temps mort. Toilette collective.

C'est l'instant le plus fort de la cohésion sociale. Tous les liens entre les membres de la horde se resserrent lors de l'épouillage. L'opération obéit toujours au même rituel. Le toiletteur se place face au toiletté et lui propose ses services. Pour ce faire, il esquisse une grimace spéciale, il claque ses lèvres puis il avance en une moue suggestive et montre la pointe rose de sa langue.

Le futur toiletté marque son acceptation en

indiquant la zone qui le démange et où il souhaite recevoir des grattouilles. IL remarque que ce ne sont pas forcément ceux qui ont le plus de puces ou de poux qui se font gratter. Ce sont surtout ceux qui ont le plus besoin de renouer un lien social. Mères et enfants. Mâles dominants qui se sont battus et veulent se réconcilier avec leur ancien adversaire. Femelles n'ayant pas été saillies et désireuses malgré tout de recevoir des signes d'affection. Vieux cherchant à prouver qu'ils peuvent encore être utiles.

Le toilettage permet enfin à deux personnes de la horde de rester l'une à côté de l'autre et de se toucher sans qu'il y ait agression. Le toilettage apaise. Ainsi les faibles peuvent amadouer les forts dont ils ont peur. Les forts peuvent apaiser les faibles auxquels ils ne veulent plus faire peur.

Tout le monde gratte en quête des irritations les plus démangeantes. Les doigts agiles des mères peignent les toisons des enfants et repèrent les plaques protubérantes qu'elles érodent avec affection de leurs ongles les plus effilés.

Alors que certains se grattent avec leurs pattes antérieures, d'autres n'hésitent pas à utiliser aussi leurs pattes postérieures dont les phalanges sont suffisamment longues pour bien fouiller dans les fourrures. On gratte parfois simultanément avec les mains, les pieds et les dents.

C'est un grand moment de tendresse. On se découvre. On se touche. On s'explore les épidermes. Parfois, en fouissant dans les toisons, des gratteurs ramènent de petites peaux qu'ils mâchouillent ou des cocons de parasites qu'ils écrasent sous la dent pour en faire gicler le jus pâle.

Lorsque toutes les fourrures sont bien propres, la horde dans son ensemble se sent ragaillardie. Bonne journée. Ils ont mangé de l'hippopotame, ils ont survécu aux lionnes, ils se sont épouillés. Ils se sentent tous unis dans la force de la horde.

Le chef de horde signale qu'il est temps maintenant de reprendre la route vers le nord. Il demande aux vieux et aux malades de bien rester groupés à l'arrière pour ralentir les prédateurs.
Et en avant pour de nouvelles aventures!

6. TRACES DE PAS

Il y avait une grosse marque de pied imprimée sur le sol. Une main s'avança, munie d'une brosse, qui vint gratter la pellicule de poussière. Ainsi on voyait mieux l'empreinte. En caressant la surface de la terre, elle révélait ses secrets. Il gratta encore et la forme fut plus nette.
Tous l'observaient avec recueillement.
— Il s'agit d'une empreinte fossilisée datée de 3 millions d'années, annonça une voix sûre. Elle se caractérise par un gros orteil différencié des autres doigts et une double courbure de la voûte plantaire. Vous avez déjà là des caractéristiques humaines. C'est pour cette raison qu'on a commencé à parler à son sujet de premières traces de pied du chaînon manquant.
Il gratta encore quelques grains de terre.
Isidore Katzenberg et Lucrèce Nemrod avaient cahoté plusieurs heures dans un taxi de brousse, surchauffé et bondé de touristes, qui avait roulé poussivement tout au long des routes poussiéreuses du parc de Ngorongoro. Ils étaient parvenus dans l'après-midi sur le chantier de fouilles de Laetoli. Il était fermé au public mais James Mac Fiddle, le directeur des recherches, avait autorisé les deux journalistes français à visiter la zone dite « des marques ».
James Mac Fiddle était un géant blond écossais à la voix profonde. Une longue barbe claire recou-

vrait son cou. C'était visiblement un homme de terrain car de la terre et de la poussière étaient éparpillées sur tous ses vêtements d'une couleur indéfinissable et marquaient aussi tout ce qui en dépassait, avant-bras, mains et visage. Une dizaine de brosses étaient accrochées à sa veste et plusieurs grattoirs métalliques ébréchés pendaient à son ceinturon de cuir.

— Jolis pieds, n'est-ce pas ?

Les deux reporters se penchèrent sur les empreintes. Lucrèce Nemrod en reproduisit le dessin sur son calepin tandis qu'Isidore Katzenberg, accroupi sur ses énormes cuisses, en examinait minutieusement avec une loupe les moindres détails.

— A vous voir, on vous croirait sur les traces d'un assassin, plaisanta James Mac Fiddle.

— Il y a un peu de ça, approuva Lucrèce Nemrod. Nous sommes à la recherche du meurtrier du Pr Adjemian.

Le chef de chantier marqua son intérêt en se grattant la barbe.

— J'ai bien connu le Pr Adjemian, dit-il. C'est ici qu'il a entamé ses fouilles et c'est lui qui a découvert le second site de Laetoli.

Il les guida vers un autre enclos où œuvraient de jeunes étudiants, penchés sur le sol et maniant des grattoirs et des pinceaux pour ôter soigneusement les couches de terre.

Le paléontologue expliqua que la recherche de fossiles était un travail ardu. Il était très difficile d'en retrouver car la plupart des animaux, lorsqu'ils meurent, sont systématiquement détruits par leurs dégradateurs naturels : prédateurs, charognards, puis mouches, vers, insectes de plus en plus minuscules et, enfin, bactéries qui ne laissent plus derrière elles que des poussières. C'était généralement un accident qui était à l'origine de la découverte d'un squelette ou d'un corps miraculeusement intact. Il pouvait s'agir d'une mort due à une chute dans des sables mouvants qui avaient protégé le corps dans leur gangue de glaise, à une chute dans des rivières gelées qui l'avaient conservé dans de la glace ou, pour les animaux les plus petits, dans de l'ambre liquide.

— Dans ce coin, longtemps, les chercheurs n'ont disposé que des traces de pas que je vous ai montrées tout à l'heure. Et puis le Pr Adjemian est arrivé, il les a examinées et il a déclaré : « Ceux qui les ont laissées ont dû courir dans telle direction. » Il a suivi la piste et, quelques années plus tard, il découvrait ça.

L'Ecossais indiqua un endroit où l'on apercevait distinctement un crâne et des os.

— De quels animaux proviennent-ils ?

— Un primate et deux hyènes.

Lucrèce Nemrod et Isidore Katzenberg considérèrent les formes inscrites dans la terre. D'après le paléontologue, le primate avait selon toute vraisemblance été poursuivi par les deux hyènes. Les trois animaux s'étaient débattus longtemps dans une mélasse de boue avant qu'elle ne les submerge tous.

— Les mouvements de terrain et les taupes ont un peu mêlé l'ensemble, mais le crâne est assez complet de même qu'un des fémurs.

Le chercheur redessina les os dans le sol dur.

— Ici, l'arcade sourcilière du primate. Là, une vertèbre. Cet os appartient à l'une des hyènes qui en était sans doute très proche. Peut-être même l'a-t-elle mordu avant d'être noyée par la boue.

Il y avait là comme une photographie de deux hyènes poursuivant un primate, prise par hasard il y avait 3 millions d'années, et qui se réimprimait sous leurs yeux.

Le Pr Mac Fiddle invita ses hôtes à le suivre dans sa maison. Il vivait dans une grande hutte en bois posée sur pilotis afin d'éviter que scorpions et serpents ne pénètrent trop facilement dans les pièces. Sur les murs étaient disposées des photos en noir et blanc du chantier dont le sol de chaux était encoché des marques des règles qui l'avaient découpé en petits carrés numérotés et datés.

Le savant leur expliqua que, par chance, ils étaient ici tout près de jeunes volcans. Pour dater les os, les chercheurs se servaient des cendres volcaniques contenues dans certaines couches du sol. Celles-ci recelaient des cristaux de potassium dont la moitié mettait 1,3 milliard d'années pour se transformer en argon. Il suffisait donc d'analyser la terre avoisinant les os pour connaître l'âge des fossiles. Evidemment, plus les reliques étaient anciennes, plus la marge d'erreur était grande. En l'occurrence cependant, les os du primate et des deux hyènes étaient évalués à 3,7 millions d'années.

Tout en sirotant le thé glacé que leur avait servi l'Ecossais dans de grands verres, les représentants du *Guetteur moderne* l'écoutèrent évoquer l'histoire du chaînon manquant.

Le problème pour lui, c'était que l'être humain n'a pas encore été officiellement défini. A partir de quel moment un os peut-il être qualifié d'humain ? Il n'existe pas de repères absolus. Cette définition de l'être humain, Mac Fiddle la considérait comme le grand défi scientifique du millénaire. Les questions étaient multiples et souvent très controversées au niveau de l'éthique. L'Ecossais n'hésitait d'ailleurs pas à étendre le problème de la définition de l'être humain en dehors de son domaine.

Un fœtus est-il un être humain ? Si oui, à partir de quel âge ? Un œuf fécondé est-il un être humain ? Si oui, quel statut pour les œufs surnuméraires ? Un homme plongé dans le coma depuis plusieurs années et qui n'est jamais revenu à la conscience est-il encore un être humain ? Un ordinateur capable de réfléchir et de penser comme un être humain peut-il être considéré comme tel ? Un clone humain est-il encore un humain ?

— Tenez, je vais vous narrer une anecdote. Le mot Adam. En hébreu cela s'écrit ADM et ces trois lettres correspondent au chiffre 45. Or 45 correspond aux lettres M et H. Et « Mah » en hébreu cela veut dire « quoi ? ». Les Hébreux avaient donc posé dans le mot Adam le questionnement moderne : « Quoi est l'homme ? » « Est-il possible de définir l'homme ? » Ils avaient déjà compris dans l'Antiquité que la définition de l'homme serait le grand enjeu du futur.

Lucrèce Nemrod recentra le questionnaire.

— Estimez-vous possible que le Pr Adjemian ait réellement découvert quelque chose de nouveau sur les origines de l'humanité ?

Mac Fiddle jugeait la chose fort probable en effet, compte tenu de l'étonnante fébrilité manifestée par le Pr Adjemian vers la fin de sa vie. Certes, le paléontologue avait émis alors nombre de théories saugrenues que le directeur de recherches avouait ne pas toutes connaître, mais lui-même, somme toute, militait aussi en faveur d'hypothèses que certains spécialistes estimaient parfaitement farfelues.

Le géant roux se servit une bonne dose de whisky pur malt hors d'âge, de marque Glenlivet, tandis que Lucrèce Nemrod ouvrait grand son calepin à une page neuve.

— A force d'examiner toutes les théories, j'en ai trouvé une qui me séduit beaucoup. C'est la théorie de l'origine aquatique de l'homme.

La journaliste nota : « THÉORIE DE L'ORIGINE AQUATIQUE ».

— Cette théorie prétend que l'homme vient directement de l'eau. Nous serions donc en fait jadis des... sortes de « primates marins » ou si vous préférez des « poissons humanoïdes ».

Satisfait de l'étonnement provoqué par ces deux expressions, il but une rasade de son breuvage et examina le ciel qui s'assombrissait.

— D'ailleurs, le fait que les dauphins soient revenus vivre dans l'eau est un signe. Ils sont en avance. On ne fait que les suivre.

— Les dauphins sont retournés à l'eau ? demanda Lucrèce Nemrod en tournant rapidement la page.

— Quoi ! vous ne le saviez pas ? Il y a cinquante millions d'années les dauphins sont montés sur terre et sont devenus des animaux terrestres. Ils devaient ressembler à de grands phoques, ou peut-être même à des sortes de singes à la peau lisse. Et puis, pour des raisons qu'on ne connaît pas, ils ont décidé de retourner dans l'eau.

Isidore Katzenberg hocha la tête pour montrer qu'il connaissait lui aussi cette surprenante information.

— Et pourquoi ces mammifères terrestres auraient-ils choisi de retourner dans l'eau ?

— Peut-être parce que l'eau est un élément où l'on peut se déplacer en hauteur et en largeur alors que sur terre, plaqués par la pesanteur, on ne peut que se déplacer en largeur, suggéra le gros journaliste en buvant son thé, ajoutant ainsi un peu de liquide dans sa masse.

— Exact. Dans l'eau, il n'y a plus de problèmes de météo ou de température. Pas besoin de vêtements, pas besoin d'abris, pas besoin d'armes. L'eau est une dimension formidable. Elle est l'air, l'abri, le vêtement, la pluie, la nourriture, la boisson. Nous avons été des poissons. D'ailleurs, regardez notre aspect physique. Notre peau est lisse et dépourvue d'épaisse fourrure, probablement parce qu'elle était prévue pour glisser dans les flots. Nos oreilles sont sur les côtés au lieu d'être au-dessus du crâne comme les chats. Ce sont probablement les résidus de nos ouïes ancestrales. Nos pieds ont les phalanges reliées aux deux tiers par de la peau, c'est pour avoir une meilleure prise sur l'eau. Ce sont des résidus de nos palmes ancestrales.

Comme James Mac Fiddle voulait être sûr de convaincre son auditoire, il montra des photos de bébés.

— D'ailleurs, si on met un nouveau-né dans l'eau, tout de suite après sa sortie du corps maternel, il peut y rester sans problème. Il sait instinctivement nager.

Isidore Katzenberg signala qu'il suffisait de pendre le nouveau-né par les pieds et de le taper pour le faire tousser pour qu'il passe d'un coup du stade de poisson à celui de mammifère à respiration aérienne.

— Mais, justement, il faut faire un petit quelque chose. Ce n'est pas complètement instinctif. Il faut provoquer le premier pleur en tapant l'enfant. Première violence. On force le poisson à évoluer malgré lui vers le mammifère aérien.

Le ciel s'était encore assombri et le grand Ecossais augmenta la puissance de sa lampe à pétrole. Ils virent derrière lui des objets de plongée sous-marine. Probablement le paléontologue poussait-il sa conviction scientifique jusqu'à profiter des week-ends pour aller plonger sur la côte de Zanzibar.

— Je crois que nous venons de l'eau et je crois que nous allons y revenir, ajouta-t-il. Voyez un détail révélateur : il y a de plus en plus d'hommes chauves. Le nez tend à se raccourcir. Nous devenons plus aérodynamiques. Nous nous préparons progressivement à notre prochaine métamorphose. Le retour à la maison aquatique.

Les deux journalistes firent tourner cette surprenante théorie dans leur esprit.

— Alors l'Eden de la Bible pourrait être l'océan ? demanda Lucrèce Nemrod.

— Le seul problème, c'est qu'il n'y a pas de preuves, pas de fossiles, remarqua Isidore Katzenberg.

— Les fossiles on ne les a pas trouvés parce qu'ils sont probablement au fond des mers. Mais avec les nouveaux bathyscaphes on va résoudre ce problème et je suis sûr qu'un jour on découvrira une sorte de singe avec des nageoires, et ce sera lui notre vrai chaînon manquant. Il ressemblera probablement aux lamantins, ces étranges bestiaux que les navigateurs d'Ulysse prenaient pour des sirènes. D'ailleurs, ce sont peut-être les lamantins nos vrais ancêtres.

Il fouilla dans une caisse et sortit un livre de mythologie.

— Tous les mythes anciens l'ont toujours raconté. Pour les Babyloniens, l'océan est la matrice du monde d'où est sorti le couple divin Apsu, l'eau douce, et Tiamat, l'eau salée, et c'est de leur union que sont nés Lakhmu et Lakhamu, les deux premiers pré-humains. Pour les Assyriens l'homme a surgi de Nammu, la mer infinie. Pour les Indiens, c'est d'un océan de lait que sont nés Ananda le serpent d'éternité et Vishnou la tortue qui porte le monde ; ensemble, ils ont baratté l'océan et cela a produit les hommes. Pour les Japonais, c'est Izanagi et Izanami (les principes masculin et féminin) qui, descendant le long d'un arc-en-ciel, firent un enfant sangsue qu'ils laissèrent dériver sur l'océan.

— C'est peut-être à ça que fait allusion le mythe de l'Atlantide, suggéra Lucrèce.

— En tout cas, c'est probablement à ça que fait allusion le mythe du Déluge. L'homme sauvé de l'eau.

Ce fut à ce moment que, justement, une pluie diluvienne s'abattit d'un coup. Les gouttes fouettaient le toit, l'orage fit résonner le ciel.

— Oh, ce n'est qu'un petit orage tropical

comme nous en avons beaucoup dans le coin, ça ne durera pas, fit l'hôte des lieux tandis que le ciel entier semblait craquer et que l'averse redoublait de violence.

Isidore Katzenberg changea de sujet et parla du Pr Adjemian. Il raconta toute leur enquête en essayant de surmonter le vacarme de la pluie et termina par l'histoire du kidnapping de la charcutière Eluant.

Le compte rendu parut passionner James Mac Fiddle. Lui aussi jugeait inimaginable qu'un véritable singe ait pu se livrer à des agissements aussi sophistiqués et estimait fort possible qu'un disciple du Pr Adjemian ait voulu contraindre la jeune femme à constater de visu le bien-fondé des thèses du défunt.

Il chercha une carte géographique sur une étagère et montra à ses visiteurs l'endroit où, pensait-il, le Pr Adjemian avait mené ses dernières recherches, au Nord-Laetoli, dans l'un des méandres des gorges de l'Olduvai.

Dehors ce n'était plus un orage, c'était une tempête d'eau qui se déversait sur le bungalow.

— Ne vous inquiétez pas, la maison est solide, assura le paléontologue au moment même où un craquement sec retentissait sous leurs pieds.

Les pilotis venaient de céder sous les attaques répétées de l'eau et, doucement d'abord, puis avec une stupéfiante rapidité, les murs de l'habitation se mirent à sombrer dans la terre meuble transformée en un torrent de boue qui engloutissait tout sur son passage. Le Pr Mac Fiddle n'eut que le temps de sauver certains objets de valeur et quelques précieux fossiles avant de bondir au-dehors à la suite de ses visiteurs, abandonnant sa maison devenue navire en perdition.

Alentour, réfugiés sous des bâches de plastique, ses étudiants subissaient, stoïques, la colère du ciel.

Isidore Katzenberg gloussa.
— Qu'est-ce qui vous fait rire? lui chuchota Lucrèce Nemrod.
Un éclair révéla une physionomie de garçonnet joufflu se réjouissant d'une bonne farce.
— Il n'y a pas que notre singe à faire preuve d'humour. Le hasard aussi. Ou peut-être même Dieu, s'il existe. Vous ne trouvez pas drôle que celui qui assure que le salut vient de l'eau voie sa maison se noyer? Mieux encore, cette habitation en s'enfonçant dans la boue se retrouvera préservée, tel un fossile, à l'intention des générations futures. N'est-ce pas le comble pour un paléontologue que de devenir lui-même pièce de paléontologie?
Près de lui, Mac Fiddle observait le haut de sa cheminée disparaissant dans le sol, tel un paquebot sombrant dans un océan de boue.
Isidore Katzenberg lâcha en guise d'épitaphe :
— Dans quelques dizaines de siècles peut-être, nos multiples arrière-petits-enfants mettront au jour cette demeure avec ses meubles et ses ustensiles, vestiges typiques de la civilisation humaine du deuxième millénaire. Et ils se demanderont : « A quoi tout cela pouvait-il bien servir? »

7. BABOUINS

Ils marchent dans la plaine en direction du nord. Les mâles dominants se placent sur les flancs pour protéger la horde. Ils ne veulent pas être à nouveau surpris par une bande de lionnes.
Soudain, des formes sombres s'alignent devant eux.
Ceux-là, on les connaît.
Des babouins.

Ils forment une troupe similaire à la leur, qui s'étire en une longue ligne pour bien faire comprendre aux gens de la horde qu'ils ne passeront pas et qu'ils doivent faire demi-tour.

Le chef de horde fait un signe et tous les mâles dominants se regroupent en tête autour de lui. Dans ces instants, il n'y a plus la moindre rivalité entre les mâles, c'est « tous ensemble contre l'ennemi commun ».

En face, le chef babouin agit de même. Les babouins sont plus nombreux, mais ceux de la horde sont légèrement plus grands et plus costauds.

Dans les deux camps, les femelles se mettent à grogner pour encourager leurs mâles à se taper sur la figure.

Le chef babouin avance de quelques pas, montre les dents et pousse un rugissement. Aussitôt, derrière lui, les mâles renchérissent. Ils hérissent les poils de leur dos dans un effort pour paraître encore plus grands et plus costauds, et ils se mettent à sautiller sur place à grand renfort de gestes menaçants.

Le chef de horde rugit plus fort, suivi par le chœur des siens.

IL aime bien sentir la horde soudée et solidaire dans ces instants terribles. Crier avec les autres est un grand plaisir.

La tension monte d'un cran. Soudain, tout le monde se tait. Les deux groupes ennemis se font face.

IL sent tout son corps prêt pour la guerre. Le rythme de son cœur s'accélère. Le sang quitte son système digestif pour affluer dans ses muscles et dans son cerveau. Sa respiration devient plus rapide et plus ample, ses poils se dressent pour mieux laisser circuler les courants d'air sur la peau et la sueur commence à couler, prête à refroidir tout cet épiderme durant le combat.

Le chef babouin saute sur place en hurlant et en montrant les dents. Il crie, se tape le torse avec les poings puis effectue une danse en cercle en montrant tous les signes de la rage la plus intense. Impressionnant.

Tous connaissent le truc. L'adversaire tente de remporter la bataille par intimidation. Mais c'est sans compter sur le talent de leur chef de horde, qui répond en se retournant et en pétant. Le geste irrite le chef babouin qui, pris de fureur, pisse dans leur direction.

L'offense est de taille. Mais le chef de horde n'a pas dit son dernier mot. Il prend un bâton et en donne des coups par terre comme s'il voulait réveiller toute la planète pour la prendre à témoin de ce scandale.

Le chef babouin est impressionné, mais ne renonce pas. Ses poils se hérissent encore un peu plus, ses yeux roulent de rage dans tous les sens, il respire si fort que cela le fait tousser. Il se met à gratter le sol, des nuages de terre volent dont il se recouvre la tête. Il crie comme si sa colère devenait une douleur qui ne pouvait s'apaiser que dans la mort de l'adversaire. Ce petit spectacle achevé, il s'arrête et attend de voir ce que propose son adversaire. Ce dernier empoigne différemment son morceau de bois, le projette de toutes ses forces sur son propre genou et le brise en deux.

C'est un coup délicat d'intimidation. Plusieurs chefs de horde qui ont tenté le coup du « bois cassé sur le genou » se sont retrouvés estropiés, le bâton intact.

Le secret c'est : savoir d'un regard repérer un morceau de bois un tout petit peu vermoulu.

Le chef babouin a un instant d'hésitation suffisant pour créer le doute parmi les siens. Cela suffit pour faire basculer la situation. Les mâles babouins reculent imperceptiblement. Puis perceptiblement. Se sentant lâché par les siens, le chef babouin change d'attitude. Il montre encore les dents, mais sans conviction.

Il faut en profiter tout de suite. Le chef de horde se dresse sur ses pattes arrière, tambourine sur son torse et pousse un cri long et terrible. C'est la charge. Cela se joue à un rien. Les babouins hésitent à résister, mais les couards sont les plus nombreux. Pas le moment pour les minoritaires de jouer les héros sacrifiés. Le recul se transforme en retraite, la retraite se transforme en fuite, la fuite se transforme en débâcle totale.

Mais les babouins sont poursuivis par ceux de la horde. Maintenant, ce sont eux les chasseurs. Ils récupèrent quelques vieux, quelques malades et quelques enfants qui ne courent pas assez vite et qui feront un excellent souper. Lorsqu'on a beaucoup marché et qu'on sait que la route sera longue, il vaut mieux stocker les protéines.

Les cadavres ennemis s'amoncellent.

Ça y est, la bataille est finie.

IL est fier de sa horde. Leur groupe a vaincu. Le chef sait faire des danses d'intimidation très réussies. Les femelles glapissent assez bien.

Le chef de horde vient lui gratter la tête et lui propose un morceau de rate de babouin. Entre mâles dominants, ça ne se refuse pas.

8. VERS L'OLDUVAI

Isidore Katzenberg et Lucrèce Nemrod roulaient sur la piste depuis plusieurs heures et commençaient à se sentir las et affamés. Mac Fiddle leur avait prêté une Jeep et avait esquissé un rapide croquis de la région. Ils savaient qu'il leur faudrait endurer un long trajet avant d'atteindre les gorges de l'Olduvai.

Après avoir laissé le village de Naibardad sur leur gauche, ils s'arrêtèrent dans une épicerie-café-bar sur le bord de la route. L'enseigne indiquait : « Au bout du monde ».

Ils entrèrent. Ambiance glauque. L'endroit était sans doute l'étape obligée où viennent s'échouer les héros fatigués pour y finir leurs jours en épaves imbibées d'alcool. Une mini-chaîne hi-fi diffusait un morceau hard rock de Van Halen. « Eruption ».

Dans un coin, deux cinéastes marchandaient avec un organisateur de documentaires animaliers. Moyennant 50 000 francs, celui-ci leur proposait clés en main une scène de lion capturant une gazelle. Les animaux seraient parqués dans un enclos triangulaire, afin d'être sûr que la gazelle serait dans l'impossibilité de s'enfuir, et fonceraient droit sur la caméra. La gazelle serait au préalable un peu anesthésiée pour ne pas courir trop vite. L'enclos étant étroit, la tuerie se déroulerait face à l'objectif et ils pourraient donc disposer de superbes ralentis à moindres frais.

Un des cinéastes demanda à l'autre s'il ne serait pas plus simple de filmer de vrais animaux sauvages en liberté. L'autre répondit qu'il leur faudrait alors attendre des semaines avant d'avoir la chance d'assister à une mise à mort.

— Tous les documentaires se tournent forcément comme ça, trancha l'organisateur-loueur d'enclos, sinon personne ne rapporterait jamais des images au ralenti. Ça débite trop de pelloche.

Plus loin, un groupe de braconniers vidaient des sacs de pattes de bébés crocodiles qu'ils comptaient monter en porte-clés pour les touristes. A gauche, des autochtones jouaient à l'Awalé tandis que d'autres discutaient de la politique des Etats-Unis dans le Sud-Est asiatique telle qu'ils l'avaient découverte relatée dans un vieux journal enveloppant du poisson.

Les deux journalistes s'assirent un peu en retrait à une table crasseuse. Le patron de l'établissement était un homme de la tribu des Kikuyus portant des lunettes épaisses et un mince tablier qui dévoilait de maigres mollets et des pieds engoncés dans de grosses pantoufles. Il leur énuméra une liste de plats aux appellations suspectes. Subodorant que le « suprême de poulet de brousse » était probablement à base d'un des cadavres de vautours qu'ils avaient vus éparpillés sur la route, le « filet de poisson pané » du serpent frit et le « lapin chasseur » un reste de chien errant, ils préférèrent se rabattre sur deux bières tièdes locales de la marque Castle Lager que le patron s'empressa de leur servir dans des verres collants. Ils en profitèrent pour happer leurs comprimés de Nivaquine afin de s'acidifier le sang et d'éviter d'attraper le paludisme. Comme Lucrèce avait très faim, elle s'enhardit à commander de l'*ugali,* sorte de purée de maïs cuit, servie avec des morceaux de viande non identifiée (qu'elle délaissa) et des légumes surgelés hachés. Quant à Isidore, il finit par se laisser tenter par des spaghettis au cheddar tanzanien et à la banane.

Deux pasteurs de la tribu barabaig entrèrent et vinrent s'asseoir à proximité en traînant une chèvre. Ils portaient des marques de coups. Les Barabaigs, une tribu minoritaire vivant dans le district de Hanang, étaient fréquemment harcelés par la police tanzanienne qui saisissait n'importe quel prétexte pour leur confisquer leurs affaires ou leur imposer des amendes.

Le patron kikuyu ne voulant pas d'ennuis leur demanda de manger rapidement et de ne pas s'attarder dans son établissement. Ce qu'ils firent.

Isidore Katzenberg présenta au maître des lieux un portrait de Sophie Eluant récupéré dans les bureaux de l'usine de charcuterie. Aurait-il aperçu par hasard une dame lui ressemblant ? A la grande surprise des reporters enfin rassasiés, la réponse fusa :

— Bien sûr, c'est Sophie Eluant. Elle est très connue dans le coin. Elle accompagnait parfois son mari, le Pr Adjemian, sur ses chantiers. Vous savez, ici on voit si peu de Blancs qui ne sont pas des chasseurs que, forcément, on les remarque.

Le Kikuyu parlait en prononçant certains mots de manière cliquetée, avec la langue, un peu comme dans les dialectes des Bochimans.

Il précisa qu'en plus la femme était passée « Au bout du monde », il y avait deux jours à peine.

— Et elle n'était pas seule, n'est-ce pas ? souligna Isidore. Elle était accompagnée d'un homme et ils semblaient amis depuis toujours. Ils étaient pressés et ils trimbalaient tout un tas de matériel d'exploration et peut-être même d'excavation.

Le patron demanda pourquoi son client lui posait toutes ces questions puisqu'il en connaissait déjà toutes les réponses.

— Pas toutes, non. Il m'en manque une, quel est le nom de cet homme ?

Le patron de l'épicerie-bar hésita. Isidore Katzenberg exhiba une liasse de billets de dix mille shillings tanzaniens. L'homme consentit à tirer un tabouret branlant et à s'asseoir auprès des journalistes. Il était si petit qu'il semblait un enfant égaré à une table pour adultes. Son visage, cependant, était celui d'un homme qui avait beaucoup vécu. Il posa la main sur les billets.

— Ce type se nomme Ange Rinzouli, mais il est plus connu sous son surnom de « Tarzan porno ».

Selon le Kikuyu, il s'agissait d'un acteur italien qui avait débarqué un beau jour dans la région pour le tournage d'une production franco-italo-hongro-bulgare de série Z à petit budget, en fait un remake un peu coquin de *Tarzan, seigneur de la jungle.* Ce film-ci s'intitulait *Tarzan contre Freud.* Ange Rinzouli avait été enrôlé dans l'aventure parce que physiquement, avec son torse extrêmement velu et son nez cassé, il ressemblait assez à un gorille. L'homme avait par ailleurs été en son temps un acteur de films porno doté d'une certaine réputation. Il avait joué ainsi dans *Vingt mille vieux sous mémère* et *Blanche fesse et les sept mains*.

La vedette féminine de *Tarzan contre Freud* était Stefania Del Duca. Elle était une véritable célébrité à l'époque, connue surtout pour ses seins siliconés remodelés par un carrossier automobile et ses lèvres gonflées redessinées par un styliste en coussins. Depuis, dans son pays, l'actrice s'était reconvertie dans le télé-achat et vantait les mérites de toutes sortes d'objets inutiles en se pâmant sur les petits écrans.

Le patron connaissait d'autant mieux l'histoire du tournage de *Tarzan contre Freud* que lui-même avait fait partie de la distribution. Il avait été engagé pour un petit rôle dans le film : Bongo, le roi des Pygmées. Pour un Kikuyu, même de taille réduite, jouer un Pygmée c'était un comble. Il regrettait ce choix. Il aurait, et de loin, préféré interpréter Freud. Ç'aurait été pour lui un véritable rôle de composition, un authentique challenge. Hélas, les producteurs comme tant d'autres avaient opté pour la facilité : un vieil alcoolique pour Freud, un Kikuyu pour le roi pygmée, un type aux allures de pithécanthrope pour Tarzan et une Italienne siliconée en guise de Jane.

Le tavernier eut un *pfft* de mépris.

— Si Fellini avait été le réalisateur, lui, il m'aurait laissé jouer Freud. Ou même Jane. Mais évidemment, avec des gens si peu imaginatifs, tout a tourné au fiasco.

— Que s'est-il passé ? questionna Lucrèce.

Le patron était désolé de le reconnaître mais, en fait, le producteur n'avait monté son projet que dans le seul et unique but de coucher avec Stefania Del Duca. Une fois parvenu à ses fins, c'est-à-dire dès le troisième jour du tournage, le film avait cessé de l'intéresser. Il avait planté là l'équipe et il avait filé avec sa star en safari au Kenya. Quant à Ange Rinzouli, la rumeur prétendait que, tout occupé à effectuer une cascade dans l'eau en se débattant avec un crocodile en caoutchouc, il n'avait pas vu cameraman, script et preneur de sons s'éclipser. Lorsqu'il était enfin sorti de l'eau, il s'était retrouvé seul et démuni, sans même sa montre et ses chaussures, rien qu'avec son pagne imitation peau de léopard en nylon.

Ecœuré, il avait préféré rester dans la jungle, loin des hommes qui l'avaient trahi. Il avait été envoûté par l'Afrique sauvage. Peu à peu, comme le Tarzan de la légende, il avait appris à vivre parmi les animaux et les animaux avaient appris à l'accepter. Rinzouli les amusait en mimant exagérément les manières des humains.

— Quel parcours pour un acteur ! Après avoir échoué auprès du public humain en jouant l'homme-singe, il connaissait le succès auprès du public singe en jouant le singe-homme.

A la longue, la renommée du comédien avait fini par dépasser la forêt. Dans la brousse, tout le monde parlait du Blanc maigre et efflanqué, agile comme un singe, qui vivait dans les arbres. Un cirque français itinérant, qui passait par là, l'avait engagé. Il faisait beaucoup rire sous le chapiteau lorsque, dans une parodie de strip-tease, il ôtait sa tenue de singe pour dévoiler son corps humain. Ensuite, il s'élançait sur les trapèzes en braillant des cris de babouin. Très applaudi, il s'était exhibé avec son cirque jusqu'à Dar es-Salaam, la capitale de la Tanzanie. Ensuite, il était retourné en France avec la caravane. Là, il était devenu professeur de trapèze, mais son école ayant fait faillite, il s'était retrouvé au chômage. Sophie Eluant, une de ses meilleures élèves, l'avait alors présenté au

Pr Adjemian, lequel l'avait engagé comme homme à tout faire sur ses chantiers de paléontologie.

— Un expert en l'art de sauter de branche en branche..., murmura Lucrèce Nemrod.

Le patron s'avérait un intarissable bavard qui, une fois lancé dans un récit, avait du mal à s'arrêter. Et, pour une fois qu'il disposait d'un auditoire attentif, qui l'avait rémunéré de surcroît, il n'allait pas s'interrompre en chemin. Intrigués par l'intérêt que le couple portait au Kikuyu, quelques consommateurs plus ou moins éméchés s'étaient attroupés, cigarette au coin de la bouche et verre en main, autour de la petite table et eux aussi écoutaient la biographie d'Ange Rinzouli.

— Pour le paléontologue, l'acteur avait été une recrue particulièrement précieuse car il connaissait la forêt mieux que tous les autochtones. Au début, le savant, sa femme et l'acteur venaient régulièrement ici. Depuis un an cependant, seuls les deux hommes étaient venus, la femme ne les accompagnant plus. Vers la fin, le Pr Adjemian semblait en proie à une véritable frénésie, à croire qu'il était tombé sur un fabuleux trésor.

— Le Pr Adjemian a été récemment assassiné à Paris, l'informa Isidore Katzenberg.

Son vis-à-vis sirota doucement une gorgée de bière puis précisa :

— Un proverbe kikuyu dit : « Tout trésor a un prix. »

— Il ne s'agit pas de richesses. Seulement d'une réponse à une question : « D'où venons-nous ? »

Le patron et les clients agglutinés à la table partirent ensemble d'un grand rire. Le patron attendit que la rigolade générale se calme pour annoncer, très sûr de lui :

— Moi, je sais parfaitement d'où vient l'homme.

— Tiens donc...

Le patron alla chercher sous son bar une bouteille d'alcool jaune poussiéreuse à l'intérieur de laquelle flottait un scorpion mort. Il leur en servit deux gobelets qu'ils n'osèrent refuser, mais qui dégageaient une odeur de formol si âcre qu'ils préférèrent ne pas les approcher de leurs lèvres.

Quand leur hôte se rassit, Lucrèce Nemrod sortit son calepin.

Selon le tavernier les savants ont tout inversé. Ce n'est pas le singe qui s'est transformé en homme mais l'homme qui s'est transformé en singe. Il nommait cela : « THÉORIE DE L'INVOLUTION ».

Selon le Kikuyu, dans un temps lointain, il y avait des hommes partout. Puis, certains se sont mis à penser qu'il était stupide de marcher sur deux pattes, de se battre avec des massues, de se vêtir avec des peaux de bêtes. Alors, ils ont évolué en direction des singes. Leurs visages s'allongèrent. Ils revinrent à la marche quadrupède, beaucoup plus stable. Ils repeuplèrent les arbres dont la hauteur les protégeait des prédateurs. Bref, ils redevinrent heureux dans une vie plus simple et plus naturelle.

— A preuve de ce développement, les chercheurs ont retrouvé des squelettes d'ancêtres des hommes mais jamais, au grand jamais, ils n'ont mis la main sur des squelettes d'ancêtres de gorilles ou de chimpanzés. Les Kikuyus l'ont compris depuis longtemps, pour eux l'avenir, c'est de redevenir singes. La forme du visage humain est d'ailleurs révélatrice. L'être humain, même adulte, présente le même visage plat que les enfants singes, mais les primates en devenant adultes voient leur faciès pointer en avant. Les hommes sont donc une espèce non pas en évolution mais en involution.

Chacun commenta l'étrange théorie. Un des braconniers tueurs de bébés crocodiles tapa sur l'épaule de son collègue.

— Moi, je connais une bonne blague sur les origines de l'humanité. C'est Adam qui s'ennuie ferme au Paradis. Il veut une femme. Le Bon Dieu lui dit qu'il va lui en fabriquer une. Elle sera sensationnelle, tant par sa beauté et sa gentillesse que par son intellect et son raffinement. Pour ça Dieu réclame un œil, un bras, quatre doigts et son genou droit. Alors Adam réfléchit et dit : « Et pour une côte seulement, j'aurai droit à quoi ? »

Eclats de rire.

— Involution, joli mot, dit Lucrèce Nemrod en le recopiant, sans prêter attention à la plaisanterie.

Le patron avala d'un trait le reste de son tord-boyaux.

— En Europe, j'ai vu un film qui s'appelait *La Planète des singes.* Je n'ai pas tout compris, mais j'ai bien vu qu'on y montrait qu'un jour les hommes redeviendraient des singes intelligents, gracieux et agiles.

9. GRACIEUX ET AGILES

IL monte dans les branches. IL fait des cabrioles pour le plaisir de sentir son corps voler.

IL perçoit sa colonne vertébrale comme une liane qui se plie et se déplie pour permettre à son centre de gravité de trouver le meilleur équilibre.

En bas les enfants le regardent, admiratifs.

IL pousse des petits cris puis, pour leur montrer ce qu'ils pourront faire quand ils seront plus grands, IL opère un double looping et fait le mort, en se rattrapant au dernier moment à une branche. Les enfants manifestent leur joie.

IL s'amuse. La vie n'est pas faite que pour manger, tuer et être tué. On peut aussi jouer.

10. LE JEU DES TROIS CAILLOUX

Le patron kikuyu leur avait indiqué la direction prise par Ange Rinzouli et Sophie Eluant, mais lorsqu'ils voulurent reprendre la route avec leur Jeep, ils découvrirent que le pneu avant gauche était crevé. Le pneu de secours aussi.

Isidore Katzenberg, déterminé, rentra dans la taverne et réclama à la cantonade un pneu intact ou tout du moins une rustine. La salle lui répondit par une moquerie. Ici tout le monde savait que les pneus non crevés ou les rustines étaient la denrée rare par excellence. Même pour une fortune, personne ne voulait s'en déposséder.

— Moi, je veux bien vous donner ma roue de secours, annonça le trafiquant en pattes de bébés crocodiles porte-clés, mais je ne sais pas si vous êtes prêts à accepter mon tarif.

Le gros journaliste s'approcha de l'individu.

— Que veux-tu ?

Il pointa le menton vers Lucrèce.

— La fille. Je vous échange mon pneu contre une heure de tendresse avec la jeune fille. Les pneus intacts sont rares mais les jolies filles aussi. Cela me semble honnête comme marché.

L'assistance le soutint. Le Kikuyu fit un geste montrant qu'il considérait l'échange logique. Déjà Lucrèce faisait mine de vouloir poursuivre la route à pied, mais son gros compagnon la retint et s'adressa au trafiquant :

— Je vous propose plutôt de me défier à un jeu qui définira lequel de nous deux aura ce qu'il veut.

La jeune journaliste s'arrêta, croyant avoir mal entendu.

— Poker ? Fléchettes ? « Je te tiens, tu me tiens par la barbichette » ? ricana le braconnier, étonné.

— Non, le « jeu des trois cailloux ».

Il y eut des sourcils froncés. Le « jeu des trois

cailloux », « Au bout du monde », personne ne le connaissait. Isidore Katzenberg en énonça la règle.

Les deux joueurs prennent chacun trois cailloux : ils les cachent dans leur dos. Au signal, ils tendent le poing droit en avant avec, dedans, un, deux, trois ou aucun caillou. A tour de rôle, chacun donne une estimation, allant de zéro à six, du total des cailloux contenus dans les poings tendus. Les joueurs ouvrent alors le poing et vérifient qui a trouvé le bon chiffre. Si aucun des deux n'a trouvé, on recommence. Si l'un trouve, il jette l'un de ses cailloux.

Le gagnant est celui qui a découvert trois fois le bon chiffre et s'est donc débarrassé de ses trois cailloux.

Le braconnier considéra Lucrèce qui s'était rassise.

— O.K. Si vous gagnez, vous avez le pneu. Si je gagne, j'ai la fille !

— Jamais, trancha Lucrèce.

Il y eut quelques rires gras, mais Isidore Katzenberg acquiesça :

— Ça me paraît équitable.

— Vous êtes fou, s'égosilla Lucrèce ! Cet homme n'est pas du tout mon genre.

L'autre se pencha et lui caressa les cheveux en disant :

— Arrêtez de m'appeler « cet homme », si nous sommes amenés à mieux nous connaître, autant que vous commenciez par m'appeler par mon prénom, c'est Georges.

— Sans pneu, nous devrons marcher sur des kilomètres, glissa Isidore Katzenberg à l'oreille de sa compagne de voyage.

— Mais ça ne va pas, la tête ! s'offusqua encore la jeune fille. Vous ne pouvez pas me...

— Faites-moi confiance. « Voir, comprendre, se taire. »

Lucrèce considéra le braconnier, le regard torve et les babines déjà humides à l'idée d'abuser de sa candeur. Elle regarda par la fenêtre et aperçut la jungle ; elle se dit qu'en effet il était peu raisonnable de marcher sur des kilomètres. Elle acquiesça sans enthousiasme.

— Elle est d'accord ! annonça Isidore.

Un hourra répondit à cette information. Tous les clients du lieu se regroupèrent en cercle autour des deux joueurs. Il y eut des paris dans l'air. On apporta cérémonieusement trois cailloux blancs et trois cailloux noirs ramassés juste devant la porte du « Bout du monde ». Ils placèrent leurs mains dans le dos et, au signal du patron de l'établissement, ils tendirent leur poing droit.

Les deux bretteurs se dévisagèrent. Le journaliste essaya d'estimer combien son adversaire avait de cailloux dans la main, puis il ajouta à ce chiffre le propre contenu de sa paume.

— Mmmm... quatre, déclara Isidore.

— Je peux dire quatre aussi ? demanda Georges.

— Non, c'est comme pour une place de parking. Le premier qui donne un chiffre occupe la place. L'autre est obligé d'en choisir un autre.

— Bon, alors... trois, concéda le braconnier.

Ils retournèrent leurs paumes ouvertes. Georges avait vu juste. Sa main contenait un caillou et Isidore avait bel et bien deux cailloux blancs dans son poing droit. Très fier de lui, Georges déposa un caillou noir sur la table et la partie continua.

Isidore informa son adversaire :

— Le gagnant parle le premier car celui qui parle en premier est légèrement désavantagé étant donné qu'il dévoile un peu son jeu.

Ils se fixèrent longuement, chacun essayant de franchir la barrière des pupilles pour lire le chiffre inscrit dans le cerveau en face.

— Cinq ! clama le tueur de bébés crocodiles.

— Quatre, rétorqua le gros journaliste.

Ils ouvrirent leurs poings : trois dans celui d'Isidore, deux dans celui du braconnier. Cela faisait bien cinq. La salle acclama son champion. Enchanté, le patron se demanda s'il n'allait pas entreprendre d'organiser dans son antre des championnats de trois cailloux à titre d'attraction locale.

— Balle de match, annonça le braconnier en posant un deuxième caillou par terre et en lançant un clin d'œil langoureux en direction de Lucrèce. Si je gagne, ça va être ta fête, poulette.

Légèrement inquiète, la jeune fille se pencha vers son compagnon :

— Je crois qu'il est temps maintenant d'utiliser votre « truc », lui murmura-t-elle à l'oreille.

— Mais... il n'y a pas de « truc ». On ne peut pas tricher à ce jeu.

— Quoi !

Elle n'en revenait pas. Sans se soucier de ses regards meurtriers, Isidore expliqua :

— C'est ça l'intérêt du jeu des trois cailloux. Il y faut du bon sens, un peu de calcul des probabilités, de la télépathie, de l'intuition, de l'observation, mais n'importe qui peut battre n'importe qui. Ce n'est même pas une question d'intelligence.

— Alors, pourquoi avez-vous choisi ce jeu ? Arrêtez de plaisanter. Dites-moi, c'est quoi votre truc pour gagner ?

— Peut-être la confiance en soi, souffla Isidore en se reconcentrant.

Les pupilles du braconnier brillaient. Isidore Katzenberg tenta d'oublier ses deux précédents échecs pour ne se consacrer qu'à cette partie-ci. Les deux joueurs étaient traversés par la même pensée : « Il croit que je crois qu'il croit que je crois qu'il va jouer ça, donc je joue ça. »

Pour la troisième fois, ils tendirent leur poing.

— Deux, annonça Georges, satisfait.

— Un, répondit Isidore.

Ils ouvrirent leurs mains. Celle du braconnier contenait un caillou. La paume d'Isidore était vide. La salle poussa une clameur.

Le journaliste déposa un caillou blanc devant Lucrèce. Il n'y avait plus en tout et pour tout que trois cailloux en jeu. Un dans la main de Georges. Deux dans celle d'Isidore. Le braconnier comprit que celui qui en détenait le plus avait également le plus de choix entre les diverses combinaisons possibles. Le perdant de tout à l'heure était maintenant le plus avantagé des joueurs. Il savait cependant qu'il lui suffisait d'une unique victoire pour l'emporter alors que son adversaire en avait encore besoin de deux. Il ferma très fort les paupières : « Il croit que je crois qu'il croit que je crois qu'il croit... »

Leurs deux poings se tendirent. Chacun fit tourner son cerveau à plein régime.

— Zéro, dit Isidore.

Surpris, Georges grimaça. En annonçant zéro, son adversaire dévoilait son jeu et prenait un gros risque !

— Un, répondit-il espérant que l'autre bluffait.

Ensemble, ils ouvrirent leurs mains. Vides...

Lucrèce souffla un peu. Maintenant, chacun des joueurs n'avait plus qu'un unique caillou à sa disposition. Ils se toisèrent. Isidore affichait toujours le même air nonchalant. Le braconnier, en revanche, se livrait en son for intérieur à toutes sortes de calculs savants, à s'en donner la migraine : « Il croit que je crois qu'il croit que je crois qu'il croit que je crois qu'il croit que je vais croire qu'il a mis... » Il plongea son regard dans celui d'Isidore comme pour en faire sauter la serrure.

De la sueur perlait au front du braconnier. Il la torcha d'un revers. Ses yeux brillèrent légèrement plus. Chacun se remémorait le comportement de son adversaire durant les manches précédentes et tentait d'en déduire le comportement pour cette dernière manche cruciale.

Dans l'assistance on n'entendait plus une respiration. Lucrèce se mordait les lèvres. Un insecte noir de petite taille marchait sur le dos d'Isidore mais il n'y fit pas attention. Un moustique bourdonnait à côté de Georges et il paya de sa vie cette intrusion. Quelqu'un cracha par terre. Le patron signala qu'Isidore l'ayant emporté au tour précédent, c'était encore à lui de parler en premier.

Isidore prit son temps. Il ne fallait pas se tromper dans le choix de ce qu'il allait mettre dans sa main.

Au signal du Kikuyu, ils brandirent tous deux leur poing.

Le temps s'arrêta. Silence complet. Immobilité totale au point qu'on aurait pu croire qu'ils étaient sur une photo. Les secondes s'égrenèrent. Et puis un mot fut lâché.

— ... Zéro, déclama encore Isidore.

Petite clameur de l'assistance. Isidore prenait ainsi un grand risque car il révélait ce qu'il avait dans sa main. Rien.

Le visage du braconnier devint livide.

— Je... je... vais vous aider à sortir le pneu, dit-il en guise de chiffre. Et, sans même prendre la peine de risquer un « Un », il ouvrit une main vide pour serrer celle de son adversaire.

Lucrèce sauta au cou de son champion.

— Ouf, j'ai eu chaud ! C'était quand même risqué, votre coup du zéro deux fois de suite.

Quelques clients félicitèrent chaleureusement le gros journaliste à grands renforts de claques dans le dos. D'autres préparaient déjà des cailloux pour se livrer à leur tour à des duels.

— On peut jouer à trois et même à quatre, lança Isidore à la cantonade. Chacun prend trois cailloux et la règle est la même. Mais les réponses pour trois joueurs vont être de zéro à neuf.

— Maintenant, avouez-moi, comment vous y êtes-vous pris pour gagner ? interrogea Lucrèce, soulagée.

Son compagnon lui expliqua. En constatant qu'il était sur le point de perdre, il avait changé du tout au tout sa stratégie. Au départ, il réfléchissait et se faisait battre par un adversaire qui réfléchissait moins. Pour parvenir à le dominer, il fallait donc ne plus réfléchir du tout. Le dernier coup, Isidore l'avait joué de manière totalement aléatoire.

Isidore estimait que Lucrèce n'avait jamais couru véritablement de risque car, au fur et à mesure que Georges avait compris la simplicité et en même temps la subtilité du jeu, il s'était mis à réfléchir. Or, en devenant de plus en plus intelligent selon le système du jeu, il devenait forcément plus prévisible.

Lucrèce Nemrod n'était pas entièrement convaincue de la fiabilité de la méthode, mais force lui était de reconnaître qu'elle fonctionnait.

Autour d'eux, ceux qui avaient misé sur Georges donnaient de l'argent à ceux qui avaient misé sur Isidore.

Bon joueur, le braconnier leur apporta le pneu.

— Je savais que votre main était vide. Vous avez gagné simplement parce que vous avez parlé en premier, dit Georges encore sous le choc.

— Si vous aviez prévu que j'allais annoncer zéro, pourquoi ne pas avoir disposé un caillou dans votre main ? Dans ce cas, c'est vous qui l'auriez emporté, rétorqua Isidore.

Le braconnier continua à méditer sur cette dernière phrase. C'est vrai, pourquoi n'avait-il pas mis un caillou ? Son collègue le bouscula pour lui dire qu'il fallait reprendre la chasse au crocodile, mais pour des raisons étranges la chasse au crocodile l'intéressait soudain un peu moins. Ce qui l'obnubilait à cet instant, c'est pourquoi il n'avait pas mis un caillou dans sa main. Car ainsi l'autre aurait dit « zéro », il aurait répliqué « un », et il aurait gagné la fille.

Dans la taverne « Au bout du monde », la partie de trois cailloux était en train de devenir anthologique. C'était comme si, tout d'un coup, on venait d'écrire un petit morceau de l'histoire de la Tanzanie, ou tout du moins de cette région de Tanzanie. Quelques années plus tard, tout le monde la magnifia, en rajoutant dans le suspense, dans la description du gigantesque journaliste obèse et repoussant accompagné de la super-pin-up de tous les fantasmes. Le bouche à oreille ajoutait chaque fois des détails piquants. Certains prétendirent que durant la partie un lézard blanc était monté sur l'épaule du reporter pour lui souffler la réponse. D'autres assuraient que les esprits des deux joueurs étaient sortis de leurs corps pour se livrer à une partie de catch ectoplasmique au-dessus de la table.

Le jeu des trois cailloux, en tout cas, connut dans les jours suivants une popularité étonnante. Beaucoup prétendaient que ce jeu a priori simple s'avérait encore plus sophistiqué que le jeu d'échecs car il introduisait une dimension psychologique intense. Il était plus bluffant que le jeu de poker car il n'y avait pas besoin de miser de l'argent, tout se faisant au regard et à l'intelligence. Il s'avérait même plus subtil que le jeu japonais de go car le choc des pensées n'y était pas progressif mais brut et direct.

Quant à Lucrèce et Isidore, ils étaient déjà loin.

11. ÉDUCATION DES PETITS

IL rejoint les enfants de la horde et les incite à observer attentivement ce qu'il va faire.

Les enfants ne comprennent pas pourquoi un

mâle dominant joue avec eux. D'habitude, les grands les ignorent. Ils ont appris à s'en méfier. Ne serait-ce que parce que en période de disette les mâles dominants cherchent parfois à les manger. Ils n'observent pas ce qu'IL fait, ils l'observent, lui. D'ailleurs, ils ne comprennent pas non plus ce qu'il fait.

IL prend une feuille large, la pose sur sa main droite fermée en forme de puits cylindrique et la frappe ensuite d'un coup sec. Cela provoque une détonation ! Aussitôt, c'est l'émerveillement parmi la nouvelle génération. Les enfants poussent des exclamations de joie. Ils se tapent sur la tête avec le plat de la main. Chacun se met à explorer les alentours en quête de feuilles bien plates susceptibles de bien claquer. Et ils reproduisent le nouveau jeu.

Le chef de horde est énervé par tout ce bruit. Il a envie de faire taire les petits mais le problème c'est qu'ils sont trop nombreux. Il a besoin d'une victime expiatoire. Il la trouve en la personne de l'ancien chef de horde qui, bien que vieux, est arrivé à s'en tirer jusqu'à ce jour. Ne pouvant raisonner la nouvelle génération, tant pis, il se défoulera sur la précédente.

L'ancien chef de horde est précieux pour le groupe car il sait distinguer les herbes comestibles de celles qui ne le sont pas, mais le chef actuel a besoin de quelqu'un sur qui passer sa hargne.

Ce sont toutes les émotions dues à la foudre, au monstre de la caverne, aux lionnes, à la guerre contre les babouins qu'il lui faut canaliser. Le chef de horde provoque le vieux en duel singulier. L'autre préfère tendre sa main en signe de soumission. Les enfants, intéressés par la violence qui est, après tout, le jeu suprême des adultes, abandonnent leurs feuilles à faire claquer et accourent au spectacle.

Le chef de horde se pavane devant son public

acquis. Le vieux a toujours la main tendue, alors le chef lui répond en la mordant jusqu'au sang. Puis il pousse l'ancien en arrière et, sans hésiter, le tape de ses deux poings serrés en marteau jusqu'à lui faire éclater la tête.

IL assiste avec stupéfaction à cette démonstration de violence gratuite. Mais il perçoit l'utilité de ce comportement. Ce crime gratuit fait un peu oublier les angoisses précédentes. Une horreur chasse l'autre. Une injustice relativise les coups du destin. Le chef de horde est en train d'inventer le concept de « bouc émissaire ». Canaliser la violence sur un innocent ressoude le groupe.

Et puis, ce crime permet au chef de réaffirmer la hiérarchie au sein de la horde, il est le plus fort, il a le droit de s'énerver, il a le droit d'être injuste, tout le monde doit avoir peur de lui. Il est plus agréable d'avoir peur de son chef que peur des léopards qui viennent vous manger quand vous dormez.

Sans hésiter, le chef achève son prédécesseur. Il ouvre la cage thoracique de l'ancien et en sort son foie qu'il mange goulûment pour marquer les esprits.

Ainsi finissent les vieux chefs. A cet instant, tous les membres de la horde pensent : « Ainsi finira-t-il, lui aussi, un jour. Mangé par son successeur. » Et cette idée aussi rassure la horde. Nul prédateur ne peut échapper à un autre prédateur. La nature est bien faite.

Etrangement, IL constate qu'il est content d'observer ce spectacle. IL se demande pourquoi et il trouve la réponse. Parce que cela le conforte dans son idée : il ne faut pas vouloir être chef.

Dans l'après-midi, ils arrivèrent dans un village masai.

L'agglomération était constituée de huttes en boue séchée d'où dépassaient des antennes de télévision et quelques antennes téléphoniques pour les plus riches. Plus loin à l'extérieur, un enclos renfermait quelques vaches indifférentes aux tribulations des humains. Une population tranquille déambulait entre les habitations.

Les Masais étaient tous superbes avec leur corps fièrement dressé vers le ciel. Les hommes arboraient des toges rouges aux motifs quadrillés comparables à ceux des clans d'Ecosse. Les femmes portaient des bijoux en argent aux ciselures compliquées. Dans les huttes, Isidore Katzenberg et Lucrèce Nemrod distinguèrent des gens accroupis à même le sol de terre battue en train de regarder le dernier épisode de la série américaine *Dallas*. Les aventures alcooliques de Sue Ellen semblaient les passionner.

Le « chef de village-directeur de l'office du tourisme local-sorcier » se présenta pour les accueillir. Il leur expliqua qu'il parlait un français parfait car il avait été jadis top model pour un grand couturier parisien. A présent, il avait repris le costume de ses origines. Son cou était cerné d'un collier formé de capsules de canettes de bière auquel était accroché un robinet de lavabo en guise de pendentif.

L'ex-mannequin annonça qu'aujourd'hui était une journée spéciale car le village célébrait la circoncision d'un jeune guerrier. Pour devenir un homme, le garçon était parti chasser des oiseaux kumumba afin de s'en confectionner une coiffe de plumes. La cérémonie commencerait dès son retour et, si les journalistes désiraient y assister, ils seraient les bienvenus.

L'adolescent survint à ce moment. Il n'avait pas trouvé assez de plumes de kumumba pour s'en confectionner toute une coiffe, mais au fast-food du village voisin on lui avait fourni les plumes de poulet nécessaires pour la compléter. Il tombait à pic. Le générique de fin de *Dallas* était juste en train de retentir et, de partout, des Masais sortaient pour se regrouper au centre de la grande place afin de procéder à la fête rituelle.

Lucrèce Nemrod et Isidore Katzenberg admirèrent les grimages sophistiqués des hommes et des femmes, tous peinturlurés par-dessus leurs scarifications. Les femmes se joignirent aux jeunes gens pour entamer un chant polyphonique.

Les Masais dansèrent.

Les hommes, déjà tous très grands, sautaient à pieds joints de plus en plus haut pour rejoindre le ciel et chatouiller les plantes de pied de leurs divinités.

Le chef de village-sorcier invita Isidore et Lucrèce à s'asseoir parmi les célébrants et à manger avec eux. Les hommes firent circuler une gourde pleine d'un liquide rose et crémeux qui sentait plutôt mauvais.

— Chez nous, on ne tue pas les animaux et on ne consomme pas leur viande. En revanche, nous buvons leur lait et leur sang, dit le chef.

Quand l'outre parvint à Isidore, il goûta, retint une grimace et se contraignit à avaler. Il voulut tendre le breuvage à Lucrèce mais un guerrier le retint : cette boisson était réservée aux hommes. Les femmes, elles, ne buvaient que du lait pur.

Les journalistes demandèrent comment les Masais se procuraient le sang sans tuer l'animal. Avec une flèche, un guerrier entama la peau d'une vache au niveau de la jugulaire droite et laissa l'hémoglobine couler à flots dans une gourde. Lorsqu'il estima le contenu suffisant, il referma la plaie avec un pansement d'argile et, de nouveau, les hommes se passèrent entre eux la boisson tiède.

Les Masais considéraient la chasse et l'acte de tuer les bêtes comme autant de gestes impurs. Eux étaient un peuple de pasteurs nomades. En France, l'ancien top model avait vu des gens consommer des veaux et en avait été très choqué. Il était abominable de tuer des enfants. Certes, en période de disette, les siens étaient parfois obligés de tuer des bêtes, mais ils choisissaient toujours des malades ou des vieux, jamais des enfants, chaque créature ayant le droit d'accomplir sa destinée au moins jusqu'au stade adulte.

Le grondement d'une migration de gnous tambourina au lointain. Le chef de village tendit le cou. Les gnous étaient si nombreux qu'ils étaient contraints de se déplacer en permanence pour trouver de l'herbage.

— Où vont-ils ? questionna Lucrèce Nemrod.

— Vers le nord. Comme les hommes, ils s'en vont à la recherche de l'inconnu...

— C'est une belle image, le problème c'est que les hommes ont maintenant tout exploré, signala Isidore Katzenberg.

— Oui, ils ont tout envahi, tout exploité, tout détruit. Certains ici parmi nous ont de drôles d'idées. Ils ne veulent plus faire d'enfants. Ils pensent que l'espèce humaine, ayant achevé son périple, doit maintenant disparaître pour laisser la place aux autres animaux. Mais nous ne pouvons pas faire cela comme ça. Alors nous demandons, par l'intermédiaire de nos cérémonies religieuses et nos danses, l'autorisation au cosmos d'arrêter de nous reproduire.

— Vous voulez arrêter de vous reproduire ? s'étonna Lucrèce.

Le chef de village sourit :

— Oui. Nous nous sommes suffisamment amusés comme ça. Nous avons accompli bien des choses, maintenant il faut nous retirer. Tous. Pas seulement les Masais, tous les humains.

Il déclama :

Comme l'univers : après l'expansion, la concentration.

Comme le souffle : après l'inspiration, l'expiration.

Comme la montagne : après la montée, la descente.

Au centre de la place, pour la seconde partie de la cérémonie de circoncision, les célébrants avaient revêtu de nouveaux costumes flamboyants.

Sans s'y attarder, le chef continua de leur livrer le fruit de sa méditation :

— J'ai appris plusieurs choses grâce aux Blancs. Que la terre est ronde. Et que c'est elle qui tourne autour du soleil et non le contraire. Quand j'étais encore très jeune et que j'ai aperçu vos premiers avions, j'ai cru voir apparaître des vaisseaux extraterrestres. Et ce sont des extraterrestres que j'ai cru voir en sortir tant vous ne nous ressembliez pas. Mais j'ai appris par la suite que, même si nous n'avons pas la même couleur de peau, la même taille, la même forme de nez et de lèvres, vous êtes des humains comme nous.

— Nous sommes tous des êtres humains. Nous sommes tous pareils.

Le Masai se mit un doigt devant la bouche.

— Non, moi je crois qu'on est au contraire tous différents. Il n'y a pas de pire mensonge que parler d'égalité entre les hommes. Ce qui nous différencie ce sont nos cultures. Dans certains endroits, on enseigne aux jeunes l'humour et ailleurs on leur enseigne à haïr l'ennemi séculaire. Dans certains endroits, on leur enseigne la tolérance et ailleurs à convertir les étrangers. Dans certains endroits, on enseigne à mépriser la violence et ailleurs on enseigne à imposer son point de vue par tous les moyens. Ici, par exemple, nous avons beaucoup de problèmes avec le gouvernement tanzanien qui voudrait bien nous voir renoncer à nos cultes séculaires et nous convertir à la même religion que les gouvernants. Nous n'essayons pourtant pas de les convertir aux nôtres. Pourquoi ne nous fichent-ils pas la paix ?

— Vous simplifiez peut-être un peu trop vite les enjeux politiques, intervint Isidore.

— Non, protesta le villageois. Ce sont vous autres, Occidentaux, qui compliquez toujours tout. Vous aussi, vous êtes mal éduqués. Vous éduquez vos enfants dans le mensonge et cela presque dès leur naissance. Aux bébés, vous donnez des tétines afin qu'ils prennent un morceau de plastique pour un téton de femme et, en guise de ce qu'ils croient être du lait maternel, vous les nourrissez avec du lait en poudre synthétique.

— Ce ne sont là que de petits mensonges, fit Lucrèce.

— Ah oui ! se récria le Masai. Et vos mariages, alors ? Vous vous mariez, vous promettez « pour le meilleur et pour le pire jusqu'à ce que la mort nous sépare ». Comment pourrait-on supporter qui que ce soit pendant près de soixante ans ? En s'allongeant, la durée de vie a rendu le mariage obsolète. Chez nous, quand un homme et une femme s'unissent, l'officiant dit : « Vous vous mariez pour le meilleur et pour le pire... jusqu'à ce que l'absence d'amour vous sépare. » C'est plus logique.

Tandis qu'ils s'entretenaient, cinq hyènes pénétrèrent nonchalamment dans le village sans que nul cherche à les chasser. Lucrèce put les considérer à loisir et fut frappée par un détail troublant : les femelles étaient nanties d'un clitoris si développé qu'on aurait pu le confondre avec un pénis. Pourtant, leurs mamelles spécifiaient bel et bien leur appartenance sexuelle. La journaliste comprit alors pourquoi, dans l'imagerie occidentale, les hyènes avaient toujours été considérées comme des animaux maléfiques et effrayants. Revenant au présent et à son principal centre d'intérêt, elle sortit son calepin.

— Quelle est votre idée sur les origines de l'univers ? demanda-t-elle.

— Pour moi, c'est le rêve, dit l'Africain.

Elle inscrivit : « THÉORIE DE L'HUMANITÉ RÊVÉE ».

— Les pierres rêvent qu'elles sont des plantes. Les plantes rêvent qu'elles sont des animaux. Les animaux rêvent qu'ils sont des hommes. Et les hommes rêvent qu'ils sont des esprits libres.

Lucrèce ne put s'empêcher de songer à la théorie de l'évolution selon la forme des chiffres chère à Isidore.

— J'ai connu un Blanc qui était obnubilé par les origines de l'humanité, souligna le chef de village.

— Le Pr Adjemian ? suggéra le gros journaliste.

— Oui, le Pr Adjemian, reconnut le Masai, surpris. Il vient souvent par ici.

— Il ne reviendra plus. Il est mort. Il a été assassiné, lança la jeune fille tout à trac.

Le Masai marqua un temps de surprise.

— Ah ! Alors, dans ce cas, je connais peut-être l'assassin.

— Qui est-ce ?

— Sophie Eluant, l'ex-femme du professeur. Le couple se disputait constamment. Ils étalaient leurs divergences en public sans la moindre pudeur. Ils se criaient dessus sans cesse. Un jour, ici même, j'ai entendu Sophie Eluant affirmer : « Je préférerais te tuer plutôt que de te laisser répandre ta théorie. Et pas seulement pour mes intérêts personnels, pour le bien de l'humanité tout entière. » Le savant avait répondu par un éclat de rire méprisant. Il avait affirmé que la vérité était plus importante que sa vie et que, s'il est possible de tuer des gens, on ne peut tuer la vérité.

Tous trois regardaient les gens du village qui continuaient à danser au rythme des tam-tams autour du feu.

— Sophie est de retour ici. Avec un autre homme. Ange Rinzouli, l'informa Lucrèce.

La nouvelle ne parut pas surprendre le Masai. Il haussa les épaules.

— La femme et son comparse sont venus détruire les ultimes traces des travaux de son mari.

Sur la place, la fête touchait à sa fin. Il y eut encore un dernier chœur de femmes, une dernière danse des hommes, et puis tous s'éparpillèrent vers leurs demeures, le circoncis joyeusement entouré par les siens. Le chef dirigea ses hôtes vers deux huttes dans lesquelles ils passeraient la nuit.

Lucrèce tâta la litière de branchages, d'herbes et de feuilles recouverte d'un sac de couchage en nylon et la jugea confortable. Par l'ouverture, elle regarda au loin des singes, suspendus aux branches des arbres, qui observaient les hommes s'apprêtant pour leur sommeil.

Toute la jungle bruissait de millions de rumeurs, de feulements, de piaillements, de frottements de feuilles. La nature tout entière respirait la vie dans sa luxuriance et sa diversité.

La jeune fille se demanda si les lointains ancêtres qui vivaient dans les arbres n'avaient pas, en fin de compte, connu une meilleure vie que leurs descendants d'aujourd'hui.

13. LE CHEF

Le coup de poing vole droit vers le visage du mâle. Après avoir massacré sans raison l'ancien, le chef de horde est toujours énervé. Il tape les mâles afin de prévenir toute rébellion. Il tape aussi les femelles à sa portée. Il montre les dents aux enfants. Il prend un bâton et, de toutes ses forces, le tape sur le sol.

Tout le monde se blottit dans un coin. Certains se figent dans des positions de soumission pour bien signaler qu'ils ne veulent pas remettre en question son titre de chef de horde. Les femelles se mettent à quatre pattes, croupe levée, en position pour la saillie.

Mais ça ne l'intéresse pas. Le chef est énervé de son énervement. Il se lance sans raison dans une série de cris hystériques qui signifient : « Je n'ai pas besoin de vous. J'ai envie de tous vous frapper. Et si ça ne vous plaît pas, vous n'avez qu'à partir. »

Certains se posent la question. Cependant ils tiennent trop à leur groupe. Que peut faire une personne de la horde, seule ? Ils sont des animaux évolués précisément parce qu'ils vivent en société. Sans les autres, ils savent qu'ils ne sont que des cibles mobiles pour les fauves. Tout le rituel improvisé par le chef est destiné à le leur rappeler. Si on doit avoir peur de quelque chose, c'est de lui.

Puis, fatigué par son auto-excitation, il se calme, donne encore quelques coups au cadavre du vieux chef et, finalement, annonce qu'il est temps de reprendre la route vers le nord.

Ils marchent avec entrain. Chacun a à cœur de montrer au chef que la leçon est bien comprise. Ils ne le remettront jamais en cause.

Les deux journalistes se débarbouillèrent rapidement à l'eau du puits. Isidore Katzenberg partagea subrepticement avec Lucrèce le lait des femmes. Le lait fermenté au sang ne lui paraissait pas encore le meilleur petit déjeuner.

Il était encore très tôt quand, après avoir salué et remercié les Masais pour leur accueil, ils reprirent la piste, et le soleil n'était pas encore levé quand ils parvinrent au Rift. A peine éclairée par des étoiles vacillantes dans un ciel mauve très foncé, ils découvrirent la faille au dénivelé brusque, large d'une centaine de mètres, profonde d'une soixantaine.

Au centre coulait un cours d'eau.

Ils se penchèrent pour l'observer. Un ruban d'argent blanc et gris fluorescent. Le contraste entre le mauve foncé du ciel et la texture argentée du fleuve donnait à la scène un côté féerique. Des arbres noirs, dont les feuilles luisaient à peine sous les étoiles, étendaient leurs ramures en ombres chinoises sans fin.

— C'est bien l'Olduvai. Il n'y a guère longtemps, ce n'était qu'une petite rivière qui coulait au fond, mais récemment les pluies l'ont gonflée.

Ce n'était ni la voix de Lucrèce ni celle d'Isidore qui avait troublé le silence des lieux. Derrière eux, arrivait un grand Noir décontracté. Vêtu à l'occidentale d'une chemise et d'un pantalon de toile beige, il tenait dans sa main une visée d'arpenteur. Comme il faisait encore froid, ses mots se transformaient en vapeur.

L'homme se présenta. Il se nommait Melchior M'ba.

— Regardez bien, c'est magnifique ici quand le soleil se lève.

Pour mieux apprécier le spectacle, il alla chercher dans le coffre de son véhicule trois sièges pliables. Puis il leur tendit des gobelets et versa d'une thermos une boisson odorante.

— Du thé à la bergamote, précisa-t-il. Il faut aussi ça pour bien profiter de la magie de l'aube.

Melchior paraissait avoir tout prévu, même la venue de visiteurs. Il leur offrit encore des couvertures dans lesquelles ils se pelotonnèrent, momies frissonnantes, pour patienter dans le recueillement, sachant qu'il allait très prochainement se passer quelque chose d'important.

En effet, bientôt le soleil se leva lentement sur la vallée de l'Olduvai, dévoilant peu à peu un panorama grandiose. Sous le soleil ascendant, la vie se réveillait, des feux semblaient éclore, la nature en son entier recommençait à bouger.

En bas, dans la faille, toute une faune s'anima. Des éléphants, des hippopotames, des zèbres, des autruches. Quelques rares rhinocéros ayant survécu à la fabrication de poudre aphrodisiaque. Des gnous. Des lycaons. Des hyènes. Des guépards. Des léopards. Des lions. Des buffles. Et des gazelles qui sautillaient comme montées sur ressorts.

« Cet endroit est un endroit sacré », songea brusquement Lucrèce. Peut-être même le plus sacré de tous.

— L'homme est né ici, confirma Melchior comme pour répondre à une question que la jeune fille n'avait pas posée.

Il leur semblait évident que le premier homme quel qu'il soit, quel que soit son secret, était apparu ici. Une idée traversa l'esprit d'Isidore. C'était le lieu absolu de célébration. Un retour à l'Eden. Il rêva d'organiser un pèlerinage mondial de gens de tous les pays revenant au creuset d'origine. Il imagina des représentants de chaque continent, chaque nation, chaque religion, chaque couleur de peau, chaque culture, chacun venant à tour de rôle dire ce que son peuple ou ce que lui-même avait fait du don d'humanité livré ici, dans la vallée de l'Olduvai. Oui, le plus beau, le plus simple, le plus naturel des pèlerinages, retrouver le lieu d'accouchement de l'humanité pour rendre des comptes sur ce qu'on en avait fait. Isidore sourit à cette idée. Il se sentit lui-même l'aboutissement d'un si long et si complexe périple. A nouveau, il se gorgea du spectacle sans fin de cette faille. Il n'y avait pas besoin de monument, pas besoin de pyramide, de Cathédrale, de pierre sacrée, d'arbre millénaire, toute cette vallée était LA Cathédrale. Il ferma les yeux pour bien ressentir ce qui se passait en lui en cet endroit.

Les deux autres humains semblaient eux aussi plongés dans des gouffres de réflexions diverses. Ici, chacun était amené à faire le point sur 3 millions d'années d'humanité et donc forcément, par contrecoup, sur ses quelques dizaines d'années d'existence.

— Avez-vous votre propre hypothèse sur l'apparition de l'homme sur la terre ?

— Je suis géologue. Et je suis animiste. Je vais donc vous fournir la réponse d'un géologue animiste, répliqua Melchior M'ba. Pour moi, l'homme ne vient pas du ciel, il vient du sol de la Terre mère. Et cette faille dans le roc est son immense sexe. Les hommes sont sortis de son centre déboisé, les singes de ses bords aux arbres drus. Les autres animaux ont surgi plus loin encore et chacun s'est adapté au milieu où il est apparu.

« THÉORIE DE LA TERRE MÈRE », nota donc Lucrèce sur son calepin.

Ils continuèrent à contempler le spectacle fastueux de la vallée de l'Olduvai qui, progressivement, s'éclairait en son entier.

— Il est vrai que de ce lieu émane quelque chose de maternel, reconnut Isidore Katzenberg.

Ils regardèrent le sexe possible de leur planète.

Gaia. La planète mère. L'*alma mater*.

Lucrèce Nemrod approcha son siège tout au bord de la falaise. Elle ferma les yeux. Elle respira très fort, se gavant des parfums de toutes les fleurs et de toutes les plantes qui sourdaient de partout.

Elle expira avec délice.

— Cette enquête sur les origines de l'homme nous aura permis au moins un retour aux sources vers la terre maternelle. Comme je me sens bien ici ! J'ai l'impression d'avoir enfin retrouvé la vieille maman que j'ai vainement cherchée depuis toujours. Ma planète.

Maman parla.

Il y eut d'abord un bruit grave, une vibration du sol et puis toute la terre trembla. Sans qu'elle ait pu esquisser un geste pour se préserver, Lucrèce fut projetée en avant dans le ravin.

15. TREMBLEMENT DE TERRE

Soudain le sol se met à trembler. Les gens de la horde s'arrêtent net et restent là, impuissants. Contre les prédateurs on peut se battre, contre le feu on peut fuir, mais quand le sol se met en colère il faut juste espérer ne pas mourir.

Des arbres s'inclinent. Les oiseaux, tout en haut, sont les seuls à rester tranquilles à observer les malheurs de ceux qui sont collés à la surface de la terre.

IL aurait dû s'en douter. Il y avait depuis quelque temps des signes avant-coureurs. Les animaux se terraient. Les oiseaux restaient plus souvent en l'air. Ils savent. Mais ceux de la horde, à force de se vouloir plus évolués que les autres animaux, se sont peu à peu coupés de toutes leurs perceptions naturelles.

Ça se met à trembler plus fort.
De plus en plus fort.
Il y a comme un bruit. Le sol bouge. Le sol est effervescent. Le sable sautille. Les herbes vibrent.
Et puis soudain, dans un fracas, la terre s'entrouvre. Le sol s'entrebâille et happe deux des leurs. Puis, comme si ce festin l'avait repue, la planète se calme. Les vibrations cessent. Il y a encore un dernier tremblement. Comme un rot après cette ingestion de viande. Puis c'est fini.
Les oiseaux atterrissent.
Autour d'eux, tout est cassé, beaucoup d'arbres sont déracinés, des pans de sol entiers sont retournés, mais ils savent qu'il ne s'est passé qu'un séisme mineur.
Le chef de horde, d'ailleurs, ne s'attarde pas sur cette péripétie et donne le signal du départ, comme à l'accoutumée. Il reste étonnamment imperturbable malgré la catastrophe. Il joue les types que rien n'intimide. Il ne veut pas qu'on oublie que la pire source de stress c'est lui. Pour ça, il donne quelques coups de pied à ses comparses.
La terreur interne chasse la terreur externe. Finalement, le système de la horde tient le coup et permet d'encaisser pas mal de peurs.
La terre veut montrer sa puissance ? C'est fait. Chacun sa frime.
Maintenant on peut reprendre la route.

16. CHUTE

Enfin, les secousses avaient cessé. Isidore Katzenberg se pencha prudemment au-dessus du gouffre pour voir où était tombée sa compagne. Il la repéra en contrebas. Elle se tenait agrippée à une épaisse racine qui dépassait du contrefort de la falaise. Isidore lui tendit la main pour la tirer de là, mais déséquilibré par son énorme poids il chuta à son tour et, au dernier moment, se rattrapa d'une main à la cheville de la jeune fille.

Isidore était lourd, et tout le corps de Lucrèce souffrait sous la charge. La racine commença à ployer sérieusement sous leurs poids conjugués. Lucrèce grimaça.

— Je ne vais pas tenir très longtemps, dit-elle tout en s'efforçant d'empoigner la racine de son mieux.

De sa main libre, Isidore Katzenberg saisit une liane qui pendait d'un bosquet d'acacias. En s'aidant de sa bouche, il s'empressa de faire un nœud à cette corde providentielle afin d'en fabriquer un lasso qu'il lança à la jeune fille pour qu'elle place l'anneau sur un tronc d'arbre, appui plus solide, placé un peu au-dessus d'elle. Lucrèce Nemrod arrêta bien le lasso mais elle fut surprise par sa consistance lisse et fraîche. A bien y regarder d'ailleurs, ce n'était finalement pas une liane mais un jeune python qu'elle tenait là.

Elle tressaillit. En dépit de son nœud coulant à la tête, le serpent s'empressa aussitôt d'entortiller sa queue autour du cou de la jeune fille.

Lucrèce se reprit rapidement, se dégagea de ce collier froid et le projeta sur le tronc d'arbre. Si un serpent avait fait sortir l'humanité du Paradis, un autre pourrait bien les aider à se tirer de l'Enfer.

17. LA GORGE

Ceux de la horde arrivent devant une gorge, ils descendent le long de la paroi.

Au fond de la gorge coule une rivière. Ils ne

savent pas nager et sont donc incapables de la traverser, mais tous sont conscients que de l'autre côté c'est mieux. De l'autre côté, c'est toujours mieux.

Il leur semble même percevoir en face des relents de petits gibiers qui gambadent naïvement en les attendant. Comment franchir le fleuve ?

IL remarque un gué reconnaissable à ses remous. IL le montre aux autres. Ceux de la horde commencent à s'y engager, mais soudain un crocodile bondit et dévore deux des mâles dominants qui surveillent le flanc de la troupe. C'est un piège. Les crocodiles se sont mis à l'affût dans le gué afin de manger sans difficulté ceux qui se hasardent dans le fleuve.

Ils s'empressent de faire demi-tour, en abandonnant deux ou trois des leurs en pâture aux sauriens.

Comment traverser le fleuve ? Déjà, certains proposent de renoncer et de rebrousser chemin.

18. AU-DESSUS DU VIDE

Ils cherchèrent vainement à se hisser et ne parvinrent qu'à briser la colonne vertébrale du serpent. Leur stratagème leur permit pourtant de gagner suffisamment de temps pour que Melchior, le géologue, arrive à leur secours et les sorte de là en leur lançant une vraie corde, bien solide.

— Il ne faut pas se pencher au-dessus des précipices, dit le Noir avec pragmatisme.

Puis, il leur tendit une tasse de thé au riz afin qu'ils se remettent de leurs émotions.

— C'était quoi, ce tremblement ? demanda la jeune fille rousse en rajustant ses vêtements.

Son sauveteur observa les dégâts dans la faille.

— Vous avez eu de la chance. Vous avez revécu sur une plus petite échelle l'événement qui a sans doute préludé à la naissance de l'humanité. Le Rift. Désormais, ce ne sera plus pour vous un simple concept. Vous l'avez ressenti dans votre corps même.

Prudemment, Isidore Katzenberg lança à son tour un coup d'œil vers le ravin.

— Comment s'y prend-on pour descendre jusqu'au fond de cette vallée ?

Le géologue se proposa pour les guider vers un passage à la pente moins brutale. C'était le chemin qu'empruntaient les gnous et les éléphants lors de leurs grandes transhumances.

19. AU MILIEU DES JAMBES

La horde remonte le fleuve à la recherche d'un gué non gardé par les crocodiles. Mais sur toute sa longueur, ce bras d'eau est infesté de sauriens. Ils finissent par trouver un méandre d'où ne dépasse aucun regard verdâtre.

Pourquoi les crocodiles laissent-ils ce coin libre ? Ils ne se posent pas longtemps la question et commencent à avancer dans le gué.

Ils sont déjà tous au milieu du fleuve lorsqu'ils comprennent. Ils sont en train d'emprunter le chemin habituel des éléphants.

Un groupe de pachydermes décide justement de traverser le fleuve pour voir si, de l'autre côté, l'herbe est plus fraîche. Ils martèlent le sol d'un pas allègre.

Un éléphant qui court, c'est déjà impressionnant, mais une centaine, c'est redoutable. Surtout quand on est coincé à découvert au beau milieu d'un fleuve dont l'eau vous monte jusqu'aux genoux.

Panique. La horde se partage en deux camps. Il y a ceux qui croient que le salut est devant eux et ceux qui pensent que le salut est derrière. Plus quelques naïfs qui estiment que la vraie bonne idée, c'est de nager sur les côtés. Ceux-là se font instantanément manger par les crocodiles qui se sont vite passé l'information qu'une masse de protéines était dans les parages.

Les phases de transition sont toujours des instants délicats et précaires. Ceux de la horde en font l'amère expérience. Les éléphants ne prêtent pas attention à ces petits êtres qui pataugent et les écrasent comme des crêpes. Ne survivent que ceux qui ont foncé tête baissée droit devant vers l'autre rive. Une fois sur la berge, ils peuvent enfin s'écarter et laisser passer le troupeau de pachydermes.

Effrayés, les rescapés se camouflent dans un trou de terre. La moitié des effectifs n'est plus là, mais ils sont encore suffisamment nombreux pour former une petite horde. Heureusement que les femelles n'arrêtent pas d'accoucher sinon, à la vitesse où ils meurent, ils auraient déjà complètement disparu.

Les éléphants, eux aussi, connaissent quelques pertes. Certains éléphanteaux s'éloignant de leur mère se font attraper par des crocodiles qui, en s'accrochant à leur trompe, parviennent à les basculer dans l'eau. Ils sont vengés par leurs aînés qui piétinent les assaillants de tout leur poids. Grandes éclaboussures. Gueules dentées contre trompes entortillées et pattes lourdes. Les yeux reptiliens et les yeux pachydermiques s'enflamment de rage. Les éléphants se bousculent. Les crocodiles écrasés giclent. Des trompes se lèvent, maintenant garnies de dents étrangères.

Les grenouilles se cachent. Les hérons s'envolent.

Une micro-tempête secoue tout le pourtour du gué. Un éléphanteau coule. Un crocodile est projeté dans les airs. Des poissons innocents sont entraînés dans cette guerre.

Ceux de la horde n'en reviennent pas d'avoir réchappé à un tel choc entre les êtres de l'élément eau et ceux de l'élément terre.

Ce soir-là, toute la petite horde dort dans la carcasse tiède d'un éléphant mort et non dévoré par les crocodiles suffisamment repus. La carcasse sent mauvais mais elle forme une caverne où il leur suffit de tendre la main pour disposer d'un morceau de viande presque frais.

20. OLDUVAI VALLÉE

La voiture était embourbée au beau milieu du fleuve Olduvai jusqu'au niveau des phares. Cela faisait plus de deux heures qu'ils essayaient de se dégager et les crocodiles commençaient à approcher.

— Tant pis, continuons à pied, dit Isidore Katzenberg en récupérant tout ce qui pouvait être sauvé de leurs affaires sur les sièges.

Il entassa lampes, tricots, tee-shirts et timbales dans leurs sacs à dos et, quand ils furent enfin parvenus sur la berge d'en face, il déploya une carte.

— Toute cette zone n'est guère fréquentée par les hommes. Le chef masai me l'a indiquée comme étant la dernière où il a entrevu le Pr Adjemian, mais le géologue m'a affirmé que le seul endroit totalement inexploré se trouve par là.

Il indiqua de la main une forêt dense, sise entre plusieurs dénivellations rocheuses.

— En toute logique donc, Sophie Eluant et Ange Rinzouli doivent être à présent quelque part entre là et là, ajouta-t-il en définissant sur la carte un périmètre plus réduit qu'il entoura d'un cercle.

— On peut continuer à marcher comme ça sur des kilomètres sans rien trouver, maugréa Lucrèce Nemrod en trébuchant dans les herbes hautes.

Isidore Katzenberg s'arrêta et lui montra des empreintes sur le sol.

— Il s'agit des traces de pas d'une femme et d'un homme. L'homme a dépassé les quarante ans. Il s'appuie sur ses talons pour marcher, signe d'âge. Plus on est jeune, plus on appuie sur l'avant du pied. La femme a pour sa part reçu des leçons de maintien.

— A quoi voyez-vous ça ? interrogea Lucrèce, perplexe.

— Elle marche exagérément droit. Ses deux pieds sont parfaitement parallèles. Seules les femmes ayant suivi des cours de danse ou une rééducation ont une démarche aussi artificielle. Il y a de fortes présomptions pour que nous soyons en train de suivre nos deux lascars. En tout cas, je suis affirmatif, elle n'est pas là contre son gré. Elle ne traîne pas. Son pas est enthousiaste et elle se place aussi bien en avant qu'en arrière de son compagnon.

Les deux journalistes se remirent à avancer vers le nord en s'enfonçant dans une jungle épaisse où il n'y avait plus la moindre trace de civilisation. Ils s'efforcèrent de ne pas penser aux dangers environnants. Pourtant, ils se sentaient sans cesse épiés. Au-dessus d'eux, très haut au-dessus de la cime des arbres, tournoyaient des vautours, toujours prêts à nettoyer ce qui traînait par là. Après avoir visité des abattoirs où l'homme anéantissait les animaux, il était étrange de se retrouver ici, menacé à son tour. Désormais, le gibier, ce pouvait être eux. L'idée ne rassura guère la jeune fille. Tout en marchant, Lucrèce revit l'image du petit poisson qui demandait à sa mère « qui sont ceux qui sont sortis de l'eau pour marcher sur la terre ». Des angoissés.

Et ceux qui ont entrepris de marcher sur deux pattes ? Selon les paléontologues : des paranos. Ils craignaient de ne pas voir venir le danger d'assez loin.

— Croyez-vous que ce soient les angoissés qui font évoluer le monde ? demanda soudain Lucrèce.

— Probablement, répondit Isidore. Les gens satisfaits du système dans lequel ils vivent n'ont aucune raison de le remettre en question. Donc aucune raison d'évoluer...

Il marchait gaillardement, utilisant sa machette pour dégager le chemin.

— La marche bipède elle-même est révélatrice, fit-il. On se place en déséquilibre sur une jambe et il faut vite se rattraper au dernier moment avec l'autre jambe. Pour cheminer ainsi, il est nécessaire de prendre en permanence le risque de tomber. Le seul fait de marcher dans cette position montre que l'homme est prêt à prendre des risques pour avancer.

— C'est vrai que c'est extrêmement précaire comme mode de locomotion. Je n'y avais jamais réfléchi.

Lucrèce Nemrod faillit effectivement trébucher.

— C'est peut-être parce que vous n'y avez jamais réfléchi que vous n'êtes jamais tombée.

Autour d'eux, la forêt se faisait de plus en plus dense et de plus en plus hostile.

— Récapitulons les hypothèses, dit la jeune journaliste. Quel est cet être qui nous nargue ?

« Soit un singe dompté par le Dr Van Lisbeth.

« Soit un singe apprivoisé par le Pr Conrad.

« Soit l'astronome Sanderson qui se serait servi d'hommes de main pour venger la perte de son ouïe.

« Soit un écologiste en guerre contre les savants.

« Soit Sophie Eluant qui a fait semblant d'être kidnappée par Ange Rinzouli déguisé en primate.

« Mais dans ce cas, pourquoi donc est-elle revenue en Afrique ?

— Le chef masai vous l'a dit. Pour détruire définitivement les preuves et enterrer les découvertes de son ex-mari, rétorqua Isidore Katzenberg.

Il proposa de s'arrêter. La nuit commençait à tomber et il valait mieux éviter de s'égarer ou de se mettre en danger en poursuivant leur chemin dans l'obscurité. Avant que les ténèbres n'envahissent tout, ils montèrent une grande tente. Dans la tiédeur de leur abri, ils se blottirent dans leurs sacs de couchage et dévorèrent des rations alimentaires à la lueur d'une lampe-tempête à essence.

Puis Isidore souffla la flamme et dit « bonne nuit » à sa compagne.

C'est à ce moment que surgirent dans la tente deux gueules de fusil dirigées vers leurs visages.

— Haut les mains ! dit une voix rauque.

21. DES GENS COMME EUX

Les ennemis sont là. Ils les ont repérés durant leur sommeil et ils cernent leur abri de fortune. Ceux de la horde sortent pour les voir. Cette fois, il ne s'agit pas de babouins.

Eux aussi se tiennent debout sur les deux pattes arrière. Même port de tête, même regard, même nombre.

Le chef de horde s'avance vers l'autre chef de horde. Comme à son habitude, il commence ses gestes d'intimidation. Mais le chef de la horde d'en face ne bronche pas. Bizarre, autour de lui, ses mâles dominants restent tout aussi tranquilles et ses femelles ne crient pas.

IL est inquiet. Le chef de sa horde n'économise

pas ses grimaces et ses grincements de dents. Il crie, frappe la terre, montre les dents. L'autre le regarde, presque amusé par tout ce tintamarre. Derrière, les femelles de sa horde en rajoutent en cris et pantomimes divers. Peut-être que tous ensemble ils arriveront à une intimidation de meilleure qualité.

Le chef adverse demeure silencieux et observe attentivement.

Les deux hordes se ressemblent. Si ce n'est que les autres semblent plus calmes.

Le chef de sa horde sait qu'il ne faut plus attendre, il choisit l'agression. Il vient taper le sommet de la tête de son rival pour lui faire comprendre qu'il doit la baisser devant lui.

Le chef adverse la baisse, mais non en signe d'allégeance, juste pour saisir une branche sur le sol. Il l'empoigne fermement dans sa main droite. Tout semble se dérouler au ralenti.

Voyant l'autre baisser la tête, le chef de sa horde relâche un peu son attention. Comme poursuivant son élan, le chef adverse soulève la branche mais, au lieu de la briser sur son genou pour faire du bruit, il en fracasse le crâne de son vis-à-vis d'un coup précis. Le chef de IL paraît un instant demeurer hésitant, comme outré qu'on ose commettre un tel acte, puis il s'abat en arrière, raide mort.

Le chef adverse considère le morceau de bois, le cadavre ennemi et se dit qu'aujourd'hui il vient de se livrer à une expérience intéressante qui devrait faire avancer les sciences et les technologies de son époque.

La première femelle se précipite pour venger son mâle. Le chef ennemi relève de nouveau son bout de bois et frappe de la même manière la tête de la furie.

Morte.

La massue, c'est rudement efficace.

Dans les deux camps, il y a un mouvement de recul. Comme si tous découvraient soudain que le chef ennemi a le pouvoir de déclencher la mort.

IL a un pressentiment. La sensation terrible d'être dépassé par quelque chose de plus fort. IL prend conscience d'un coup que sa horde est en retard.

A un signal, tous ceux de la horde adverse foncent pour tuer les siens en utilisant des morceaux de bois comme leur chef. Affolement. Ils fuient. Ceux de la horde adverse les poursuivent et en tuent un bon nombre.

Quelques femelles sont capturées. Elles sont mises de côté pour servir dans les harems du chef et des autres mâles dominants. C'est ainsi que sont un peu brassés les gènes de la horde avec des gènes étrangers. Intuitivement, le chef adverse sent qu'il faut cet apport pour enrichir la descendance.

En plus du concept de massue, le chef ennemi vient d'inventer celui de « prisonnière de guerre ».

22. SOPHIE ÉLUANT

Ils levèrent les mains.

Une torche les éclaira. Ils cillèrent, éblouis, puis, derrière les canons des fusils, ils découvrirent d'abord une femme de belle prestance, vêtue d'une saharienne de bonne coupe, d'un pantalon de brousse et de hautes bottes de cuir fauve. Elle avait un visage aristocratique : nez aquilin, petite fossette au menton et regard bleu plutôt dur. Sophie Eluant.

L'homme trapu à ses côtés était sans doute le fameux Ange Rinzouli. Deux petits yeux malins, des arcades sourcilières proéminentes, des pommettes hautes.

Les deux couples se dévisagèrent avec méfiance.

— Ce sont eux ? interrogea la femme en saharienne.

— Oui, répondit son compagnon. Je les ai repérés tout à l'heure tandis qu'ils effectuaient leur descente. Ils nous suivent, c'est certain.

— Qui sont-ils ? interrogea-t-elle encore en s'avançant dans la tente.

— Nous allons le leur demander très poliment. Mais pour l'instant, je crois plus prudent de les attacher pour éviter qu'ils ne s'échappent. Commençons par la jeune fille.

L'acteur s'approcha avec insouciance de Lucrèce Nemrod.

Mal lui en prit. Dès qu'il fut assez près, l'ex-pensionnaire de l'orphelinat lui décocha un brutal coup de genou dans l'entrejambe en même temps qu'une manchette sur les clavicules. Déjà, elle s'était emparée de son fusil par le canon et le balançait de toutes ses forces dans les genoux de l'homme. Sophie Eluant brandit son arme mais, d'un très adroit coup du bout du pied, Lucrèce la lui fit choir. Elle attrapa ensuite son assaillante par les cheveux et tira dessus à pleines poignées. Ce faisant, elle n'aperçut pas l'acteur remis de sa surprise qui revenait sur elle par-derrière et lui saisissait les poignets. Désarçonnée, Lucrèce lâcha prise et, bientôt, les deux agresseurs furent sur elle tandis qu'Isidore Katzenberg, se désintéressant de ce soudain déchaînement de violence, se glissait hors de sa housse pour allumer leur petit réchaud de camping et préparer un peu de thé.

Evitant de justesse un poing égaré qui cherchait son menton, il ouvrit la bonbonne de gaz, craqua une allumette et, après avoir soigneusement sélectionné un thé de Darjeeling dans son sac à dos, le laissa un peu infuser dans une thermos. Derrière lui, la situation avait tourné au net désavantage de

Lucrèce maintenant ligotée à même le tapis de sol. Isidore Katzenberg haussa ses larges épaules et vérifia la couleur du liquide dans son récipient.

— Quand vous aurez fini de vous amuser, nous pourrons discuter, dit-il. Je vous ai préparé du thé.

Ange Rinzouli se jeta sur lui pour le ficeler à son tour. Isidore se garda bien de lui résister mais son corps était si énorme que son assaillant ne parvenait pas malgré ses efforts à ramener en arrière ses mains pour les lui ligoter.

— Quels gamins vous faites, quand même, soupira le gros journaliste.

D'une simple secousse du poignet, il se débarrassa de l'acteur.

Mais Ange Rinzouli avait récupéré son fusil et ne renonçait pas.

— Si vous croyez m'effrayer avec vos joujoux..., marmonna Isidore Katzenberg en lui tendant une timbale d'un thé qui fleurait bon les senteurs orientales.

— Vous savez que d'un simple mouvement de mon index je pourrais vous tuer ? gronda Ange Rinzouli.

Le gros journaliste le fixa intensément, droit dans les yeux.

— Et vous, vous savez que, sans faire le moindre mouvement, je pourrais me laisser tuer ? dit-il en commençant à siroter son thé avant qu'il ne refroidisse.

La repartie étrange étonna l'acteur qui baissa son fusil.

Lucrèce ligotée se débattait toujours.

— Que faites-vous ici ? demanda la charcutière.

— Libérez mon associée et je vous le confierai volontiers.

Ange et Sophie hésitèrent. Ils avaient les fusils, certes, mais ils avaient eu trop de mal à mettre cette furie hors d'état de nuire pour la délivrer si facilement. Néanmoins, ils étaient troublés par la sérénité de ce gros bonhomme en train de siroter paisiblement son breuvage.

Tant d'insouciance énerva l'acteur.

— Je vais le..., marmonna-t-il.

Déjà, Sophie Eluant commençait à délier Lucrèce Nemrod.

— Ne vous y trompez pas, conseilla-t-elle rudement. Si vous ne vous tenez pas tranquille, je n'hésiterai pas à vous abattre.

Il y eut un instant de flottement sous la tente et puis, comme Isidore Katzenberg s'obstinait à leur présenter ses gobelets chauds en même temps que des cookies aux raisins secs, tous finirent par accepter. Ils improvisèrent un petit goûter, assis en tailleur sur les sacs de couchage.

— Un sucre, deux ? demanda négligemment Isidore Katzenberg.

— Non merci, pas de sucre, répondit Sophie Eluant, soucieuse de sa ligne même au fin fond de la jungle.

— J'ai aussi des sucrettes, poursuivit galamment le journaliste.

— Va pour une sucrette, alors.

La scène était si surréaliste que les intrus ne savaient plus comment réagir.

— Bonjour, dit Isidore, tendant une main ouverte. Notre rencontre a été si impromptue que nous avons omis de nous présenter. Je suis Isidore Katzenberg et mon amie se nomme Lucrèce Nemrod. Nous sommes tous deux journalistes scientifiques au *Guetteur moderne* et nous enquêtons sur deux sujets : la mort de votre ex-époux, madame, et les origines de l'humanité.

Lucrèce, à peine libérée, était encore prête à la bagarre. Elle ne comprenait pas le flegme de son collègue.

Ange Rinzouli considérait lui aussi que tout ceci n'était pas normal. Il y a un minimum de règles protocolaires à respecter dans les rencontres entre antagonistes humains. Un, on ne boit pas le thé avec l'ennemi. Deux, on ne discute pas avec lui. Trois, on tente de lui arracher des informations par la menace, voire la violence, pas avec du thé.

L'acteur ne put contenir son sentiment :

— Ce n'est pas comme cela que ça doit se passer. Ce n'est pas... la tradition.

Isidore Katzenberg s'efforça de le réconforter.

— Quoi, le *tea time* ? Ah non, vous voulez parler de notre absence de bataille. Bahh... les traditions peuvent évoluer. C'est simplement une question d'éducation, comme disait un ami masai. Vous avez été mal élevé, c'est tout. En général, les gens violents sont simplement des personnes auxquelles on n'a pas appris d'autres façons de se faire comprendre. Le cérémonial du thé, en revanche, me semble plus propice à un échange d'informations. Il est assez fort pour vous ? s'inquiéta-t-il.

Lucrèce Nemrod s'agaça.

— On ne va pas rester là à parler de thé toute la nuit, quand même.

Elle se tourna vers Sophie Eluant.

— Bon, on était là dans votre usine quand on vous a vue vous faire enlever par un singe. Que s'est-il passé au juste ?

Sophie Eluant ouvrit la bouche pour répondre mais Isidore Katzenberg intervint à sa place :

— Mais ça a été un très authentique rapt, chère Lucrèce. Simplement, une fois arrivé en Afrique, Ange Rinzouli a expliqué à Madame les raisons de son acte et l'a convaincue de poursuivre de son plein gré son voyage avec lui.

— En effet, je...

Mais Isidore Katzenberg n'était pas prêt à laisser la parole à la charcutière.

— Ange a sans doute révélé être en possession du plan situant l'endroit où se trouvent les preuves de l'ultime théorie du Pr Adjemian et cela a suffi à vous persuader de le suivre, n'est-ce pas, madame ?

— D'accord, mais quelle était donc la théorie du Pr Adjemian ? s'écria Lucrèce, excédée.

— Top secret, assena Ange Rinzouli comme s'il redoutait que sa compagne ne se laisse soudain aller à trop parler.

Il y eut un bref silence pendant lequel toutes les rumeurs de la jungle envahirent leur fragile abri.

— Très bien, alors de quoi êtes-vous disposé à « discuter » ? s'emporta Lucrèce qui aurait préféré mener tout ça à coups de gifles et de menaces.

— Pourquoi pas des opinions de nos invités sur les origines de l'homme ? suggéra Isidore, toujours aussi serein.

Il avait dit ça comme s'il s'agissait de lancer un concours d'histoires drôles. La méfiance était dans tous les regards sauf dans le sien. Lui n'arrêtait pas de manger et semblait très amusé par la situation.

23. APRÈS LA DÉFAITE

Ils courent jusqu'à ce qu'il n'y ait plus d'adversaires derrière eux.

Puis ils s'arrêtent, essoufflés.

Les survivants se réunissent dans une clairière pour faire le point.

Après la défaite, tous ont peur. Plus de chef. Plus de jolies femelles. Plus d'espoir. Ils essaient pourtant d'analyser les causes de la défaite et peut-être de trouver les coupables.

Ils pensent qu'ils ont perdu parce qu'ils n'étaient pas assez nombreux. Mais IL sait que c'est faux. Ils ont perdu parce que les temps ont changé. Maintenant, on vit dans un monde où l'intimidation perd de son importance. On ne discute plus, on frappe, on tue.

Des cris dans la horde. Ce sont les dernières femelles qui restent parce que, trop vieilles, trop laides ou trop malodorantes, elles n'ont pas été kidnappées avec les autres. Elles rappellent qu'on doit élire le nouveau chef.

C'est une bonne diversion. Ils sont prêts à faire n'importe quoi pour oublier la défaite.

L'élection va se faire à la manière habituelle. Tous les mâles dominants doivent se battre et celui qui aura le dessus sera spontanément élu chef de horde par l'ensemble de la communauté.

IL ne peut s'y soustraire. Les duels se déroulent aussitôt, sans le moindre préliminaire.

Tous les mâles se sautent dessus comme si, après la guerre perdue, les survivants n'avaient rien trouvé de mieux que de s'entre-tuer. IL se bagarre sans conviction et cède face à un jeune ambitieux aux canines longues.

C'est à ce moment que trois mâles qu'on croyait morts dans la bataille arrivent avec trois femelles ennemies prisonnières sur leurs épaules. Comment ont-ils réussi ce coup-là ?

Ils expliquent que, dans la confusion du combat, ils ont préféré se cacher. Quand ils ont vu l'ennemi ravir leurs plus belles et leurs plus jeunes femelles, ils ont aussitôt réfléchi. Ils ne voulaient pas rester qu'avec les vieilles et les laides. Il y a des limites à l'insoutenable. Alors, ils ont discrètement enlevé ces trois-là.

Bon réflexe.

Transies de peur, les femelles prisonnières n'osent pas bouger. Pourquoi ne fuient-elles pas ? Est-ce par peur de leur horde ? Non. IL connaît la réponse. Par peur de la solitude. Elles préfèrent vivre soumises et humiliées dans la horde ennemie que d'errer seules dans la nature.

Certains proposent qu'on les tue tout de suite et

qu'on les mange pour fêter l'élection du nouveau chef de horde et se venger de l'affront de la défaite. Mais le mâle dominant qui vient d'être élu nouveau chef les trouve à son goût. Il décrète que ce sont ses femelles. Il y a des cris de protestation exigeant de manger les ennemies. Certains affirment que si l'autre horde les a battus, c'est forcément parce qu'ils sont plus intelligents et que donc, si on veut égaler leur intelligence, il faut manger le cerveau des prisonnières.

Ces cris-là sont d'ailleurs poussés essentiellement par les vieilles et laides femelles de la horde, inquiètes de cette concurrence soudaine et déloyale.

Mais le nouveau chef fait comprendre que la horde ne peut se pérenniser sans jeunes femelles fécondes. Tous comprennent que les femelles vieilles et laides sont pour les mâles inférieurs et ces trois beautés étrangères pour lui.

Le chef de horde fait signe qu'il ne veut plus débattre de cette affaire et qu'il faut maintenant que tous se mettent à la recherche de nourriture.

Satisfaites de rester vivantes, les prisonnières adoptent les positions de soumission. Elles tendent leurs pattes en avant pour que le chef de horde puisse les mordre s'il le souhaite. Il les passe toutes les trois en revue et leur tape sur la main pour montrer qu'il accepte leur soumission. Les trois femelles gardent la tête baissée. Mais l'une relève suffisamment le front pour qu'on puisse distinguer ses yeux.

C'est à ce moment que pour la première fois IL croise le regard de ELLE.

24. ENCORE UNE NOUVELLE THÉORIE

La théorie d'Ange Rinzouli sur les origines de l'humanité était assez originale.

— Selon moi, tout part du sexe. En se tenant debout les primates bipèdes se montraient leurs sexes. Chez tous les animaux les sexes sont cachés. Regardez les singes. Chez les femelles ce sont les fesses qui sont écarlates, pas le devant. Chez les chimpanzés mâles tout comme chez les chiens, il faudrait se placer en dessous pour distinguer l'appendice reproducteur.

« Mais notre ancêtre ayant commencé à se dresser de temps en temps sur ses deux pattes arrière, le fait d'être debout a créé une situation nouvelle. Il se présentait de face. Cela a d'abord dû entraîner une gêne. Puis l'invention d'un langage pour expliquer. Puis l'invention de nouveaux sentiments. »

Même si elle émanait d'un acteur de série Z, l'hypothèse était intéressante et méritait d'être consignée. Lucrèce chercha son calepin dans son sac à dos. « THÉORIE DE LA SUPER-SEXUALITÉ », inscrivit-elle.

— La station debout, poursuivit Ange Rinzouli, a entraîné l'amour de face, position unique.

— Que nous partageons quand même avec deux animaux : les dauphins et les singes bonobos, compléta Isidore Katzenberg.

— En tout cas, en s'aimant de face, on voit le regard de l'autre pendant l'acte. Ainsi est née une notion nouvelle : l'érotisme.

Sophie Eluant semblait amusée par cette théorie peu orthodoxe. L'acteur se laissa aller.

— Le comble de l'érotisme, c'est jouir du regard de l'autre au moment de l'extase. Il n'existe rien de plus beau et c'est d'ailleurs de ce regard qu'est née la notion de beauté. Est beau ce qui ressemble au regard de l'autre à l'instant où on lui offre le plaisir. Avec la station debout, de surcroît, les seins sont devenus zone érotique. Auparavant, chez les animaux quadrupèdes, nul ne prêtait attention aux mamelles, utilisées uniquement pour allaiter les petits. Mais, debout et de face, les seins se sont transformés en un élément de féminité, d'attraction, d'érotisme. Le fait qu'ils soient dressés ou non apportait une information sur le désir de l'autre. Simultanément, le sexe féminin, dont en position verticale on n'apercevait plus les contours et les changements de couleur, a perdu de son importance attractive. La découverte des seins comme facteurs d'érotisme a dû provoquer une telle émotion chez nos ancêtres qu'elle a incité les gens à concevoir des vêtements pour recouvrir ces appâts et atténuer la puissance de leur message.

Isidore Katzenberg sourit.

— L'homme serait un animal gêné par l'exhibition du sexe que procure la position verticale, c'est une théorie qui au moins a le mérite d'être nouvelle...

— Sans parler, ajouta Sophie Eluant, que les femelles pouvaient elles aussi repérer de loin la qualité et l'intensité du désir de leur partenaire. Debout on ne peut plus rien cacher.

— Ils ont dû inventer un langage pour expliquer ce qui se passait, tout cet intérêt sexuel, ce regard ont dû être traumatisants.

— Naissance de la politesse, suggéra Lucrèce Nemrod.

— Naissance de l'hypocrisie, compléta Sophie Eluant.

— Naissance de la poésie, ajouta Isidore Katzenberg.

— Naissance de la pudeur, en tout cas ! conclut Ange Rinzouli. Car le désir des femelles devait être plus difficile à assouvir que celui des hommes.

Tous rirent de bon cœur, surtout Sophie et

Lucrèce, qui semblaient se rappeler que, par pudeur, elles s'étaient souvent retenues d'en redemander à leur partenaire de jeux érotiques.

Ange Rinzouli continua :

— Cette vision de face du désir de l'autre a constitué un bouleversement profond. Nos ancêtres lointains se sont passionnés tout à coup pour la sexualité et non pas seulement pour la reproduction. A mon avis, les premiers primates adoptant la position verticale devaient baiser à tout va. N'importe comment, avec n'importe qui. Ils devaient être obsédés, partouzards, incestueux. L'homme serait selon moi né d'un inceste entre une mère primate et son fils. Ou entre un père et sa fille.

— L'inceste ? s'étonna Lucrèce, faisant la grimace. Mais c'est une dégénérescence !

— Parfaitement, l'inceste aurait entraîné une sorte de dégénérescence congénitale : « l'humanité ».

— Ce que vous êtes en train de dire c'est que l'homme est un singe « mongolien » issu d'une copulation contre nature, déduisit Lucrèce Nemrod en prenant des notes à toute vitesse.

— Absolument. C'est pour cela que dans tant de mythes anciens on retrouve des enfants demidieux issus uniquement d'un père ou d'une mère « vierge ». Selon moi, le fait de manger la pomme dans la Bible est une métaphore de l'acte sexuel interdit. Ensuite, on a inventé les tabous pour cacher le secret des origines.

Il y eut un silence où chacun digéra la drôle de théorie et ses étranges implications.

— La sexualité, voilà le secret de l'évolution, martela Ange Rinzouli. Il faut que tout le monde fasse l'amour avec tout le monde pour mieux brasser les gènes et multiplier le nombre des combinaisons possibles.

Il lança un coup d'œil en direction des petits

seins fermes et pommés de Lucrèce Nemrod et expliqua :

— C'est pour cela que je suis un adversaire convaincu de l'eugénisme. Les ratés, les handicapés graves, ceux que nous prenons pour des brouillons d'humains ou des malades sont peut-être des humains mutants. Moi, dans les cirques, j'ai rencontré des êtres formidables que pourtant les gens de la rue considéraient comme autant de phénomènes de foire : des nains, des géants, des phocomèles, des gens atteints d'éléphantiasis... Pourtant ce sont peut-être eux les représentants d'une nouvelle humanité. Avec les progrès de la médecine, tous les parents veulent maintenant des enfants beaux, en bonne santé, intelligents... et sans le moindre intérêt particulier. On veut faire avec les humains ce qu'on a accompli déjà avec le maïs, les vaches et les poulets : sélectionner les meilleurs éléments et les cloner. Cependant, ils sont tous si semblables dans leur perfection que, lorsqu'une maladie survient, elle les détruit tous en même temps, alors que certains êtres imparfaits auraient peut-être développé un système de défense original.

L'acteur était maintenant déchaîné.

— Croyez-moi, conclut-il avec force, le monde sera sauvé par les monstres et les idiots de village.

Lucrèce Nemrod se surprit à considérer avec sympathie l'homme aux allures simiesques qui lui avait tant déplu de prime abord. La sexualité était peut-être la plus sympathique des théories qu'elle avait consignées jusqu'ici.

Tacitement, la paix s'était faite. Les deux couples de voyageurs s'accordèrent pour reprendre ensemble la route le lendemain.

Sophie Eluant et Ange Rinzouli plantèrent leur tente à côté de celle des journalistes.

Inconsciemment, durant son sommeil, Lucrèce Nemrod vint se pelotonner contre le ventre confortable d'Isidore Katzenberg. Il s'émut un peu de la proximité du tout petit brin de fille aux délicats effluves de caramel. Il caressa doucement la magnifique tignasse rousse et s'endormit en souriant.

25. AH, LES FEMELLES !

IL cherche dans les fourrés quelque chose à manger. IL trouve une tortue mais celle-ci rentre aussitôt sa tête dans son corps. Agaçant, cette nourriture trop bien protégée par son emballage.

IL secoue la tortue. IL veut venir à bout de ce casse-tête. Une main douce se pose sur son épaule. Elle appartient à l'une des trois femelles ennemies prisonnières.

ELLE.

ELLE saisit la tortue avec sa main droite, s'empare d'un bout de bois avec sa main gauche puis enfonce le morceau de bois dans la carapace jusqu'à ce que la tortue sorte la tête. Alors, d'un claquement d'incisives, elle lui mange le museau.

Admiratif, IL observe l'opération. C'est donc ainsi qu'on vient à bout des carapaces. Pour cette leçon, il remercie la femelle d'une grimace signifiant qu'en échange il est prêt à fouiller sa fourrure pour une séance d'épouillage.

Elle accepte. C'est la séance d'épouillage la plus romantique qu'IL ait jamais vécue. D'abord parce qu'il trouve dans la toison toutes sortes de larves et de tiques intéressantes qui craquent sous la langue. Ensuite parce que, au fur et à mesure qu'il la nettoie, il sent la femelle émettre des odeurs hormonales qu'il connaît bien. En même temps, ses fesses gonflent et rosissent, l'invitant à une saillie farouche.

Cependant, quand désireux de lui complaire IL veut l'emboîter par-derrière, ELLE se dérobe et se refuse. IL ne comprend pas. IL fait tournoyer son sexe pour montrer à la dame la chance qu'elle a de le rencontrer. Mais celle-ci, malgré ses fesses désormais orange qui révèlent ses sentiments, ne prend aucunement la position du coït. IL est sidéré par tant d'outrecuidance.

Elle est prisonnière. Elle est étrangère. Et ELLE le snobe !

Pourtant, loin de le rebuter, cette attitude l'intrigue. IL la tire par le bras, elle le repousse tout en agitant tout près de son visage ses fesses écarlates. IL s'apprête à lui sauter dessus pour la prendre, bon gré mal gré, quand une femelle de sa horde surgit. C'est « celle qui a des tétons clairs ». Elle veut frapper sa concurrente plus séduisante mais IL se met en travers pour la protéger.

Même s'il est plutôt maladroit pour se défendre lui-même, IL se bat bien pour défendre la femelle qui l'a si plaisamment nourri. « Celle qui a des tétons clairs » part à la recherche du nouveau chef de horde pour lui signaler qu'un mâle dominant lui a piqué l'une de ses femelles attitrées.

Mais le chef de horde étant lui-même occupé à honorer une autre de ces belles prisonnières étrangères refuse de s'arrêter pour accourir punir le délinquant. Les crimes de lèse-majesté peuvent bien attendre le temps de terminer une copulation. Dépitée, la femelle aux tétons clairs s'en va menacer un mâle de lui crier dans les oreilles s'il ne l'honore pas sur-le-champ.

Là-bas, IL et ELLE sont tranquilles pour quelques instants.

Ils se mettent debout. Leurs regards plongent l'un dans l'autre. ELLE ne cille pas. Jamais, IL n'a connu une telle sensation. Il n'ose baisser les yeux, mais il sait qu'elle peut voir son sexe comme lui peut voir ses tétons.

IL frissonne de peur et d'excitation.

ELLE s'approche de lui et, sans le quitter du regard, lui touche le sexe comme pour vérifier de manière tactile ce qui se voit d'un simple coup d'œil. Elle le sent. Sourit. Puis elle lui prend sa main et la pose contre son propre sexe.

Quelle drôle de manière d'utiliser les mains ! Décidément cette horde rivale a des comportements complètement exotiques.

Ils se caressent mutuellement comme si cela faisait partie de l'acte.

IL est conscient d'apprendre quelque chose.

Puis, alors qu'elle semble satisfaite de leurs caresses mutuelles, ELLE se rapproche de lui, de face, et colle son bassin contre le sien.

IL veut la disposer à quatre pattes, mais une fois encore elle insiste pour qu'ils restent face à face. IL ne comprend pas. Pourquoi l'exciter autant si c'est pour l'empêcher de saillir !

Un idée étonnante lui traverse l'esprit. Elle veut une saillie AVANT. Il en a maintenant la conviction : ELLE veut faire l'amour... DE FACE !

26. LES GARDIENS DU SANCTUAIRE

Ange Rinzouli annonça qu'ils étaient maintenant parvenus dans le périmètre indiqué sur sa carte. En face d'eux se dressaient deux petites collines escarpées avec, au centre, une cuvette recouverte d'une jungle touffue.

Ils descendirent dans cette vallée.

Le sol était creusé de dénivelés étranges, créés sans doute par l'avènement du Rift. Ils traversèrent des gorges inattendues, des renfoncements soudains, des pentes inopinées. Au milieu de la cuvette, ils découvrirent une clairière creusée d'un petit cratère. L'endroit était anormalement silencieux. Ils s'arrêtèrent.

— Je sens que c'est là ! annonça Sophie Eluant avec exaltation à ses compagnons.

Elle n'avait pas accompli deux enjambées qu'un projectile partit des hauteurs.

Une mangue verte.

Le fruit frappa la femme à la tempe si précisément et si vigoureusement qu'elle trébucha et tomba en arrière. Les trois autres humains voulurent se précipiter à son secours, mais une pluie drue de mangues vertes, dures comme des pierres, s'abattit aussitôt sur eux. Quand ils parvinrent enfin à s'approcher du corps, il ne bougeait plus.

Isidore Katzenberg chercha son pouls. Il n'en revenait pas.

— Elle est... morte...

Tout autour de la clairière, des rires de crécelle fusèrent des cimes des arbres. Les petits êtres à l'origine de l'agression les narguaient dans leurs branches.

Ange Rinzouli avait déjà sorti son fusil. Il en atteignit un qui chuta avec un bruit mat, mais déjà les autres s'étaient éparpillés dans la forêt et il eut beau tirer dans toutes les directions, il ne parvint qu'à épuiser une partie de ses munitions.

Ils enterrèrent Sophie Eluant à même le sol meuble.

— Et maintenant, que faire ? demanda Lucrèce Nemrod, après un long recueillement.

A l'aide d'une paire de jumelles, l'acteur observait attentivement les alentours, redoutant les assaillants dans les ramures.

— Ouistiti ? questionna la jeune fille en plissant les yeux pour mieux voir.

— Non. Galago. Des lémuriens qui n'en sont pas moins des cousins de l'*homo sapiens*. Rien que la détermination avec laquelle ils sont capables de tuer des intrus prouve bien leur parenté avec nous.

Ils se passèrent les jumelles et distinguèrent dans les arbres toute une frise de lémuriens suspendus aux branches les plus fines. Leurs visages recouverts de longs poils blancs leur donnaient des allures de vieillards lilliputiens et narquois.

Leur queue était plus longue que leur corps. Le pelage était gris clair ou brun argenté, le contour des yeux et le museau étaient plus foncés. Tous brandissaient des mangues, prêts à bombarder les étrangers.

— Nous sommes certes des intrus sur leur territoire, mais, dans toutes mes pérégrinations dans la forêt, jamais je n'ai rencontré de galagos si agressifs, s'inquiéta Ange Rinzouli.

— Ils veulent nous empêcher de pénétrer dans la clairière et de voir ce qu'il y a là-bas, constata Lucrèce Nemrod en désignant le cratère du menton.

— Etonnant, remarqua Ange Rinzouli. Ils défendent très exactement le point souligné sur la carte d'Adjemian!

— Les gardiens du sanctuaire..., murmura Isidore Katzenberg.

27. ELLE

IL et ELLE courent se cacher dans les branches hautes. Ils font l'amour de face dans des équilibres instables. Les branches craquent. Les feuilles s'agitent. Après la jouissance, ils ébauchent les prémices du rire. Ils sont conscients de s'être livrés à quelque chose de nouveau.

Ils redescendent. Sautent. Jouent.

Refont l'amour.

Normalement, la saillie d'un mâle dure quelques minutes à peine mais lui, par une perversion encore inédite, se plaît à essayer de la faire durer plus longtemps. Ce qui agace ELLE, puis l'amuse. Ils ont l'impression d'être les premiers à faire ça.

Comme ELLE persiste à se tenir debout, IL ne peut même pas voir si elle est en chaleur. Tout ce qu'il en voit, c'est sa poitrine.

Avant, se dit IL, la zone attirante, c'était le sexe parce qu'on l'apercevait bien turgescent par l'arrière lorsque la femelle était à quatre pattes, mais quand elle se tient debout, seuls ses tétons durcis signalent sa demande. Est-ce une évolution ?

Ils refont l'amour. A s'en rendre ivres.

IL comprend que toutes les femelles sont insatiables. La notion de pudeur n'a pas encore été inventée pour les réfréner.

Après la cinquième saillie, se sentant un peu fatigués, ils gambadent dans les broussailles. Ils effraient des grenouilles dans une flaque. Ensemble ils attaquent une ruche et ELLE lui confie le secret de la capture du miel. Il est possible de récupérer le miel en s'emparant de la ruche tout entière pour la jeter rapidement dans une flaque d'eau. Mais il faut se dépêcher, sinon les abeilles ont le temps de se rebiffer.

En échange, IL lui confie le secret de la dégustation des termites. Il suffit d'enfoncer un bâton dans le trou et d'en ramener une brochette recouverte de soldats. Il n'y a plus alors qu'à sucer le bâton.

Dans la horde, leur bonheur trop visible énerve. Eux s'en fichent.

Après la sixième saillie, ELLE lui frotte le nez. IL se sent pour la première fois lié à un autre être. IL a envie de lui faire un truc étrange. IL lui touche la bouche avec sa bouche. ELLE recule, dégoûtée, et lui propose de nouveau son sexe pour faire l'amour « normalement ». IL insiste. Les fourmis le font bien. Les fourmis se touchent la bouche et régurgitent même de la nourriture. IL lui fait comprendre qu'il l'a observé. ELLE se laisse embrasser sur la bouche, mais refuse qu'il lui régurgite de la nourriture. A la limite, tant qu'il a sa bouche près de la sienne, elle lui propose de la débarrasser des puces qu'elle a autour des lèvres.

A ce moment, surgit le nouveau chef de horde. Le regard que lui décoche le chef est sans équivoque. Il fait comprendre à IL que, maintenant, il a suffisamment nargué le groupe. Il y a des plaintes. On a le droit d'être heureux, mais pas à ce point et pas de manière aussi visible. Leur idylle est un frein au bon fonctionnement de la horde. Elle crée une tension sociale.

De plus, le nouveau chef de horde n'aime pas leurs contacts buccaux. Ça a l'air sale. Il n'aime pas non plus ces longues pertes de temps, ces jeux qui précèdent leurs accouplements. Il n'aime pas les voir faire l'amour de face.

Le nouveau chef de horde se fait menaçant.

IL montre ses incisives en relevant les babines et hausse le cou pour faire comprendre à son chef que sa vie privée ne le regarde pas. Le chef de horde hésite à se battre puis, soudain, se désintéresse et secoue la tête comme pour dire « après tout, ils font ce qu'ils veulent ».

C'est peut-être sa première décision sage en tant que nouveau chef de horde. Intuitivement, il a compris quelque chose d'important. Il le sait, il le sent, il en est sûr. Il n'a pas besoin de sévir sur-le-champ. Il peut attendre, il a le temps. Ce qu'il vient de comprendre se résume à une idée : « De toute façon, les histoires d'amour finissent mal, en général. »

28. DIPLOMATIE

Comment approcher de cette zone si bien défendue par les galagos ?

Lucrèce Nemrod se détacha de ses compagnons et, déterminée, pénétra dans la clairière. Elle s'avança à pas lents, guettant anxieusement le premier signe de lapidation. Les lémuriens l'observèrent avec attention, surpris de voir un humain se déplacer aussi lentement sur leur territoire.

Ils poussèrent des cris stridents pour l'effrayer, mais Lucrèce Nemrod resta concentrée sur son objectif et continua lentement son chemin sans même les regarder.

Quand elle ne fut plus qu'à trois mètres du cratère, un sifflement strident déchira l'air, brusque comme si une mini-météorite traversait subitement les cieux. La jeune fille reçut le projectile en plein ventre et tomba. Les galagos déclenchèrent une nouvelle pluie de mangues. Lucrèce regagna tant bien que mal la lisière de la clairière en rampant à même le sol. Elle se releva en s'époussetant.

— Je ne vois qu'une solution, dit-elle froidement. Retourner au village le plus proche, faire le plein de munitions et tirer en rafales sur les branches afin de les tuer tous autant qu'ils sont.

Ange Rinzouli rétorqua que les galagos étaient trop nombreux pour qu'ils puissent tous les détruire. Il en devinait plusieurs centaines dissimulés dans les branches et derrière les troncs des arbres.

— Il doit exister une autre solution. Cherchons, dit Isidore Katzenberg.

Ils improvisèrent des boucliers d'écorce pour se protéger mais l'avalanche de projectiles fut telle qu'ils se révélèrent inutiles.

— Se faire damer le pion par des lémuriens et si près du but, c'est un comble ! s'emporta la jeune fille.

— Des lémuriens postés en sentinelles et absolument déterminés à tuer des hommes pour garder leur clairière, rappela l'acteur.

— Il doit bien exister une manière douce pour les convaincre de nous laisser passer, estima le gros journaliste. Mon cher Ange Rinzouli, vous avez vécu dans la jungle. Vous savez donc comment les primates s'y prennent pour faire comprendre aux autres qu'ils arrivent sans intention belliqueuse.

— Isidore a raison. Inversons les rôles. Plutôt que de vouloir toujours contraindre les animaux à apprendre le langage des hommes, tentons, nous humains, de reproduire le leur.

— Surtout qu'il paraît qu'autrefois vous y excelliez, ajouta négligemment Isidore Katzenberg.

L'acteur soupesa les arguments.

— Je ne vous promets rien, mais je peux essayer.

Il plia les genoux, se mit à quatre pattes et avança lentement vers la clairière. Il courba la tête en signe d'acquiescement à la soumission et tourna sur lui-même en poussant des petits geignements plaintifs.

Un petit galago d'environ cinquante centimètres de haut apparut alors. Il observa l'étrange quadrupède de plus près, puis se mit à pousser des piaillements aigus en exhibant des dents fines comme des aiguilles. Il bomba le torse, leva le menton et adopta des postures de guerrier.

— Vous croyez que ça pourrait être ça, notre ancêtre ? Un de ces petits lémuriens ? chuchota Lucrèce Nemrod.

A l'orée de la clairière, Ange Rinzouli poursuivait son manège. Il se tapa sur la tête et mit sa main en avant. Le galago s'approcha prudemment, puis posa sa bouche en travers de la main. Rinzouli ne bougea pas. Alors, lentement, l'animal enfonça ses petites dents acérées dans la chair humaine jusqu'à la transpercer jusqu'au sang. L'homme fit une grimace, mais ne broncha pas.

Tout aussi lentement qu'il les y avait insérées, le primate retira ses incisives pointues de la chair humaine et arbora une expression satisfaite. De la tête, il indiqua qu'il voulait aussi mordre le poignet de l'arrivant.

Dur pour un primate supérieur de se laisser à ce point manquer de respect par un primate inférieur. Mais le métier d'acteur avait eu au moins le mérite d'apprendre à Ange Rinzouli à se soumettre à bien des humiliations. Les producteurs et metteurs en scène de tout poil ne l'avaient jamais épargné.

Après avoir mordu la main, un poignet et un morceau de cuisse, le chef de horde des galagos sembla rassuré et poussa des glapissements. Sentant que son minuscule tourmenteur exigeait d'autres mortifications, Ange Rinzouli tendit à tout hasard son autre main. Mais le lémurien voulait plus.

Partout, autour d'eux, d'autres singes galagos étaient apparus et piaillaient pour manifester leur colère devant un tel manque de savoir-vivre de la part des humains.

Ils voulaient plus, mais quoi ?

Les gestes du chef de horde se firent plus explicites. Rinzouli n'en croyait pas ses yeux : c'était bien une scène de copulation que son vis-à-vis mimait là. Il releva la tête et s'adressa aux journalistes, l'air désolé.

— Je crois bien qu'en fin de compte, votre solution de les abattre tous à l'arme à feu n'était pas si mauvaise...

— Non, dit Isidore Katzenberg. Cet animal réclame simplement une soumission sexuelle.

— Mais je n'en ai guère envie, protesta Ange Rinzouli.

— Faites comme lui. Mimez. Cela devrait lui suffire.

— Ça me semble dégradant. C'est une question de fierté d'humain. Ce n'est qu'un petit animal de rien du tout.

Le galago redoublait de cris stridents, signes d'impatience. Là-haut son public l'encourageait.

— En plus si cela se savait, vous vous imaginez ? Ma carrière serait grillée.

— Allons, Ange, vous savez bien qu'un acteur doit savoir accomplir n'importe quel rôle de composition. Dites-vous que vous tournez une scène parmi d'autres.

— Quand même, je ne suis pas zoophile.

Le galago criaillait de plus belle. La sueur perla au front d'Ange Rinzouli.

— C'est très... humiliant.

— Allons Ange, je suis sûr que dans votre carrière vous avez dû vous faire des actrices pas très jolies. Disons que ce jeune mâle galago est une petite actrice pas très jolie.

— Oui, mais j'étais actif, pas passif.

Tant de récriminations et de marchandages finirent par lasser Lucrèce Nemrod.

— Ça suffit maintenant ! clama-t-elle. Assez de mauvaise volonté. Dites-vous que vous vous sacrifiez pour une noble cause. La science. Le savoir. La vérité sur nos origines.

Ange Rinzouli se résigna. Il s'aplatit, croupe levée, tête baissée, yeux clos. Derrière lui, le chef de horde exhiba un sexe de la taille d'un auriculaire de Pygmée et le frappa de cet appendice. Il mima fièrement la saillie et tous les lémuriens aux alentours poussèrent des cris de victoire devant cette manifestation de triomphe de leur espèce.

— Heureusement, il n'y avait pas de caméra pour filmer ça, se consola l'acteur en se redressant.

Le chef de horde galago recula, donna une dernière tape de son petit sexe sur le front d'Ange Rinzouli puis, assez content de lui, remonta dans les branches commenter avec les siens ses prouesses sur les géants sans poils.

Isidore et Lucrèce profitèrent de cette diversion pour pénétrer hardiment dans la clairière. Ils se penchèrent au-dessus du cratère. Au centre, il y avait un trou. Avec une lampe torche, ils en illuminèrent l'intérieur.

C'était très profond.

29. SA FIN

Son regard est si profond.

Pour IL, ELLE est exceptionnelle.

ELLE est le mystère insondable. ELLE est la douceur amère. ELLE est espiègle et fine. ELLE est enfant et mère. ELLE est la nouveauté et sa cause d'évolution personnelle.

IL plonge dans ses yeux et apprécie. Sa joie de vivre. Sa vivacité d'esprit. Son côté joueur. Aucune des femelles de sa horde ne les possède. IL se dit qu'avec ELLE il pourrait créer une génération différente.

Ils font une dernière fois l'amour ce jour-là. Cette fois-ci cela se passe un peu différemment. C'est assez spectaculaire. Au début, il pense qu'elle souffre, mais affiche-t-on ce sourire quand on a mal ? Puis il pense qu'elle est malade, mais elle lui demande de continuer à la rendre malade. IL essaie de comprendre et comprend. Ça monte, ça monte, ça monte et ça finit en spasme long, profond, intense. Une convulsion. Un orgasme.

IL se dit que ce phénomène doit être une conséquence de la position debout. IL ne peut le comprendre mais la nature a bien fait les choses.

Pour empêcher que les femelles ne se remettent tout de suite debout après le coït, faisant ainsi couler la semence et contraignant les spermatozoïdes à de périlleux travaux d'escalade, les « nouvelles » femelles bipèdes se retrouvent assommées de plaisir après l'acte. Elles sont alors obligées de rester un peu en position couchée, attitude plus propice à la montée des spermatozoïdes vers l'ovule.

L'orgasme féminin est une adaptation à la station verticale.

Un peu écrasée par son plaisir, ELLE demeure allongée à ronronner, jambes levées, et lui en profite pour, toujours plongé en elle, se procurer son propre plaisir. Mais si chez la femelle la montée et la descente des sensations sont lentes, chez lui, la montée est d'habitude rapide. Or cette fois-ci la montée est lente, et beaucoup plus puissante.

Tout son corps est en transe. IL monte, monte, monte. De nouvelles hormones affluent dans ses veines. C'est si surprenant! Tout son dos se hérisse. Sa colonne vertébrale est parcourue de petites décharges nerveuses inconnues.

Un « orgasme masculin ». IL n'avait même pas imaginé que cela puisse exister! Une vague d'électricité l'envahit jusqu'à la moelle. Aujourd'hui, il fait une autre découverte : l'homme peut aussi avoir un orgasme! Ce n'est pas seulement l'éjaculation, c'est autre chose, de plus intense. Au sommet du plaisir, c'est le feu d'artifice dans sa tête puis rideau rouge, rideau orange, rideau blanc. Rideau.

Une dernière décharge d'endorphines le plonge aussitôt dans un sommeil doux et lourd.

Le voyant bien endormi, et ELLE laissée donc momentanément sans protection, trois femelles de la horde décident de saisir cette chance pour en finir avec l'étrangère. A peine s'est-elle relevée du choc de son orgasme pour aller uriner qu'elles l'entourent. La femelle la plus jalouse s'approche. C'est « celle aux tétons clairs ». Elle ne dit rien.

Elle ramasse un bâton et fait semblant de jouer avec. Puis nonchalamment, comme au ralenti, elle lève son arme au-dessus de la tête de ELLE.

ELLE pousse un cri.

IL se réveille en sursaut et fonce.

ELLE est trop loin.

IL court en beuglant. IL veut dire « nooonnnnn ! » mais, comme ce mot n'a pas encore été inventé, il prononce juste « oooooohhhhhhhh ! »

IL court plus vite.

Trop tard. Le coup part et le crâne résonne comme une noix creuse qu'on brise. La femelle aux tétons clairs a frappé exactement avec le geste qui a tué l'ancien chef de horde. Comme pour montrer qu'elle a bien retenu la leçon.

ELLE tombe en arrière, mais elle n'est pas encore morte. ELLE continue de bouger, la tête en sang. Alors, les deux autres femelles approchent à leur tour et, négligemment, comme par mégarde, tapent plusieurs fois sur le crâne de leur victime. Comme pour demander « c'est bien comme ça qu'il faut procéder avec un bâton ? ».

IL pousse un hurlement terrible. Quand il arrive, c'est terminé. Le crâne de ELLE n'est plus qu'une bouillie. Ecœuré, sans parvenir encore à y croire, IL recule, abruti par tant de violence inutile. Les autres femelles arrivent pour constater les dégâts. Certaines trempent leur doigt dans le crâne pour manger des petits morceaux de cervelle afin d'acquérir la séduction de cette femelle qui savait si bien aguicher les mâles. Peut-être même espèrent-elles vivre elles aussi des idylles romantiques...

IL hurle à s'en faire éclater les cordes vocales trop basses dans son larynx pour lui permettre d'articuler les mots de sa douleur. IL emporte le corps abîmé de sa partenaire.

Pourquoi ont-elles fait ça ? Des émotions étranges

le parcourent. IL comprend d'un coup que, pour vivre heureux, ils auraient dû vivre cachés. IL sent une immense émotion monter en lui. La colère. IL pose la dépouille de son amour et s'avance pour tuer la femelle meurtrière. Mais tous les autres la protègent. On lui fait comprendre qu'il y a eu assez de violence comme ça. Ce n'est pas une mort de plus qui va arranger les choses. La horde est déjà suffisamment diminuée.

IL prend un bâton et s'avance quand même. IL veut tuer « celle qui a les tétons clairs ». Mais le nouveau chef de horde intervient. Il lui demande de se calmer. IL grogne. IL a droit à sa vengeance. Le chef de horde le bouscule. IL est outré. Quoi ! ils ne vont pas défendre cette meurtrière !

Le chef de horde ne sait comment le lui dire. La justice est une notion qui n'a pas encore été inventée. Un jour, peut-être, on saura régler ce genre de choses. Pour l'instant, l'intérêt du groupe est de limiter les morts, ne serait-ce que pour continuer à organiser des chasses collectives. Cela n'a rien de personnel.

Mais pour lui, cela signifie seulement que le système protège les criminelles ! IL enrage, crie encore, se frappe le poitrail. Si la horde veut protéger « celle qui a les tétons clairs », il tuera toute la horde.

Déjà les mâles dominants forment une ligne de défense pour l'empêcher de mener à bien sa vengeance.

IL les menace, leur ordonne de s'en aller, en appelle au ciel, à la terre, aux nuages, aux éléments. Qu'ils soient tous témoins de sa colère. IL répète que, si la horde persiste à protéger la femelle aux tétons clairs, il détruira toute la horde.

Comme pour se donner le courage d'accomplir cet exploit, IL soulève à bout de bras le corps de son amie défunte et hurle sa rage. Ses cris déchirent la jungle. Les oiseaux s'envolent en caquetant. Les grenouilles sautent au fond des mares. IL crie encore plus fort. Toute sa bouche béante n'est plus qu'un cri de souffrance.

C'est alors que le sol se remet à frémir.

30. AU FOND DU TROU

A la lueur de leur torche, ils découvrirent du sable au fond du trou, des traces de pas et puis, tout au bout, sur la droite, un meuble métallique qui ressemblait à un distributeur automatique de boissons.

Ange Rinzouli, des trois le meilleur en gymnastique, descendit le premier en se laissant glisser sur une corde-liane qui pendait opportunément sur le côté. Lucrèce Nemrod et Isidore Katzenberg le suivirent.

Ils commencèrent par examiner l'armoire en métal. Il s'agissait bien d'un distributeur automatique, mais il avait été légèrement trafiqué. Un système de touches, chacune porteuse d'un symbole, permettait de délivrer les friandises. La nourriture convoitée tombait lorsqu'on réalisait la bonne combinaison de symboles sur le clavier.

— Ainsi donc, voilà le dieu des lémuriens, une machine ! s'exclama Isidore Katzenberg.

— Le Pr Adjemian s'était assuré le gardiennage de son sanctuaire en mettant à la disposition des galagos des kilos de chocolats en barre, s'émerveilla Lucrèce Nemrod.

Leur trésor.

Isidore Katzenberg entreprit de manipuler la machine. Un galago descendit par la liane, désireux de vérifier que ces gens n'abîmaient pas leur divinité mécanique.

— Le distributeur ne permet qu'à une espèce un peu intelligente de s'en servir, constata le journaliste. Pour qu'il libère ses friandises, il faut appuyer sur les touches munies de symboles représentant un sujet, un verbe, un complément. Construire une phrase logique en somme, même si les mots sont remplacés par des dessins.

La méthode avait dû faire évoluer les galagos. Seuls les plus malins étaient capables de descendre parler à la machine dispensatrice de bienfaits et d'en rapporter ses dons. Le Pr Adjemian avait œuvré pour que la sélection naturelle se fasse non plus par la force et l'agressivité mais par la capacité de langage. Leur cerveau s'en était trouvé différemment conçu.

Pas étonnant que ces animaux aient accueilli leur petite expédition par une avalanche de fruits durs. Les galagos avaient maintenant suffisamment évolué pour être capables d'élaborer de bonnes stratégies de défense en cas d'intrusion sur leur territoire.

— Le Pr Adjemian a déposé dans ce trou une « machine à faire évoluer plus rapidement une espèce animale proche », résuma Lucrèce Nemrod.

— « Au commencement était le Verbe », déclama Isidore Katzenberg, reprenant la première phrase de la Bible. Nous avons là une machine à apprendre le verbe aux animaux.

Le mécanisme étant similaire à celui que les reporters avaient vu chez le Dr Van Lisbeth, ils en déduisirent que soit le paléontologue l'avait récupéré chez elle, soit la spécialiste des greffes avait été sa complice. De toute façon, la chirurgienne ne pouvait pas ne pas être au courant de la présence au fond de la jungle d'une machine dont elle avait elle-même dressé les plans.

Ange Rinzouli confirma. Lorsque Sophie Eluant avait cessé de subventionner les travaux du

Pr Adjemian, la clinique du Dr Van Lisbeth avait pris le relais.

— Quel intérêt peut avoir un établissement spécialisé dans les greffes d'organes à financer des recherches sur les origines de l'humanité ? s'interrogea Lucrèce Nemrod.

Près d'eux, des galagos montaient et descendaient sur la liane comme sur une autoroute verticale. En bas, celui qui était leur chef se plaça devant la machine et composa des phrases logiques sur le clavier comme pour leur prouver qu'il savait parler au dieu mécanique :

« Singe veut nourriture. » « Soleil brille ciel. » « Banane manger bon. »

Les trois humains éclairèrent le reste de la caverne. L'ensemble formait une pièce sphérique, probablement creusée par le ruissellement des eaux de pluie. En géologie, on appelait cela un karst. Les parois étaient lisses avec un plafond d'environ cinq mètres de haut terminé par le goulet d'à peu près un mètre cinquante de large qu'ils avaient emprunté pour descendre.

A droite, à une hauteur de trois mètres, de l'eau s'écoulait sporadiquement d'une anfractuosité dans la roche. A gauche, dans un creux, ils aperçurent une boîte. Ils s'en saisirent et l'ouvrirent. Elle contenait une lettre et une autre boîte, plus petite celle-là.

Ils commencèrent par lire la lettre et reçurent le choc de leur vie.

31. LE RIFT

Cataclysme.

D'un coup, une vaste faille s'ouvre dans le sol et happe un immense pan de forêt.

En une seconde à peine, la horde disparaît dans la roche en mouvement.

Tout est aspiré. Le peuple a été gobé comme un moucheron par un bâilleur négligent.

La horde est digérée par la planète mère comme si elle non plus n'avait pas supporté le spectacle trop injuste de l'assassinat de ELLE.

IL recule, recule, recule. Là où il a connu un espace de forêt et de brousse, peuplé d'habitants les plus divers, il y a désormais une falaise lisse d'au moins vingt mètres de dénivellation abrupte.

IL éprouve une sensation étrange, sa colère n'a plus de sens, puisqu'il a été vengé. Alors ? IL reste immobile, sidéré.

IL recule sans réfléchir. Et le gouffre s'agrandit devant lui. Reculer ne suffit plus. La terre n'a pas fini d'ouvrir sa bouche. IL galope, poursuivi par le Rift qui déchire le sol. Autour de lui, tout s'effondre. Le feu, la chaleur, la cendre sont partout. Les animaux rescapés courent ensemble pour échapper à l'apocalypse. La gazelle près du lion. Le serpent près des souriceaux. La catastrophe annihile les terreurs ancestrales.

Un torrent de lave rouge et orange dévale soudain d'une pente et prend IL en chasse. IL court. La lave gagne du terrain, bouillonnante et avide comme jadis les trois hyènes lancées à sa poursuite. Mais cette fois, son ennemi est du minéral liquéfié et il sait que, contre ça, il ne peut pas lutter.

IL saute une crevasse qui ralentit un peu la coulée. IL s'élance de branche en branche, mais même les arbres ploient sous les assauts de la lave en fusion. IL tombe, roule dans une cuvette et glisse dans un trou.

C'est profond.

En bas, du sable mouillé amortit sa chute. Mais déjà la lave a rejoint IL et se met à pleuvoir rouge, jaune et noire, depuis le haut du trou comme une glu phosphorescente. IL se tasse contre la paroi. Déroutée par une nouvelle pente plus abrupte, la lave cesse tout à coup de fondre sur lui.

Tout se calme.

Sauvé.

IL attend.

Plus rien ne l'agresse.

IL s'endort, épuisé. Au matin, il fait le tour de son abri et découvre que c'est une prison. IL est dans une impasse de pierre aux murs durs et lisses. Rien à quoi s'accrocher pour en sortir. IL n'a échappé à la lave bouillante que pour probablement mourir de faim et de soif, seul et abandonné dans une crevasse.

Tant pis. De toute façon, sans ELLE sa vie n'a plus de sens.

IL attend la mort mais elle ne vient pas. Alors, IL décide d'essayer de survivre.

IL s'assoit et regarde à travers le goulet le peu de ciel qui lui est offert. IL implore les nuages de lui indiquer comment se sortir de là, comment au moins ne pas périr de faim dans cette geôle.

C'est alors que quelque chose tombe du ciel.

32. LE MANUSCRIT DU PR ADJEMIAN

— « Ainsi donc vous avez réussi. Vous êtes ici. Merci d'être venus. Merci de me lire. Maintenant, préparez-vous à être étonnés. »

La scène ressemblait à un tableau religieux. Isidore Katzenberg tenait la lettre. A son côté Lucrèce Nemrod l'éclairait avec sa lampe de poche. Ange Rinzouli essayait de lire par-dessus son épaule.

Isidore Katzenberg, posément, déchiffrait la lettre.

— « Moi, Pr Pierre Adjemian, sain de corps et d'esprit en ce beau mois de mai, j'ai toujours eu des idées sur nos origines. J'ai par exemple toujours pensé que la filiation au singe était une impasse. Il n'y a aucune raison qu'un singe se transforme en homme.

« Une pièce du puzzle manque et c'est cette pièce que j'ai recherchée toute ma vie et que j'ai trouvée ici... »

33. ÇA

L'animal tombé du ciel, par grande chance, est du genre comestible.

Les deux rescapés du séisme se regardent, se reniflent, estiment qu'ils sentent mutuellement la viande sur pied.

La faim les rend nerveux.

IL n'hésite pas longtemps et fonce sur l'autre, babines retroussées et poings serrés. Mais l'adversaire saisit vite l'enjeu et le percute au ventre. C'est un duel à mort. Ils s'interrompent pour reprendre un peu leur souffle puis retournent à leur lutte.

Qu'ils soient de force quasi égale exaspère encore la compétition. Ils se battent deux jours d'affilée.

Au troisième jour, le manque de sommeil et de nourriture contraint les protagonistes à se tenir à distance. Ils ne dorment plus. Chacun sait que le moindre signe de faiblesse de l'un sera exploité par l'autre.

34. UN AUTRE ANIMAL

— « ... Ici, dans ce lieu en forme de chaudron, un accident est survenu. Je me suis efforcé d'en reconstituer le cours en m'aidant de l'observation des traces. Cet accident, j'en suis maintenant convaincu, a été un acte d'amour. Ici, un primate a fait l'amour avec un animal d'espèce différente. Et telle est ma vérité : de cet acte contre nature est née une créature hybride, l'homme.

« Mais de quelle autre bête s'est-il agi ? J'ai pensé un instant à une union primate-hyène. Elle aurait expliqué notre propension quasi unique à rire. "Le rire est le propre de l'homme", disait le philosophe Henri Bergson, mais il avait oublié la hyène.

« J'ai pensé ensuite à une liaison primate-lion. Elle aurait expliqué la mini-crinière que nous arborons sur le sommet du crâne... »

35. CET ÊTRE

Les deux animaux se fixent avec hargne.

C'est alors qu'un incident se produit. Un fruit mûr choit dans le trou.

Une mangue.

Ils marquent une pause pour étudier le phénomène. Pour eux, cette arrivée inopinée signifie beaucoup. Cet apport signifie qu'ils peuvent se nourrir autrement que l'un de l'autre. Ils peuvent se nourrir ensemble des choses qui tombent dans le trou.

Un, on se rencontre.

Deux, on s'efforce de voir qui est le plus fort.

Et si aucun ne réussit à dominer l'autre, on commence à penser à :

Trois, la coopération.
Ils savent tous deux que, s'ils cessent de chercher à se détruire, ils pourront se reposer et dormir.
L'enjeu est de taille.
C'est IL qui fait le premier geste. IL saisit le fruit, le fend en deux et en tend la moitié à l'autre animal. Ils grignotent d'abord prudemment puis avidement la mangue.
Un fruit les sort de l'enfer.
Une mangue.
Sauvés par une mangue... Qui aurait pu s'attendre à ça ?
Par la suite, au fil des jours, d'autres nourritures choient dans la crevasse. Des végétaux. Puis des animaux. De petits impalas. Des lapins. Des mangoustes. En général, des proies qui, tout occupées à fuir leurs prédateurs, n'ont pas vu le trou.
Les deux premiers occupants du cratère mangent de mieux en mieux. Ils découvrent même dans une anfractuosité une arrivée d'eau douce. Leur prison s'avère un nid convenable. Mieux : chacun prend conscience qu'il a besoin de l'autre pour mettre à mort les petites proies qui tombent dans le trou. Sans parler du risque qu'un léopard ou un lion s'échoue à son tour. Ils ne seront alors pas trop de deux pour venir à bout de ces prédateurs.

36. LA RENCONTRE

— « ... Ce n'est pas n'importe quel animal qui s'est trouvé prisonnier ici avec un primate. La rencontre n'a pas dû être un instant simple. Pourtant, il était logique... »

37. L'AUTRE

Et puis un jour, l'animal qui tombe est un serpent. Il mord l'AUTRE au visage. IL comprend tout de suite la menace commune. Il a besoin de l'autre pour survivre. Il faut sauver l'autre.

IL aspire, lèche et essaie d'éviter d'être empoisonné à son tour en recrachant très vite. C'est comme cela que faisait le vieux chef de horde et IL a déjà vu qu'on peut sauver ainsi.

L'AUTRE est surpris mais se laisse faire.

Après avoir partagé la mangue et avoir vaincu le serpent, ils se touchent. L'autre animal le regarde avec reconnaissance.

Alors, IL ne sait pas ce qui lui prend. Son compagnon de captivité n'est pas un primate, mais c'est une femelle. Et peut-être par besoin d'amour tout simplement, il se livre à l'impensable. IL s'emboîte avec l'AUTRE comme si c'était ELLE. IL fait l'amour avec l'autre en pensant à ELLE.

Et c'est ainsi que l'AUTRE devient la NOUVELLE ELLE.

38. LE PARTENAIRE INATTENDU

— « ... La lecture d'un article du Dr Van Lisbeth m'a donné la clé. Elle y expliquait que l'homme possède quatre-vingt-dix-neuf pour cent de gènes en commun avec le chimpanzé mais que ses organes ne sont pourtant pas compatibles avec ceux de l'homme. Aussi, pour se livrer à des greffes, les spécialistes sont-ils contraints d'aller quérir les reins, les poumons ou les pancréas chez un autre animal, plus inattendu, plus lointain, mais qui, lui, pour des raisons inconnues, dispose d'un code génétique très proche du nôtre... »

39. SA COMPAGNE

L'acte accompli, les deux protagonistes ont l'impression d'avoir commis le pire sacrilège. Pourtant, cet acte « contre nature » s'est accompli tout « naturellement ». Et puis, chacun isolé de sa horde, ils pensent qu'aucune de leurs espèces respectives n'apprendra jamais qu'il y a eu ce « rapprochement ».

Ils se taisent et se regardent dans les yeux. Ce qui les frappe, c'est qu'en dépit de leurs morphologies si opposées ils ont la même douceur dans le regard.

40. C'ÉTAIT DONC ÇA ?

Ange Rinzouli et Lucrèce Nemrod commençaient à manifester des signes d'impatience. Ils écoutaient la voix docte et lente d'Isidore Katzenberg en se demandant s'il n'était pas en train de mettre à l'épreuve leurs nerfs à plaisir.

— « ... Cet autre animal, nous le connaissons bien. Il est même tellement présent dans nos contrées que nous ne le remarquons plus. Pourtant, tout aurait dû nous laisser... »

41. LA NOUVELLE ELLE

Ils s'examinent. La forme de leur crâne est différente. Les oreilles de la NOUVELLE ELLE sont plus pointues que celles de l'ancienne. Son visage est plus proéminent et puis ses dents qui lui sortent de la bouche lui donnent un aspect étrange. Leurs fourrures pourtant sont similaires. Rose dessous, avec du poil brun dessus.

IL avance la main. La NOUVELLE ELLE le touche avec sa patte.

Leurs pattes ne se ressemblent pas.

42. C'ÉTAIT DONC ÇA !

— « ... Cet autre animal est l'animal avec lequel, étrangement, nous avons la plus grande compatibilité d'organes. C'est là-dessus précisément qu'insistait le Dr Van Lisbeth. Et cet autre animal compte encore beaucoup d'autres points communs avec nous. Cependant, nous le méprisons tellement que nous n'y prêtons jamais attention. Et pourtant ! Même couleur de peau, rose. Mêmes regards, yeux bleus ou bruns. Mêmes habitudes familiales : la mère éduque ses petits. Même alimentation : omnivore. Même sociabilité. Même attachement au territoire. Il s'agit de l'animal qui connaît le plus de dépressions nerveuses et qui se suicide lorsqu'il est trop malheureux. Même tendresse... »

— Alors, il le donne enfin, bon sang, le nom de ce fichu bestiau, grogna Ange Rinzouli.

Isidore Katzenberg, qui commençait lui-même à s'impatienter, sauta carrément des lignes :

— « ... Cet autre animal est... »

43. EVE

La NOUVELLE ELLE est si différente. Et pourtant si proche.

La NOUVELLE ELLE est tout aussi gênée que lui.

44. LE...

— « ... Cet autre animal est le... »

Isidore tressaillit. Il n'en croyait pas ses yeux. Difficilement, il articula :

— « ... Cet autre animal est le... »

45. EUX

IL ne sait pas ce qui la rend pour lui si intime, si complice. Peut-être que tous deux, chacun au sein de son espèce, se sentaient déjà différents depuis longtemps. Plus ouverts. Avec moins de certitudes.

Plus...

Pionniers.

Plus...

Visionnaires.

46. CARRÉMENT !

— « ... Cet autre animal est le... »

Le suspense avait assez duré. Il lui fallait bien finir par prononcer le mot stupéfiant qui s'affichait sous ses yeux.

— « Porc. »

Isidore Katzenberg marqua une pause comme s'il venait de lâcher un mot obscène. Lucrèce Nemrod et Ange Rinzouli paraissaient sonnés. Ils s'étaient certes préparés à recevoir un grand coup. Mais là, tout de même... Un long silence s'ensuivit. Ils avaient tous trois besoin d'un peu de temps pour absorber cette assertion : notre arrière-grand-mère était une truie ! C'était donc cela, la fameuse théorie du Pr Adjemian : Eve était une cochonne ?

Le premier, Isidore Katzenberg retrouva son sang-froid. Il reprit sa lecture :

— ... « Du moins, son ancêtre africain, porc sauvage appelé aussi phacochère.

« Le terme générique de l'espèce est suidés. Elle inclut les phacochères, les porcs et les sangliers. La sagesse populaire prétend depuis toujours que “dans chaque homme, il y a un porc qui sommeille”. Pourquoi ne l'a-t-on pas prise au mot ? Des religions comme le judaïsme d'abord, l'islam ensuite ont interdit la consommation de viande de porc. Le judaïsme, cependant, n'a jamais expliqué clairement les raisons de cet interdit. Pourquoi ne pas toucher au cochon ? Et si c'était parce qu'il est notre lointain ancêtre ? Le manger serait un acte quasiment cannibale. Les hommes de l'Antiquité s'étaient refusés à toute précision, ils avaient seulement exigé l'application stricte de la loi sans dire pourquoi.

« Au XVIe siècle, un père jésuite, contraint de manger de la chair humaine lors d'un séjour dans une tribu sud-amérindienne, a d'ailleurs observé que celle-ci “a exactement le même goût que la viande de porc, qu'elle soit cuite ou crue”.

« La parenté, le Dr Van Lisbeth l'a découverte en suivant une autre voie. Par les greffes. Le porc est l'animal dont les hommes supportent le mieux les greffes d'organes. L'espèce humaine tolère un rein de porc ou un cœur de porc alors qu'elle rejette un cœur de chimpanzé ou un rein de chimpanzé. De même, on utilise l'insuline du porc et non l'insuline du singe pour aider les diabétiques.

« Cependant, c'est ici, sur les bords du fleuve Olduvai, dans ce trou où j'ai moi-même failli choir par accident, que mes yeux se sont dessillés. Un primate mâle s'est retrouvé prisonnier ici avec un phacochère femelle. Désespérés, isolés à jamais de leur horde particulière, ils ont fait... l'amour.

« En toute logique, on aurait pu croire à une incompatibilité génétique entre les deux espèces puisque cette incompatibilité existe de nos jours. Mais peut-être qu'à l'époque les chromosomes de chacune ne s'étaient pas encore entièrement stabilisés. Des fenêtres étaient encore ouvertes sur les rencontres avec des gènes exotiques. Toujours est-il qu'à eux deux ils ont dû donner naissance à une créature hybride mi-singe, mi-cochon. Un croisement simio-porcin. Le rejeton d'Adam-primate et d'Eve-suidé. On pourrait l'appeler Caïn l'hybride. En tout cas, c'est lui qui a sans doute trouvé un moyen pour sortir de ce trou. »

Isidore Katzenberg interrompit sa lecture et demeura immobile, le regard dans le vague, s'efforçant d'imaginer à quoi avait bien pu ressembler la bête. Ce n'était pas facile.

Lucrèce Nemrod se pressait la tête comme pour se boucher les oreilles. Elle pressentait qu'il aurait été préférable de ne jamais savoir. L'ignorance aurait mieux valu pour le monde entier.

Les trois humains se dévisagèrent, à la fois excités et inquiets de la responsabilité qu'entraînait la découverte d'une révélation aussi singulière. A contrecœur, Isidore Katzenberg reprit la lecture :

— « ... Cet hybride, la première "ébauche d'humain", devait présenter un aspect très surprenant, probablement plus cochon que singe. Comment est apparue une lignée ? J'ai pensé un moment qu'Adam-primate et Eve-suidé avaient donné le jour à un second petit, une femelle cette fois, qui aurait rejoint son frère à l'extérieur. Ensemble, ils se seraient reproduits... »

— Ah, vous voyez, l'inceste, souligna Ange Rinzouli, satisfait d'avoir subodoré un élément du secret.

— « ... Mais les accidents de ce type sont difficiles à reproduire, rectifia Isidore Katzenberg, passant à un nouveau feuillet. Selon moi, notre Caïn en quittant sa crevasse originelle a découvert le vaste monde extérieur et s'y est fait des petites amies. Il a tout simplement forniqué par la suite avec des femelles primates, imprimant ainsi plus profondément les caractéristiques simiesques de l'homme. Voilà pourquoi nous ressemblons aujourd'hui davantage à des singes qu'à des porcs... »

— Quoique..., interrompit Lucrèce Nemrod en se remémorant le visage de Christiane Thénardier.

— « ... Reste un mystère. Pourquoi ai-je retrouvé dans cette caverne les ossements de l'hybride qui est sorti du trou ? J'ai pour cela une hypothèse qui en vaut une autre. Je pense qu'après s'être reproduit à l'extérieur il a éprouvé une certaine nostalgie de sa famille. Caïn devait être un enfant exemplaire, qui aimait beaucoup ses parents et ne voulait pas les abandonner à leur prison. Alors, il est revenu ici pour les aider à se hisser eux aussi hors de la crevasse et leur montrer sa réussite au-dehors. Malheureusement, au cours d'une de ses tentatives pour les tirer de leur oubliette, il a dû glisser et y retomber lui-même. Seulement, ses parents avaient vieilli et ils n'avaient plus la force de le porter et de le pousser pour qu'il ressorte. Ils sont donc morts tous trois ici, en famille, après avoir lancé à la surface "l'expérience humaine", laquelle se poursuivit loin d'eux par l'intermédiaire d'une des femelles primates engrossées par Caïn.

« Voilà leur tombeau. Voilà le plus fantastique des tombeaux. Ici sont morts Adam, Eve et Caïn, inventeurs de l'*homo sapiens*.

« Du point de vue ossements, ce n'est cependant pas l'idéal. Les squelettes ont été remués par les taupes qui en ont parfois emporté très loin telle ou telle partie. D'Adam, il ne subsiste que le bassin et quelques côtes. D'Eve que la mâchoire inférieure et un fragment d'os du genou. Il y a encore quelques ossements que je n'ai pu identifier mais qui sont sans doute des reliefs des repas de la famille.

« De Caïn, j'ai retrouvé presque intacte la patte droite. Et cette patte est la preuve de la véracité de mes dires car cette patte, elle ressemble à... une patte de porc à cinq doigts !

« Pour la préserver des intempéries et des prédateurs, et dans l'attente de votre arrivée ici, j'ai entreposé cette relique dans une boîte isotherme où elle sera parfaitement à l'abri des éléments et des malveillants. Si vous avez découvert cette lettre, vous avez aussi trouvé la boîte. Ouvrez-la... »

Lucrèce Nemrod ouvrit la boîte. Elle contenait effectivement des osselets, protégés par de la mousse en polystyrène. Ils formaient bien une sorte de main à cinq doigts. Mais les terminaisons des doigts avaient ceci de particulier qu'elles étaient constituées par des cônes ongulés, semblables à de minuscules sabots pointus.

— « ... Vous avez ici la patte de Caïn. Une patte à cinq doigts. Une patte mi-porc, mi-homme... »

L'un après l'autre, ils effleurèrent la relique.

— « ... Je suis convaincu que cette étrange histoire est bel et bien inscrite quelque part tout au fond de nos gènes et, à bien y réfléchir, tous les mythes sur les origines de l'homme y font référence plus ou moins.

« Etre chassé du paradis, c'est avoir été chassé de la surface de la terre où la nourriture était foisonnante. Que Caïn soit décrit comme poilu indique qu'il ressemblait à un singe. De même, les nombreuses allusions au monde de la boue d'où serait issu l'homme évoquent ce creux de terre où il a été captif et dont il est sorti. Il y a encore le mythe de la caverne de Platon. Ou même la légende de la manne tombée du ciel qui rappelle que la nourriture tombait dans le trou, venue d'en haut. Je pourrais citer ainsi une foison d'exemples tirés des religions et des mythologies.

« Donc, d'autres que moi savaient, ou ont su, mais n'ont jamais eu le courage de le dire ouvertement. Ils ont parlé par paraboles, par symboles, par allusions. Il faudra bien un jour que cela se sache.

« Il faudra bien un jour répandre cette information. L'homme descend du singe ET du porc.

« Tel est mon secret. Tel est mon trésor. A présent, qui que vous soyez, VOUS SAVEZ. J'espère que ce testament est tombé en de bonnes mains.

« Merci de votre écoute et de votre attention.

« Signé : Pierre Adjemian. »

Ils se figèrent. Bouleversés. Ange Rinzouli avait le regard complètement vide. Lucrèce Nemrod se mordit les lèvres jusqu'au sang. Ils restèrent silencieux une bonne heure. Ils voulaient savoir, maintenant ils savaient.

Tel était le secret du père de nos pères.

47. CAÏN

IL fait l'amour avec la NOUVELLE ELLE.

Neuf mois plus tard, la NOUVELLE ELLE accouche d'un enfant mâle, le PREMIER FILS.

IL devient le PÈRE.

ELLE devient la MÈRE.

Le premier fils apparaît tout de suite souple et joueur. Ensemble ils cherchent à sortir du trou. Ils grimpent sur les épaules les uns des autres. La MÈRE en dessous, le PÈRE se hisse sur elle et brandit à bout de bras le PREMIER FILS. Mais il leur manque encore quelques dizaines de centimètres pour atteindre la liberté.

Dans les mois qui suivent, le PÈRE s'efforce de le projeter en l'air plusieurs fois mais le PREMIER FILS est trop petit pour réussir son évasion.

Il faut trouver autre chose. La MÈRE propose de faire un second enfant.

48. LA FIN DES HARICOTS

Lucrèce Nemrod rompit la première le silence :

— A présent, je comprends pourquoi le Pr Adjemian avait tracé la lettre S sur son miroir. Ce n'était pas pour désigner son assassin mais, en ses derniers instants, pour divulguer la vérité sur le chaînon manquant : S comme « suidés ».

« Il était évident qu'il ne pouvait plus travailler avec Sophie Eluant. Une charcutière finançant des recherches aboutissant à la découverte de notre parenté avec le porc !

— C'est pour cela aussi que les scientifiques informés de la thèse du Pr Adjemian se sont refusés à le suivre, renchérit Isidore Katzenberg.

Comme ancêtre de l'homme, le cochon c'est vraiment trop... ridicule.

Ensemble, ils entreprirent de relire minutieusement le manuscrit. Trop absorbés, ils ne remarquèrent pas Ange Rinzouli s'éclipser, emportant avec lui la boîte et son précieux contenu à cinq doigts. Quand les deux journalistes constatèrent son départ, il était trop tard. Sans un bruit, sans le moindre crissement sur la liane qui puisse les distraire de leur lecture, l'acrobate était remonté à la surface. Là-haut, il avait détaché la corde pour empêcher ses compagnons de le poursuivre. Et maintenant, il se tenait sur le bord de la crevasse, serrant la boîte contre sa poitrine.

Ils constatèrent également que l'acteur avait fait main basse sur le fusil.

— Ange, qu'est-ce qui vous prend ? s'exclama la jeune fille.

En haut, une maigre silhouette se détachait à contre-jour, sombre contre le ciel bleuâtre.

— Désolé mes amis, mais toute ma vie, je n'ai été qu'un raté, acteur raté, acrobate raté, aventurier raté. Il est grand temps de prendre ma revanche sur le destin. Le Pr Adjemian est mort et nous sommes trois à détenir son héritage scientifique. Trois, c'est-à-dire deux de trop. Je suis donc contraint de vous abandonner ici. N'y voyez là aucune hostilité ou antipathie particulière à votre égard. C'est la faute de la société qui ne m'a jamais donné les moyens de m'épanouir. Or voilà une occasion unique de réussir quelque chose d'important.

Il se dressa comme un coq.

— Juste une dernière question, Ange, lança Lucrèce Nemrod. Est-ce vous qui avez tué le Pr Adjemian ?

L'acteur se pencha dans le trou pour articuler à haute et intelligible voix :

— Non, j'étais son ami. Il m'a désigné pour

poursuivre son œuvre et c'est ce que j'ai fait et c'est ce que j'ai l'intention de continuer à faire.

— Etait-ce vous, le singe qui s'en prenait aux gens du club « D'où venons-nous ? », demanda Isidore Katzenberg.

Ange Rinzouli acquiesça. A quoi bon le leur dissimuler désormais ? Peu avant son décès, il avait reçu un courrier du Pr Adjemian le priant de contacter chacun des membres du club pour leur remettre en mémoire leurs engagements. Lui disparu, il avait donc repris son déguisement de singe pour les rappeler à l'ordre malicieusement et en leur faisant plus de peur que de mal. A tous, il avait signifié : « Ne restez pas prisonniers de vos fausses théories. N'oubliez pas le véritable chaînon manquant. N'oubliez pas votre promesse au Pr Adjemian de tout mettre en œuvre en cas de malheur pour retrouver et dévoiler son secret. » L'acrobate n'avait agi que par amitié pour le savant, pour secouer tous ces scientifiques confits dans leurs labos et incapables de voir plus loin que les thèses classiques et erronées.

Ayant assisté à moult réunions du club, Ange Rinzouli connaissait les dadas de chacun. Mais en dépit de ses spectaculaires apparitions simiesques, aucun n'avait pris la peine de se lancer sur les pas du Pr Adjemian. Nul n'avait pris le chemin de la Tanzanie. Ange Rinzouli avait été très déçu de les voir aussi pleutres.

Tous étaient au courant de la théorie du singe hybride et chacun refusait d'être le premier à la divulguer. Ils étaient là à attendre qu'un autre se décide. Quant à lui, il n'était qu'un ancien acrobate de cirque, un ex-acteur de films porno pardessus le marché, et qui l'aurait pris au sérieux s'il avait clamé la vérité sans preuves ?

Complètement écœuré, revenu de toutes ses illusions sur le petit monde de la science, il avait fini par se résoudre à enlever Sophie Eluant. Peut-être son ancienne élève se montrerait-elle plus ouverte que ces mandarins ?

En l'occurrence, l'homme-singe ne s'était pas trompé. Lorsqu'il lui avait expliqué dans l'avion ce qui se passait, elle avait tout de suite compris. Elle s'était montrée sinon la plus courageuse, du moins la plus curieuse. Ange Rinzouli était, de surcroît, convaincu que, même si Sophie Eluant ne disposait pas du même crédit scientifique que les autres membres du club, elle n'en avait pas moins la surface financière suffisante pour assurer le plus grand retentissement au testament du Pr Adjemian.

Il montra la boîte contenant la patte à cinq doigts.

— Mais maintenant qu'il y a LA PREUVE ça change tout.

Il se pencha une dernière fois sur la crevasse et, avant de s'éloigner, en guise d'adieu, Ange Rinzouli leur fit un clin d'œil et dit :

— Allez, juste un dernier conseil : vivez heureux en attendant la mort.

49. ABEL

Le DEUXIÈME FILS est bien différent du premier. Moins poilu, moins singe, plus porc.

Le PÈRE et la MÈRE se disent que, s'ils fabriquent encore des enfants, ils découvriront de nouvelles variantes entre les caractéristiques génétiques de l'un et de l'autre.

En attendant, ils éduquent le DEUXIÈME FILS de façon à le préparer à sa grande mission : parvenir enfin au sommet de la caverne et sortir dans la grande lumière du jour.

50. LA PRISON DE PIERRE

Isidore Katzenberg et Lucrèce étaient au fond du trou. Ils s'assirent et s'adossèrent aux parois de pierre.

— Quel dommage d'être bloqués ici quand, enfin, nous avons touché au but ! déplora la jeune fille.

— Nous ne sommes pas aussi démunis qu'Adam et Eve quand ils se sont retrouvés enfermés dans ce karst. Nous, nous avons derrière nous cinq mille ans de technologies et d'astuces issues d'un cerveau fort de mille six cents centimètres cubes de neurones.

Pour le lui prouver, il renversa le contenu de leurs sacs à dos et en dressa un rapide inventaire.

— Et qu'a en tête cet *homo sapiens*-ci ? demanda Lucrèce.

Pourquoi ne pas fabriquer un arc avec son soutien-gorge pour élastique et un tibia qui traînait en guise de flèche ? Autant que leurs ancêtres participent à leur sauvetage. Aussitôt dit, aussitôt fait. Ils nouèrent une corde à l'os, et fabriquèrent un arc avec une côte. La jeune journaliste visa et tira de son mieux. La flèche improvisée partit tout droit mais là-haut, ne trouvant rien où se ficher, elle s'empressa de retomber.

— C'est dans les films que les flèches se plantent pile pour servir de grappins entre deux rochers opportuns.

Se détournant, la jeune journaliste remit son soutien-gorge tandis qu'Isidore appréciait son dos lisse.

— Et si nous faisions l'amour ? proposa-t-il.

Prise d'une quinte de toux, la jeune fille articula :

— Pardon, qu'avez-vous dit ?

— Et si nous faisions l'amour ? répéta-t-il posément. Après tout, c'est ce qu'ont fait Adam et Eve pour se tirer de là.

— Je ne vais tout de même pas faire un enfant avec vous juste pour me sortir d'un trou, rétorqua Lucrèce Nemrod.

— Bien, dans ce cas, nous mourrons, fit-il en se radossant au mur de pierre.

La jeune fille posa ses poings sur ses hanches.

— Voilà que vous me faites du chantage, Isidore. Vraiment, je n'aurais pas cru ça de vous!

Flegmatique, il prononça doucement :

— Bon, alors considérons que je souhaite tout simplement faire l'amour avec vous. J'estime que si un homme et une femme sont coincés dans un trou et qu'ils risquent d'y mourir, autant qu'ils prennent un peu de bon temps avant d'agoniser. Ne serait-ce pas là une bonne solution : nous aimer à en crever, ici même, dans le sein protecteur de notre planète nourricière? Pour ma part, je dois vous avouer que je vous trouve plutôt mignonne. Petite, certes, mais vraiment mignonne.

— Vous êtes bien tous les mêmes, vous les hommes, marmonna Lucrèce. Il y a vraiment un porc qui sommeille en vous.

— Un porc et un singe, rectifia le gros journaliste.

La jeune fille était vraiment étonnée du culot de son partenaire. Ce dernier n'insista pas et, à sa façon lymphatique, déplia son sac de couchage, l'étala et s'allongea :

— Comme vous voudrez, dit-il.

Boudeuse, la jeune fille l'imita :

— De toute façon, protesta-t-elle encore, même si nous voulions procréer pour nous tirer d'ici, nous n'avons pas assez de nourriture pour tenir les neuf mois nécessaires à la naissance du petit.

— Adam et Eve ont tenu. Quand nous aurons épuisé les biscuits du distributeur nous mangerons les singes qui descendront pour comprendre ce qui se passe.

— Ils n'ont plus de corde pour descendre.

— Nous mangerons les taupes, les limaces, les vers dans la terre. Ce n'est pas très bon, mais ils nous fourniront les protéines nécessaires à notre survie.

Il se fit un coussin avec un caillou recouvert de mousse.

— Oui, mais au bout de neuf mois notre bébé ne sera pas capable de grimper seul jusqu'à là-haut. C'est ça la différence, nos bébés ne marchent correctement qu'à un an. Je pense qu'au bout d'un an, l'un de nous deux aura mangé l'autre. Avec tout le respect que je vous dois. Et, avant d'en arriver à cette extrémité, je préfère me suicider tout de suite.

— D'accord, mais au moins amusons-nous un peu avant.

Elle se dressa sur un coude.

— N'insistez pas.

Ce premier soir, ils firent un copieux repas de biscuits en composant des phrases logiques sur la machine du Pr Adjemian. Ils dormirent chacun à une extrémité de la caverne.

Le lendemain matin, ils refirent quelques tentatives d'évasion sans résultat et passèrent l'après-midi à se disputer.

Le troisième jour, idem.

Le quatrième jour, ils se disputèrent encore le matin, et le soir ils discutèrent sur les origines de l'humanité et leur enquête.

Le cinquième jour, ils passèrent la journée à parler des origines de l'humanité. Le soir, Isidore proposa qu'ils jouent au jeu des trois cailloux. La nuit de ce cinquième jour, ils rapprochèrent un peu leurs couches.

Le sixième jour, ils discutèrent le matin des origines de l'humanité et des moyens de s'en sortir.

L'après-midi, ils jouèrent au jeu des trois cailloux, pendant des heures, et dormirent un peu plus près l'un de l'autre.

Le septième jour, ils ne firent que jouer au jeu des trois cailloux. Ils en étaient à leur 452e partie et ils avaient atteint dans ce jeu des niveaux de subtilité rares. Ils savaient quand l'autre voulait faire croire qu'il croyait que l'autre croyait qu'il voulait faire croire qu'il avait un certain nombre de cailloux dans la main.

Chaque duel les obligeait à des trésors d'imagination pour brouiller les pistes de déduction de l'autre et pour trouver le cheminement de la pensée de l'adversaire. Il fallait percevoir par quasi-télépathie les idées de l'autre sans que l'autre puisse faire de même en retour. Grâce à ce jeu, ils se comprenaient bien mieux que s'ils s'étaient raconté leur vie de long en large pendant des mois. L'intérêt pour le jeu des trois cailloux faisait qu'ils mangeaient moins et ne se disputaient plus du tout.

Le soir du septième jour, comme Isidore Katzenberg avait froid, il demanda s'il pouvait se blottir contre le corps de Lucrèce et elle accepta. Mais quand il essaya de la caresser elle le repoussa gentiment, en lui disant que c'était encore trop tôt.

Le huitième jour au matin, alors qu'ils venaient juste de se réveiller et qu'ils se lançaient dans de nouvelles joutes au jeu des trois cailloux, ils remarquèrent quelque chose de nouveau. Une liane pendait depuis le sommet de la caverne.

51. CAÏN ET ABEL

Dans la caverne, le PÈRE, la MÈRE, le PREMIER FILS et le DEUXIÈME FILS survivent tant bien que mal dans ce milieu hostile. Ils tuent les animaux qui tombent du ciel et enfouissent les restes dans la glaise pour les conserver plus longtemps. Un couple de rats ayant chu dans le trou, le DEUXIÈME FILS propose de les accoupler afin de démarrer un élevage. Le second fils est vraiment très intelligent.

Pour ne pas être en reste, le PREMIER FILS développe de son côté une culture de moisissures, lesquelles s'avèrent fort nourrissantes.

Et tous attendent que le DEUXIÈME FILS soit suffisamment grand pour qu'ils tentent une nouvelle fois de s'empiler les uns sur les autres afin de parvenir en haut de la caverne. Ils refont plusieurs tentatives et réussissent presque. Ils décident d'attendre que le DEUXIÈME FILS grandisse davantage.

Mais à l'intérieur de cette petite grotte où ils vivent confinés, l'atmosphère s'alourdit. Le PREMIER FILS et le DEUXIÈME FILS ne se supportent plus. Ils sont rivaux face aux caresses du père et aux lèches de la mère. Le premier fils reproche au second d'être nanti de mains qui ressemblent à des sabots et d'un visage équipé d'un groin grotesque.

Le deuxième fils reproche au premier d'être violent et peu respectueux de leurs parents. Leurs jeux finissent souvent par des chamailleries, leurs chamailleries tournent souvent en vraies bagarres.

Un jour, quand ils en viennent de nouveau aux mains, le PREMIER FILS tue le second.

Les parents n'ont pas eu le temps d'intervenir. Ils restent à regarder leur enfant assassiné. Ils regardent ensuite leur enfant assassin. C'en est fini de leur espoir.

Que faire ? Punir le PREMIER FILS ? Le tuer ?

Avec les difficultés qu'ils ont eues pour le concevoir, ce serait vraiment dommage. Après le DEUXIÈME FILS, la MERE s'est trouvée plusieurs fois enceinte et chaque fois l'enfant est mort-né. Maintenant, ils savent qu'ils n'auront sans doute plus d'autres petits.

Le PÈRE entre dans une colère terrible. Il hurle, donne des coups de poing dans les parois. Non seulement le premier fils a tué son enfant préféré, mais il a tué toute chance pour eux de s'en sortir. Toute leur vie n'aura servi à rien. Même la MÈRE n'arrive plus à le calmer. Au paroxysme de sa hargne, le PÈRE empoigne son premier fils et, avec l'énergie incroyable que lui donne sa fureur, il le projette en l'air pour en finir avec lui une fois pour toutes.

Mais le PREMIER FILS ne se fracasse pas la tête contre le plafond. La trajectoire l'a entraîné vers le goulet et, ses réflexes de singe-primate prenant le dessus, il s'arc-boute pour ne pas redescendre.

En bas, son père crie toujours.

Le PREMIER FILS a trop peur de la colère de son géniteur; alors, déployant des efforts surprimatiens, il se hisse jusqu'à la surface.

Son père et sa mère s'arrêtent de crier, stupéfaits. Le PREMIER FILS a réussi à sortir de la caverne!

52. DES ALLIÉS SURPRENANTS

Une liane. Des êtres s'agitaient autour de la liane qui descendait doucement vers eux. Isidore Katzenberg et Lucrèce Nemrod interrompirent presque à regret leur partie de trois cailloux.

Ce n'étaient pas des humains mais des galagos. Pour eux aussi, la disparition de la corde-liane avait posé un problème. Ils savaient que s'ils tombaient dans le trou, étant donné la hauteur, ils se rompraient les os. Alors, ils avaient cherché un moyen sûr de descendre. Ils avaient mis plusieurs jours pour trouver la solution mais, sans doute grâce à leur cerveau bien éduqué par le clavier du distributeur de nourriture, ils avaient fini par y parvenir.

Ils avaient compris qu'il était indispensable d'amarrer la liane à un tronc. Ils avaient même dû découvrir le concept du nœud afin de bien fixer la liane. Car, à voir les dizaines de petits lémuriens qui descendaient ensemble, en grappes, elle devait être solidement accrochée.

Les arrivants firent la grimace en constatant que les deux humains avaient déjà consommé une bonne quantité de « leurs » biscuits. Deux mâles dominants se disputèrent. Ils se reprochaient mutuellement d'avoir fait confiance aux humains.

Quel gâchis !

Une semaine à se torturer les méninges et tout cela pour constater une fois en bas que les deux monstres avaient mangé une grande partie de leur réserve de ces friandises qu'on ne trouvait nulle part ailleurs dans la forêt !

Le chef de horde vint vers eux, leur attrapa la main et leur fit comprendre qu'ils devaient remonter sur-le-champ et déguerpir.

Lucrèce Nemrod rassembla leurs quelques affaires et empoigna la corde-liane.

— Pas de problème, monsieur, dit-elle en saluant le chef des galagos qui se tenait le front, abasourdi par l'étendue de la catastrophe.

— Comme quoi, nous autres humains avons besoin des autres animaux pour nous tirer d'affaire, renchérit Isidore en la suivant poussivement.

Les galagos les encouragèrent à grands cris à grimper et à s'en aller.

Quand enfin les deux intrus furent hors de vue, les galagos destituèrent leur chef « trop laxiste », et se jurèrent de ne jamais plus faire confiance aux humains, même s'ils se livraient aux gestes convenus de soumission.

53. LA SORTIE DU TROU

Le PREMIER FILS lève la tête. Le soleil est aveuglant. Toute sa vie, il a vécu dans l'ombre avec pour seul éclairage les rayons diffus qui filtrent par le goulet rocheux.

Le passage à la lumière du jour est pour lui presque insupportable. Il plaque les paumes de ses mains contre ses yeux. Il est comme soûlé de lumière.

Le PREMIER FILS a envie de redescendre dans le trou pour retrouver son univers familier mais, d'en bas, son père continue à lui lancer des invectives. Il sait qu'il n'a plus le choix.

La lumière s'acharne sur lui. Drôle de sensation. Comme si un immense feu dévorait son cerveau. Un feu de lumière si exigeant qu'il éteint tous les autres sens. Il s'accroupit et de ses bras se protège du terrible assaut de photons.

Peu à peu, pourtant, son cerveau s'habitue à cette intensité lumineuse et il se relève. Il voit le ciel. Au fond de la caverne, le ciel était étroit. D'ici il est immense !

Après l'éblouissement par la lumière vient une seconde sensation exotique : le froid. En bas, dans la caverne, il fait pratiquement tout le temps la même température. Ici des courants d'air chauds puis glacés se succèdent à travers sa fine fourrure. Tous ses poils se dressent.

La troisième sensation bizarre est olfactive. A l'extérieur, il y a des dizaines, des centaines, des milliers d'odeurs qui se marient, se conjuguent, se complètent. Des odeurs de fruits, des odeurs de sueur, des odeurs de pollens de fleurs, des odeurs de bois, d'urine, d'excréments, des odeurs de mousses, de lichens, de poussières, de terres... Infimes fragrances porteuses de mille messages qu'il ne sait pas encore décrypter.

Il est tel l'oisillon qui vient de sortir de sa coquille. Il ploie la tête pour se protéger de la clarté, du vent et des odeurs.

Une quatrième porte s'ouvre en son esprit : l'ouïe. Dans la caverne, les sons arrivaient atténués. Dehors, c'est un vacarme permanent. Les oiseaux jacassent. Les arbres bruissent. Les sauterelles frottent leurs élytres. Il y a des ululements, des glapissements, des grognements, des feulements. Dans cette confusion de signaux qui assaillent tous ses sens, il perçoit la voix de son père.

Son père continue de l'insulter depuis le fond du trou. Le PREMIER FILS se remémore les horribles circonstances qui l'ont amené ici. La mort de son frère. La colère de son père. Son père qui en bas le menace du poing. Comment un père peut-il en vouloir à ce point à son propre fils, chair de sa chair ?

Le premier fils demeure immobile à écouter ce déferlement de haine. Son père regrette de ne pas l'avoir tué. Lui répond en retour quelque chose qui signifie : « Mais Papa, tu te rends compte : j'ai réussi ! »

Il émet des sons pour parler. Il veut parler. Il veut se justifier auprès de son père. Dans sa gorge, des muscles jamais utilisés s'éveillent et se tordent. Il faut expliquer à Papa. Sa gorge, sa bouche, ses joues cherchent comment produire des bruits qui lui permettront de se faire comprendre.

Ces sons, il les répète mille fois. Il veut faire comprendre tant de choses à ses parents et, surtout, il veut qu'ils soient finalement fiers de lui :

« Mais Papa, j'ai réussi ! » Qu'ils conçoivent que, peu importe comment, peu importe en quelles circonstances, leur lignée est sauvée.

Mais là, au-dessous, il ne distingue aucun encouragement, aucun signe de félicitations. Son père semble lui aussi chercher des sons, mais pour exprimer sa douleur et ses reproches.

Incompréhension.

Des deux côtés, les bouches aspirent à s'exprimer autrement que par des cris. Les gorges testent de nouvelles nuances. L'un pour accuser. L'autre pour expliquer. Le dialogue est impossible. Alors, le PREMIER FILS se dit qu'il doit partir. Il lâche un dernier borborygme qui pourrait signifier : « Puisque tu ne peux pas me pardonner, Papa, puisque tu ne peux pas avouer que tu es fier de moi, je m'en vais. »

Une dernière fois, il se penche au-dessus du trou. Il voit le regard étonné de sa mère. Il voit le cadavre de son frère cadet. Et, juste à côté, le regard fou du PÈRE.

Cet œil paternel courroucé venant du fond de la terre, il ne l'oubliera jamais.

TROISIÈME PARTIE

LE COUSIN GÊNANT

1. UN EXCELLENT SUJET

Paris, de nos jours.

Des milliers d'yeux sortaient du sol. En débouchant des couloirs souterrains du métro, les gens étaient un peu éblouis par l'éclat du jour. Puis ils se reprenaient et s'empressaient de galoper sur les trottoirs pour vaquer à leurs tâches quotidiennes. La bouche de métro rejetait de l'humain en surface sans discontinuer.

Où allaient-ils tous ? Pour la plupart vers leur lieu de travail. Ils se précipitaient vers des milliers d'autres cavernes cubiques et tièdes, abritant les activités modernes des humains. Téléphoner. Lire les journaux. Lire le courrier. Répondre au courrier. Téléphoner. Discuter du programme télé de la veille avec les collègues. Boire du café au distributeur de boissons. Inscrire des chiffres dans des colonnes. Regarder les chiffres que les subordonnés ont inscrits dans leurs colonnes. Expliquer aux subordonnés qu'ils se sont trompés. Aller voir son supérieur. Exhiber des diagrammes de progression de chiffres d'affaires. Boire du café au distributeur de boissons. Parapher des contrats. Téléphoner. Lutiner les secrétaires en minijupe.

Manger au restaurant. Téléphoner. Appeler un réparateur pour son ordinateur en panne. Appeler un réparateur pour son téléphone en panne. Draguer sa secrétaire. Acheter un nouvel ordinateur. Acheter un nouveau téléphone. Acheter une nouvelle secrétaire. Téléphoner. Boire un café au distributeur. Discuter de ses récentes acquisitions avec les collègues. Discuter pour savoir qui couche avec qui dans son service et dans les autres. Consulter sa montre. Consulter son agenda. Téléphoner.

La moto Guzzi pétaradante se gara devant l'immeuble du *Guetteur moderne*. Lucrèce Nemrod se débarrassa de ses lunettes en mica et de son bonnet de cuir et se précipita vers les étages.

Elle était en retard. Elle s'insinua dans le cercle des chaises des journalistes pour aller s'asseoir près de Franck Gauthier. Christiane Thénardier ne lui fit pas même l'aumône d'un regard. La ronde des sujets en vue du prochain numéro avait commencé.

Maxime Vaugirard, le journaliste socio-humoristique, souhaitait écrire un article sur le scandale des feuilles de salades flétries prétendument décoratives, servies invariablement avec les steaks-frites dans les restaurants. La proposition enthousiasma tout le monde et certains proposèrent même de créer une association contre cette calamité. Sujet accepté. Maxime Vaugirard, sur son élan, proposa aussi un article sur ces étiquettes nylon qui grattent dans le dos. Mais on lui signala que chaque combat venait en son temps.

Florent Pellegrini, le grand reporter criminel, voulait enquêter sur une mère qui avait noyé son fils après qu'il l'eut surprise inopinément dans les bras de son amant. Elle avait enfermé son gosse dans un sac-poubelle puis l'avait jeté dans le fleuve local. Pour ajouter de l'intérêt à son sujet, il souligna que la maman meurtrière était très photogénique et que le juge chargé de l'enquête était tombé amoureux fou d'elle. Sujet accepté.

Clothilde Plancaoët, la journaliste écologiste, annonça que la forêt de Papouasie, l'une des plus grandes du monde, était en passe de disparaître, transformée en baguettes jetables pour restaurants à sushis ou en mouchoirs en papier jetables pour les narines du monde occidental. Les Indonésiens, qui avaient envahi le sud de l'île, s'étaient empressés de revendre les concessions forestières à des consortiums japonais et américains. En plus, pour faciliter les entreprises des industriels, ils massacraient sans vergogne les populations papoues autochtones.

La chef fit la moue. « Non », dit-elle sans plus de justification. Clothilde Plancaoët suggéra alors un article sur la disparition des poissons dans les océans. Les navires de pêche industrielle avaient à ce point vidé la surface des eaux que, pour trouver encore du poisson sauvage, ils étaient maintenant contraints de lancer leurs filets vers des profondeurs abyssales. Ils en rapportaient d'affreux monstres marins vite transformés en « filets de colin panés », parfaitement méconnaissables.

Christiane Thénardier n'était absolument pas intéressée et ordonna à la jeune fille de cesser de tenter de discréditer les industriels du bois et de la pêche. La journaliste écologiste se rassit et baissa la tête en marmonnant qu'elle promettait de mieux faire la prochaine fois.

Jean-Pierre Dubosc, grand reporter international, rappela qu'il revenait d'Afrique centrale. Il y avait vu des gens s'entre-tuer à coups de bâton et de pierre parce qu'ils ne disposaient plus d'assez de cartouches pour se massacrer proprement.

— Très bien, approuva la Thénardier. Ça pourra faire une ouverture « actualité ». Un détail, pourtant : vous commencez toujours vos reportages par la petite fille aux yeux pleins de mouches qui pleure parce qu'on vient de lui tuer sa mère. Renouvelez-vous un peu, mon cher Jean-Pierre. Albert Londres n'utilisait pas sans cesse les mêmes clichés comme accroche pour ses reportages. Ça décrédibilise, à la fin. Je ne sais pas, essayez à la place le petit garçon au ventre ballonné qui pleure parce que son père a été fait prisonnier...

Ricanements mi-moqueurs, mi-complaisants dans l'assistance.

— Journaliste suivant.

Franck Gauthier avait en tête un papier dénonçant l'homéopathie, l'acupuncture et autres médecines douces. Il voulait enfin régler leurs comptes à tous ces « charlatans qui vivent de la crédulité de leurs patients ». Jean-Pierre Dubosc lui signala qu'il se soignait par l'homéopathie et qu'en ce qui le concernait cette pratique marchait parfaitement. Pellegrini rappela que ces médecines parallèles dites douces étaient très à la mode parmi les lecteurs du *Guetteur.* La Thénardier leur imposa silence :

— On s'en fiche que ces remèdes de grand-mère marchent ou non. L'intérêt de ce genre d'article est justement de relancer la polémique, et n'est-ce pas la fonction de tout journal que de ranimer les incendies en voie d'extinction ? Si Franck parvient à employer le ton vindicatif nécessaire, et je l'en crois parfaitement capable, nous recevrons du courrier par sacs entiers pendant un an au moins. Provocations gratuites et rectificatifs d'excuses sont les deux mamelles du journalisme d'investigation.

Les regards se braquèrent sur Lucrèce Nemrod. C'était à son tour de prendre la parole. Elle se leva, tira machinalement sur sa jupe courte pour en effacer un pli imaginaire et fit savoir qu'en association avec Isidore Katzenberg elle avait poursuivi jusqu'en Afrique son enquête sur le chaînon manquant et qu'elle en rapportait un scoop.

La rédactrice durcit son regard. Visiblement, le nom d'Isidore Katzenberg ne lui évoquait rien de sympathique. Elle encouragea la jeune fille à poursuivre comme un loup encourage un agneau à visiter l'intérieur de sa gueule.

— Nous avons retrouvé le secret du Pr Adjemian en pleine jungle de Tanzanie. Nous connaissons maintenant sa théorie. Il semble qu'il ait vraiment trouvé notre ancêtre le plus ancien. Le père de nos pères. Ça va faire du bruit.

La rédactrice en chef alluma un cigare, tira une bouffée et émit un nuage opaque.

— Vous avez la preuve de vos assertions ?

— Oui. Euh... Enfin disons que nous avons vu la preuve, mais que nous nous la sommes fait dérober. Mais vous disiez tout à l'heure que, de toute façon, provocations gratuites et rectificatifs d'excuses sont les deux mamelles du journalisme d'investigation...

— Pour l'homéopathie. Pas pour la paléontologie, répondit Franck Gauthier à la place de sa rédactrice en chef. Le mystère de nos origines est un thème trop important pour être traité sans preuves. On ne peut pas lancer n'importe quelle hypothèse sans disposer de biscuits solides par-devers soi.

Lucrèce Nemrod fut surprise par la trahison de son collègue.

— Mais l'histoire que je peux raconter...

— ... est sans valeur puisque sans preuves, la devança Gauthier. Apporte-nous un crâne, un fragment d'os, n'importe quoi qui puisse être expertisé par de vrais scientifiques. On ne peut pas publier la première élucubration venue. Il en va de la crédibilité de notre magazine.

Lucrèce Nemrod inspira profondément pour garder son calme.

— Le Pr Adjemian..., commença-t-elle.

— ... est mort, interrompit son chef. Donc, il ne

pourra pas t'apporter son soutien et, en plus, il a toujours été considéré comme un farfelu par ses pairs.

La Thénardier n'était pas mécontente de voir Franck Gauthier mater sèchement sa stagiaire. Celle-ci ne s'avoua pourtant pas encore vaincue.

— Très bien, alors je rapporterai la preuve! lança-t-elle parmi les ronds de fumée de la rédactrice en chef.

La Thénardier eut un sourire mauvais, une idée lui avait traversé l'esprit.

— Après tout, c'est peut-être effectivement un bon sujet, concéda-t-elle soudain. Pourquoi ne pas le traiter? Mon cher Franck, cela ne vous intéresserait pas de bâtir un dossier scientifique, vraiment sérieux celui-là, récapitulant où en sont les connaissances actuelles sur les origines de l'humanité? Vous seul me paraissez doté du professionnalisme nécessaire pour traiter d'un thème aussi crucial.

Franck Gauthier s'empressa de faire savoir que le sujet le passionnait assez pour qu'il remette volontiers à plus tard son papier sur l'homéopathie. Il avait nombre d'amis paléontologues qui se feraient un plaisir de lui raconter la « vraie » histoire de nos ancêtres. Maxime Vaugirard signala que ce sujet était aussi l'un de ses dadas et qu'il compléterait volontiers l'enquête de Franck par un billet d'humeur sur la passion des Français pour les mystères de leurs origines.

— Mais..., s'offusqua Lucrèce Nemrod.

— Un grand dossier. Peut-être même une couverture! surenchérit la Thénardier.

Clothilde Plancaoët suggéra timidement un encadré sur les sites paléontologiques découverts par hasard en France lors du tracé des autoroutes.

— Excellente idée, ma chère Caroline. Vous voyez que quand vous voulez...

— Mais..., hoqueta encore Lucrèce Nemrod, n'en croyant pas ses oreilles.

La Thénardier leva la séance sur une dernière volute.

— Une excellente couverture, oui. Qui ne s'est jamais posé cette question métaphysique, cette terrible question qui nous préoccupe tous : « D'où venons-nous ? »

2. D'EN HAUT

— Selon les Sioux, l'homme a été créé par un lapin. L'animal a trouvé un caillot de sang sur son chemin. Du bout de sa patte, il s'est mis à jouer avec. Le caillot de sang s'est transformé en boyau. Le lapin a continué à jouer et sur le boyau ont poussé soudain un cœur puis des yeux. L'organe s'était transformé en un petit garçon, le premier petit garçon du monde.

Isidore Katzenberg feuilletait ses livres de mythologie. Lucrèce en prit un.

— Pour les Mexicains du XVIe siècle, Dieu a fabriqué l'homme à partir de terre glaise cuite au four. Mais il a trop prolongé la cuisson du premier homme, lequel est ressorti tout brûlé, tout noir. Alors, Dieu s'est dit que ce résultat n'était pas satisfaisant. Il a jeté cette première ébauche au hasard sur terre et l'homme noir est tombé droit en Afrique. Dieu a entrepris alors un deuxième essai « moins cuit ». Il en est résulté un homme tout pâle, tout blanc, trop cru. Dieu s'est dit qu'il avait encore échoué pour avoir mal réglé son four. Il a donc aussi jeté ce deuxième essai sur terre et celui-ci est tombé en Europe. Dieu s'est alors appliqué et a surveillé soigneusement la cuisson du troisième. Il le voulait bien cuivré, bronzé, doré à point. Cette fois, il a réussi et a obtenu un homme ni trop cuit ni pas assez, un homme parfait : les Mexicains que Dieu a déposés au centre des Amériques.

— Pour les Egyptiens d'Héliopolis de 2300 avant J.-C., l'humanité est née d'une masturbation du dieu Atoum. De son sperme seraient issus les jumeaux Shou et Tefnout qui furent les premiers humains.

Lucrèce était déjà prête à prendre la relève.

— Pour les Sumériens de l'an 1200 avant J.-C., les dieux étaient fatigués de travailler pour subvenir à leurs besoins. Ils ont donc décidé de sacrifier l'un d'entre eux afin qu'il donne naissance à une génération de serviteurs qui leur permettrait de s'adonner à la fainéantise.

— Autant d'hypothèses, autant de propositions. Et maintenant cette vision démente d'un père de nos pères qui aurait fauté avec une truie !

Ils rirent tous les deux.

Il la considéra. Quand elle riait, deux petites fossettes se creusaient dans ses joues. Ce fut à ce moment que la télévision se déclencha toute seule.

— C'est l'heure de la mythologie moderne, proclama-t-il.

Sanglé dans son blazer impeccable, le présentateur énonça les titres de l'actualité. Pour commencer, il proposa un reportage exceptionnel sur les orphelinats de Roumanie. Un reporter expliqua que, là-bas, beaucoup d'enfants étaient abandonnés sur le parvis des églises. On les emmenait alors dans des orphelinats d'Etat. Vision d'orphelinats crasseux. Des enfants bruyants. Le commentateur signala que, comme le pays ne disposait ni d'assez de moyens ni de personnel suffisant pour s'occuper de cette masse de gamins, on enfermait les nouveau-nés abandonnés dans des lits grillagés fermés comme des cages. Là-dedans, les enfants hurlaient et pleuraient en permanence. Certains, devenus fous, se griffaient le visage. Les plus violents étaient enveloppés d'une camisole de force dès l'âge de deux ans. Un sociologue expliqua devant un micro qu'il y avait dans le monde entier de plus en plus d'enfants abandonnés. Il annonça qu'on comptait actuellement 146 millions d'enfants abandonnés par leurs parents et que ce chiffre connaissait une croissance exponentielle dans tous les pays. Isidore éteignit brusquement la télé. Il semblait bouleversé.

— 146 millions ! répéta-t-il, comme assommé.

Il se prit la tête dans les mains.

Lucrèce comprenait maintenant pourquoi il recherchait tant la VMV et pourquoi il essayait de prévoir des futurs plus radieux. Le présent le paniquait. Elle se demanda un instant pourquoi il s'imposait ainsi d'écouter les actualités mais elle connaissait la réponse. « Parce qu'il veut savoir. Il ne veut pas jouer l'autruche. Il veut voir en face le monde dans lequel il vit. »

— Ce n'est rien. Excusez-moi, marmonna-t-il en reprenant contenance.

— Je comprends, dit-elle. Je suis orpheline et concernée au premier chef.

— Si nous abandonnons nos enfants, c'est l'espèce entière qui...

— ... Comme si les humains étaient dorénavant moins préoccupés par l'avenir de leur progéniture, compléta-t-elle.

Il se releva, déterminé.

— Il est peut-être temps que je vous montre un autre de mes secrets, dit-il.

Le gros journaliste guida la jeune fille vers la colonne centrale posée comme un immense mât cylindrique au centre de la pièce. Il ouvrit une porte et dévoila un escalier en colimaçon.

Elle le suivit. Ils arrivèrent devant une porte dont il ouvrit les serrures. Il éteignit la lumière électrique de l'escalier et alluma un chandelier muni de sept bougies. La porte donnait sur une petite plate-forme entourée d'eau. Ils étaient dans la citerne supérieure.

Lucrèce comprit pourquoi Isidore avait utilisé un chandelier : il voulait éviter une clarté trop forte. Ici, il n'y avait pas de plafond et, en levant la tête, on voyait le ciel étoilé.

— Voici mon « lieu de vacances ».

Il souffla les sept bougies. La lueur des étoiles de cette nuit d'été était suffisante pour éclairer la scène.

Il lui indiqua une passerelle de bois qui rejoignait la plage circulaire autour de cette étendue d'eau.

— Ici on est loin des hommes et plus près des étoiles.

Il se dirigea vers un recoin, choisit un disque qu'il introduisit dans sa chaîne hi-fi : les *Gymnopédies* d'Erik Satie. La musique emplit la pièce, provoqua même un léger remous sur l'eau. Il lui montra deux transats.

— Extraordi...

Il lui fit signe de se taire et lui désigna les étoiles.

— Ce soir, au programme, Satie et les galaxies.

— Je...

Il lui mit le doigt sur la bouche.

— Chuuuut... Ecouter. Comprendre. Se taire.

Il monta le son des *Gymnopédies*. La musique emplit complètement la pièce.

Elle regarda les étoiles. Plus elle les observait, plus elle en découvrait de nouvelles.

Une météorite entra dans l'atmosphère, produisant un trait fin dans le firmament. Elle fit un vœu.

— J'ai l'impress...

Isidore ne prit même plus la peine de lui faire signe de se taire. Il lui adressa un sourire complice et elle comprit qu'il ressentait les mêmes choses qu'elle et que c'était précisément pour cela qu'il venait dans cet endroit. Ici, il n'y avait plus besoin de se parler pour se comprendre.

A ce moment elle entendit un bruit. Un clapotis différent. A cause du manque de clarté elle n'avait pas bien examiné la surface de l'eau. Maintenant que ses pupilles étaient dilatées elle y voyait mieux. Trois têtes la fixaient hors de l'eau.

Elle eut un mouvement de peur. Mais ces trois visages moqueurs qui la scrutaient appartenaient à des êtres connus. Des dauphins.

— Des...

Isidore lui mit encore le doigt devant la bouche puis il se leva, se déshabilla et se jeta dans l'eau tiède. Le plongeon éclaboussa un peu les alentours, mais déjà les dauphins émettaient leurs petits cris stridents et jouaient avec lui.

— Je peux venir ? demanda-t-elle.

— Non, il est trop tôt.

Alors elle resta sur la berge à regarder les étoiles et à écouter son compagnon jouer avec les dauphins. Elle réfléchit à ce qui se passait. Elle comprit alors qu'Isidore se déchargeait ici de tout ce qu'il pouvait y avoir de mauvais en lui. L'eau était l'élément où il ne ressentait même plus la violence de la gravité qui le plaquait au sol et appuyait sur tous ses os. Les dauphins étaient ses infirmiers. La nuit, son échappatoire.

Dans son « lieu de vacances » il pouvait se débarrasser de stress immenses sans ressentir l'envie de se venger, et sans éprouver de colère.

Isidore sautait et nageait dans l'eau. Les dauphins semblaient avoir compris qu'aujourd'hui il avait particulièrement besoin d'eux. Elle remarqua qu'ils arboraient tous des rayures sur le corps. Ce devait être des dauphins blessés par des hélices de navire qu'Isidore avait soignés et récupérés. Commencer par sauver ceux qui allaient le sauver.

Les dauphins entraînèrent Isidore dans des apnées de plus en plus prolongées. Ils firent tourner leur ami autour du mât central où se trouvait l'escalier. Isidore s'accrocha à leur nageoire dorsale les yeux fermés d'abandon, un sourire de béatitude lui inondant le visage.

Il ressortit. S'enveloppa dans une serviette.

— Vous leur avez demandé leur avis ?

Isidore paraissait soudain déterminé.

— Mieux, avec eux, je me suis... retrouvé.

Il tourna sur place.

— Je crois que cette histoire de chaînon manquant est cruciale. Il faut nous dépêcher d'agir si nous ne voulons pas que la patte à cinq doigts disparaisse dans la nature.

— Ange va probablement essayer de la vendre au plus offrant, ragea la journaliste.

— Il a besoin à la fois d'argent et de crédibilité, avança Isidore.

Ils s'accordèrent pour éliminer de l'éventuel rachat l'astronome Sanderson et le biologiste Conrad, tous deux fonctionnaires, donc ne possédant pas financièrement les moyens de satisfaire l'acrobate.

Restait le Dr Van Lisbeth.

— Elle a non seulement les moyens faramineux de sa clinique pour milliardaires mais, en plus, elle est à l'origine même de la découverte du lien avec le porc, signala-t-elle la bouche pleine.

— Il y a quelque chose d'étrange autour de cette clinique...

— Bon sang !

Isidore Katzenberg s'arrêta. Il saisit un paquet de bonbons à la réglisse. Il lui fallait de plus en plus de sucres pour alimenter la chaudière de son cerveau.

— Comment n'y ai-je pas pensé plus tôt !

— A quoi ?

— A leur fameuse zone CIRC.

— Oui, leur zone d'expérimentation, je ne vois pas bien quel intérêt elle peut avoir..., s'étonna Lucrèce.

— Tout simplement les initiales.

— CIRC ?

— Oui, prononcez-les plus vite.

Lucrèce Nemrod répéta plusieurs fois ces lettres, puis s'arrêta, comme touchée par une décharge.

— Circé ! La déesse de la mythologie grecque !

Cette fois la jeune fille saisit parfaitement le trouble de son compagnon.

— Et vous vous souvenez de sa particularité ?

Point n'était besoin de rappeler à la jeune fille que Circé, la magicienne de la mythologie grecque, dans l'*Odyssée* métamorphosa les hommes d'Ulysse en... porcs.

Ils abandonnèrent le château d'eau et foncèrent sur leur side-car au sein de la nuit opaque.

3. SEUL

Il remarque au loin une horde de primates.

Comme Papa.

Le PREMIER FILS bondit vers eux en espérant que la horde l'adoptera. Trois mâles dominants lui font aussitôt comprendre qu'il doit déguerpir. Il insiste. On lui jette des pierres. Même les enfants lui jettent des pierres. On n'aime pas les étrangers.

Le PREMIER FILS ne sait pas la tête qu'il a, mais à leur hostilité il se doute qu'il doit leur paraître un peu « différent ».

Il s'approche d'une famille de phacochères. Comme Maman.

Là encore, les mâles aux défenses les plus longues le chargent pour lui faire comprendre qu'il doit rester à distance.

Il a envie de leur parler. De leur dire que, loin d'être une tare, les caractéristiques différentes de sa mère et de son père ont enrichi sa personnalité.

On lui fait comprendre qu'il est plus qu'indésirable : importun.

Mais les animaux ne reconnaissent ni son aspect ni son odeur. Pour eux, le PREMIER FILS est un monstre. Un mutant. Tous espèrent qu'il mourra sans laisser de descendance.

Il se pelotonne sur lui-même. Il se dit qu'il aurait dû rester dans la caverne, avec sa famille. Au moins, eux n'étaient pas choqués par son apparence.

4. LA CLINIQUE

Lucrèce Nemrod escalada sans problème le mur extérieur de la clinique des Mimosas, mais eut beaucoup de mal à y hisser Isidore, trop lourd et peu sportif.

Des chiens surgirent. Isidore Katzenberg leur lança les croquettes imbibées de chloroforme dont il s'était muni dans l'hypothèse de pareille rencontre.

Les molosses calmés, ils traversèrent furtivement le parc pour pénétrer dans le bâtiment. Il y avait encore beaucoup d'activité à l'entrée. Des malades insomniaques harcelaient des infirmières très patientes. En tâchant de ne pas trop se faire remarquer, les deux journalistes scientifiques traversèrent discrètement le couloir pour gagner la zone CIRC.

Ils passèrent la porte. A droite, il y avait une salle de conférences d'où s'échappait un brouhaha de voix. Ils s'approchèrent. Le Dr Van Lisbeth en personne était en train de donner un cours à une dizaine d'étudiants. D'après ce qu'ils comprirent à travers une petite grille d'aération, elle leur expliquait comment prélever un pancréas sur un porc puis comment l'« humaniser » en le réimplantant sur un chimpanzé bonobo. Pour enfin l'implanter sur un humain. Elle leur présenta ensuite une courbe de réussite de l'opération.

Il y avait un petit porc et un singe dans la pièce. La doctoresse expliqua que le porc avait été génétiquement modifié de façon à obtenir un minimum de rejet lors d'une éventuelle opération. Elle projeta ensuite une cassette vidéo montrant un patient atteint d'une maladie incurable.

— Avant notre intervention, même la morphine n'avait plus d'effet sur lui. Nous lui avons implanté dans le canal rachidien des macrocapsules recelant des cellules chromaffines issues de glandes surrénales de porc. Celles-ci se sont naturellement mises à produire plusieurs substances anti-douleur et notamment de la dopamine, des enképhalines, et de la somatostatine. Le résultat dépasse toutes nos prévisions. Chez certains malades, il a été possible d'arrêter la morphine. Un seul sujet n'a pas supporté l'implant.

La clinique des Mimosas n'était pas la seule à pratiquer ce type d'expériences, souligna la chirurgienne. Le département de biologie de l'université de Providence, dans l'Etat du Rhode Island, aux Etats-Unis, ainsi que l'école de médecine de Lausanne tentaient de soigner la maladie de Parkinson par des greffes de porc. Pour leur part, ils étaient parvenus à des réussites impressionnantes en matière de greffes de pancréas, de glandes surrénales et même de cœur.

— Vous cherchez quelque chose ?

Isidore Katzenberg et Lucrèce Nemrod sursautèrent. Un vigile les pria poliment de le suivre dans la salle de conférences.

— Je ne pense pas que ces deux-là soient des étudiants à vous, dit-il.

Le Dr Van Lisbeth reconnut les deux journalistes et déclara au garde qu'il pouvait continuer sa ronde. Ces visiteurs n'étaient pas dangereux. Elle s'empressa cependant d'achever son cours pour les entraîner au plus vite dans son bureau.

A peine étaient-ils assis, elle dans un fauteuil derrière une table d'acajou surmontée de stylos et de dossiers soigneusement rangés, qu'elle lança :

— Je sais que vous vous êtes rendus en Tanzanie. Donc, vous savez et c'est sans doute la raison de votre intrusion. Vous croyez que c'est moi qui détiens maintenant la patte à cinq doigts, mais vous vous trompez. Ange Rinzouli m'a certes contactée, mais c'était pour m'annoncer qu'il organisait une vente aux enchères afin de la céder au plus offrant. Elle aura lieu la semaine prochaine au Cirque d'Hiver, juste après son spectacle.

Le Dr Van Lisbeth tendit aux reporters un carton où étaient imprimées une photo de la patte à cinq doigts ainsi que des précisions sur la date et le lieu de la vente. Puis elle croisa ses fines jambes gainées de noir et se carra dans son fauteuil.

Lucrèce Nemrod la fixa droit dans les yeux.

— Vous saviez depuis le début que l'hypothèse du Pr Adjemian était un hybride homme-cochon. Pourquoi ne nous avez-vous rien dit ?

— C'est un sujet délicat. Le cochon a toujours eu une image déplorable. A la ferme, c'est celui qui reçoit le plus de coups de la part des paysans. Ici, dans cette clinique de luxe, beaucoup de nos clients sont des milliardaires pétroliers du Moyen-Orient. S'ils apprenaient qu'ils possèdent désormais un cœur, un rein, ou un pancréas de porc, cela provoquerait chez eux un grand scandale. Ils nous feraient des procès et nous ruineraient probablement.

Elle les regarda intensément puis se décida.

— Venez, dit-elle.

Ils ressortirent du bâtiment et elle les conduisit vers une petite maison isolée dans le parc qu'ils n'avaient pas remarquée lors de leur première visite. Passé le seuil, tout semblait dédié au culte des suidés : de grandes effigies de porcs, des affiches.

— Etudier les cochons m'a troublée. D'un côté, il y avait les cochons que je découvrais comme animaux proches de nous et intelligents et, de l'autre, le traitement qu'on leur faisait subir dans les élevages industriels. C'est une honte totale pour l'espèce humaine. Comment peut-on se prétendre des animaux évolués si nous traitons ainsi les autres animaux ? Alors, je ne me suis pas contentée de faire des expériences au CIRC, je me suis mise à financer avec l'aide de l'ALF une sorte de filiale française spéciale défense du cochon. Le PLF ou Pig (Porc en anglais) Liberation Front. J'ai su convaincre les actionnaires de la clinique des Mimosas qu'il serait très bon pour l'image de l'établissement de montrer que nous soutenons la lutte contre les mauvaises conditions de vie des animaux. Ne serait-ce que pour ne plus être dérangés par les ligues antivivisection. Ils ont donc accepté que nous utilisions pour nos réunions les appartements du vieux pavillon et son orangerie adjacente.

Dans l'entrée, des jeunes gens étaient en train de ranger des piles de tracts, des tubes remplis d'affiches, et même des tee-shirts à la gloire des porcs.

— Eux, ce sont des bénévoles qui ont compris l'enjeu de la réhabilitation du cochon, précisa-t-elle.

Lucrèce Nemrod et Isidore Katzenberg la suivirent dans ce qui leur apparut comme un véritable musée voué à la gloire du cochon. Une immense statue porcine trônait dans la salle principale avec sur le socle, gravée sur une plaque de bronze, la devise : « IL Y A DANS LE CŒUR DE TOUT HOMME UN COCHON QUI SOMMEILLE. »

La doctoresse promena une main affectueuse sur les courbes de la sculpture.

— C'est l'animal le plus doux, le plus affectueux, le plus proche de nous que je connaisse. Jadis, les Gaulois savaient vénérer le cochon. Ils le considéraient comme un animal sacré car il était le seul capable de détecter les truffes. En Egypte antique, Nout, la déesse du ciel et la mère des étoiles, est parfois représentée sous les traits d'une truie allaitant sa portée. En Turquie, on vouait un culte aux sangliers.

Lucrèce Nemrod ressortit son calepin maintenant tout corné pour prendre des notes tout en examinant les différents symboles, statues, peintures, grimoires, tous consacrés à la célébration du porc, qui ornaient la pièce.

— ... Le temps de gloire des suidés n'a cependant pas duré. L'un des douze travaux d'Hercule, le combat contre le sanglier d'Erymanthe, symbolise leur chute du piédestal. Un peu partout, au hasard des mythologies, on retrouve cet instant où le porc a été vaincu et privé de son auréole. Méléagre vient à bout du sanglier géant de la forêt de Calydon. Thésée tue la truie de Cromyon...

Ils pénétrèrent dans une salle remplie de cages. Chacune avait été aménagée avec un grand souci du confort de ses occupants. Elles contenaient des coussins confortables et des mangeoires fonctionnelles. L'éclairage était tamisé. Tous les habitacles étaient étiquetés d'un nom suivi des caractéristiques génétiques particulières de leur pensionnaire porcin. Il y avait ainsi Charles-Edouard, Maximilien, Wolfgang Amadeus, Achille, Jean-Sébastien, Ludwig. Les indications scientifiques notées à côté devaient servir aux greffes du CIRC, pensèrent les journalistes.

Solange Van Lisbeth s'empara d'un petit goret et les invita à le caresser.

— Voyez comme sa peau est rose, douce et

lisse. C'est un animal très facile à apprivoiser. Il est plus propre que le chat, plus fidèle que le chien. Il n'a pas besoin d'être promené dans la rue pour faire ses besoins. Il vient dès qu'on l'appelle par son nom. Il aime lécher la main de ses maîtres. Il peut apprendre des tours. Il sait rapporter le journal et renifler une piste grâce à son groin beaucoup plus sensible que bien des museaux d'autres animaux. Ce n'est pas pour rien qu'il est le seul à pouvoir détecter les truffes.

Isidore Katzenberg prit à son tour le goret dans ses bras.

— Le porc est vraiment une bête noble dans tous les sens du terme, continua la doctoresse avec le même enthousiasme. Il est intelligent. Il est affectueux. Il est sensible. Il a le sens de la famille. Il a le sens du couple. Lorsqu'il fait l'amour, sa tension nerveuse s'élève tellement que parfois il en meurt. C'est dire à quel point l'animal est passionné ! Il est curieux de tout et s'efforce sans cesse d'améliorer ses conditions de vie.

Lucrèce Nemrod voulut elle aussi cajoler le porcelet.

— Vous voyez, vous aussi vous vous prenez au jeu, remarqua Solange Van Lisbeth. Normal, si on laisse au cochon une chance de vous séduire, il y excelle. En fait, quand on assure que dans le cœur de tout homme il y a un cochon qui sommeille, on devrait plutôt dire que c'est dans le cœur des meilleurs hommes et d'eux seuls qu'un cochon sommeille.

— Mon pauvre vieux, lança affectueusement Isidore au goret, t'as pas de chance, t'es pas né sur la bonne planète.

Puis, se tournant vers sa maîtresse, il demanda :

— Quand avez-vous pris conscience pour la première fois que le porc était particulièrement intéressant ?

Tout en invitant du geste ses visiteurs à examiner des reproductions des différentes espèces porcines sur les murs, le Dr Van Lisbeth choisit de leur conter une fable.

Jadis, en Chine, le porc était l'animal familier favori des enfants. A l'époque, les Chinois engraissaient les chiens pour les manger et apprivoisaient les porcs comme bêtes de compagnie. Un jour dans le Sseu-tch'ouan, la maison d'un garçonnet prit feu. L'enfant fonça à l'intérieur pour tenter de sauver son ami porcelet. Mais celui-ci était déjà mort, asphyxié par la fumée, et il le trouva à moitié carbonisé. L'enfant voulut tout naturellement le serrer une dernière fois contre lui mais la graisse en fusion qui s'écoulait du corps lui brûla les mains. Alors, pour calmer sa douleur, l'enfant porta ses doigts à sa bouche et constata que... cette graisse avait, ma foi, fort bon goût. La nouvelle se répandit. Les Chinois se mirent à cuire à la broche leurs porcs apprivoisés et c'en fut fini dans le monde de la carrière du cochon en tant qu'animal de compagnie.

A la même époque, un peu partout, le porc devint l'animal d'élevage parfait. Il n'a besoin que de très peu d'espace pour vivre. Il est omnivore. Il n'est pas agressif. C'était cela, le drame du porc : sa capacité d'adaptation, sa gentillesse, son affection pour l'homme l'avaient définitivement condamné.

Les photographies qui s'alignaient autour d'eux témoignaient des débuts de l'industrialisation des porcheries. Des élevages en batterie. Des machines à découper les chairs, à les broyer, à les recycler. Une pancarte affichait la liste de tous les objets fabriqués par l'homme à partir du cochon. L'inventaire allait des brosses aux pinceaux, en passant par les bougies fabriquées avec sa graisse, les colles fabriquées avec ses sabots, les articles de maroquinerie et les blagues à tabac fabriquées avec sa vessie.

— Savez-vous combien de porcs sont élevés dans le monde au moment où je vous parle ? Environ 650 millions. Trois fois la population américaine !

Isidore Katzenberg et Lucrèce Nemrod contemplèrent des images de pyramides de boîtes de charcuterie en conserve, de monceaux de charcutailles sous cellophane, de tas de mortadelles, de rillettes, de boudins blancs, noirs, aux pommes, au poivre, de salami...

— Voilà leur dernier sacrement.

Une vieille affiche publicitaire montrait un cochon hilare qui tendait ses intestins en forme de saucisses en disant : « Dans le cochon tout est bon. »

Le Dr Van Lisbeth arriva devant la photo d'un groupe de savants.

— Jusqu'au moment où un laboratoire anglais a découvert par hasard, il y a de cela trente ans, une compatibilité étonnante entre nos organes et les leurs. Pour des raisons inconnues, notre organisme est compatible avec celui des cochons.

Elle montra, alignés sur des étagères, des bocaux contenant les différents organes maintenus intacts dans du formol.

— Au moment où le manque d'organes dans les cliniques devient un problème majeur, au moment où dans les pays du tiers-monde l'on tue des clochards pour leur voler les yeux, où l'on tue des enfants pour leur voler leurs reins, le porc nous sauve.

Le Dr Van Lisbeth reprit le porcelet dans ses bras.

— Lui, c'est Maximilien. C'est le plus malin de tous les petits gorets que nous élevons ici. En matière de tests d'intelligence, c'est un as. Venez, je vais vous le montrer.

Elle les mena dans une pièce où avaient été installées des cages munies de serrures semblables à celles qu'ils avaient vues chez les bonobos.

Elle introduisit le cochonnet dans une cage et, très vite, du bout du groin, l'animal fit tourner les molettes à symboles pour former sa phrase logique : « Je viens vers toi. » La porte s'ouvrit et le porcelet se précipita pour lécher la main de la scientifique.

— Maximilien est plus rapide que le plus intelligent de mes bonobos !

Lucrèce tourna en arrière les pages de son calepin.

— Fort bien, mais tout cela contredit le lamarckisme que vous déclariez avoir fait vôtre lorsque nous vous avons rencontrée la première fois. Vous nous aviez affirmé que le milieu avait fini par transformer un primate en humain.

La spécialiste des greffes convint ne leur avoir présenté alors que la moitié de sa théorie sur les origines de l'homme.

— La découverte du Pr Adjemian va bien plus loin encore. Elle démontre que ce ne sont pas obligatoirement de grands courants qui traversent les espèces. Il suffit parfois de la volonté d'un seul individu pour induire le changement.

— Un seul individu ? questionna Lucrèce.

— Oui. Un seul être est capable de modifier le comportement de tout le troupeau, et donc l'histoire de toute son espèce.

Elle se lava les mains à un petit lavabo.

— Contrairement à ce que l'on pense d'ordinaire, je crois qu'un presque rien peut avoir beaucoup d'effet. Une goutte d'eau peut faire déborder l'océan.

Lucrèce Nemrod reprit la page où elle avait noté la théorie de Van Lisbeth et, se disant qu'il fallait désormais la compléter, nota : « Théorie Van Lisbeth (suite) : Une seule volonté individuelle suffit pour changer le monde. »

La chirurgienne prit à témoin ses visiteurs.

— Parce qu'un seul individu primate mâle a fait

l'amour avec un cochon femelle, l'espèce entière a muté. Parce que l'hybride né de cette rencontre s'est débrouillé pour survivre et se reproduire, le caractère génétique accidentel produit par cet accouplement a abouti à une espèce entière. Et cette espèce a, à son tour, fait muter tout son entourage et fera peut-être même un jour muter l'univers entier. Une goutte d'eau : l'océan déborde !

Tout à coup, ils prirent conscience d'une évidence : il s'en était fallu de très peu pour qu'il n'y ait sur terre que des singes et des porcs.

Et aucun être humain...

5. AVEC LES CHAROGNARDS

Le PREMIER FILS commence à avoir très faim.

La chasse n'est pas facile. Il n'a en fait jamais appris à capturer des animaux. Dans la caverne familiale, les proies tombent du ciel et sont à moitié assommées par leur chute.

C'était facile de manger, là-bas. Ici, à la surface, les proies ne se laissent pas approcher.

Il course une autruche. Pas longtemps. Le gracieux volatile le bat sans problème et au sprint et à la course de fond. Il termine le cœur en feu.

Changement de stratégie.

Il essaie de capturer un petit rhinocéros et se retrouve obligé de refaire la course en sens inverse lorsque sa mère le menace de sa corne.

Il bat son record précédent, mais a toujours très faim. Courir c'est épuisant.

Il sent que ce n'est pas la bonne manière de procéder. Si la nature avait voulu faire de lui un animal de course, elle l'aurait doté de pattes plus longues et plus musclées. La position verticale qu'il prend sans y penser est d'autant moins adaptée à la course qu'elle le rend très peu aérodynamique et l'empêche de courir contre le vent.

Le PREMIER FILS traîne dans la steppe.

Il est d'autant plus écœuré qu'il a l'impression que le gibier ne le fuit pas seulement en tant que prédateur, mais en tant qu'individu particulier. Comme s'il le jugeait monstrueux et qu'il ne voulait pas se laisser approcher par « ça ».

Plus surprenant encore : aucun prédateur ne le poursuit, lui. Pas le moindre lion, pas le moindre léopard, pas le moindre lycaon ne s'est intéressé à ses chairs. Même les serpents ne le mordent pas et les tarentules ne le piquent pas. Les moustiques sifflent au loin. Les mouches s'éloignent.

Il se demande si tous connaissent son crime. A moins que ce ne soit son odeur particulière qui inquiète. Les autres n'arrivent pas à lui attribuer une place parmi tous les animaux connus.

Le PREMIER FILS mange une racine. Depuis sa sortie du trou, faute de mieux, il ne mange que des racines. Les végétaux, au moins, n'ont ni yeux ni nez. Une racine ne vous juge pas.

La lumière du soleil le gêne toujours. Il décide donc de dormir durant la journée dans les branches des arbres ou dans des trous de terre et de tenter de chasser la nuit. Il espère pouvoir capturer ainsi des animaux assoupis.

Il tente de s'approcher d'un lézard immobile. Dès qu'il le touche, l'autre s'enfuit. Ça ne marche pas. Il échoue de même en dérangeant un hibou, un petit rongeur, une limace. Et les protéines commencent à lui manquer.

Le PREMIER FILS se demande s'il ne risque pas de manger des racines toute sa vie. Il perçoit que ce serait rétrograder dans l'évolution. Ses ancêtres ont mis longtemps à ajouter la viande à leur menu, ce n'est pas pour que lui redevienne herbivore. Il faut à tout prix qu'il trouve de la viande à manger. Mais comment attraper toutes ces bêtes qui décampent à toute vitesse dès qu'il approche ?

Un jour, le PREMIER FILS découvre une carcasse de girafe à demi dévorée. Probablement que les charognards en ont mangé jusqu'à satiété. Voilà la solution. La chair est légèrement faisandée, mais force est de reconnaître que c'est de la viande, et de la viande toute prête.

Alors, il prend un morceau d'os recouvert encore de petits lambeaux de muscles noirs, séchés, à l'odeur forte, et il le porte à la bouche. Cela a d'abord le goût de la viande et juste après un ignoble goût de pourriture. Il en reprend plusieurs fois. C'est un acte important. Il sait qu'en se nourrissant ainsi il rétrograde jusqu'au rang des charognards mais, au moins, il reste dans le club des carnivores. Et puis il est toujours vivant et il a moins faim.

D'abord survivre, ensuite penser.

Il lève la tête. Dans la caverne le plafond était plus proche. Depuis qu'il est sorti, tout semble inatteignable. Y compris les étoiles.

6. DU FIN FOND DES ÉTOILES

Roulement de tambour. Claquement de cymbales. Dans les cintres du chapiteau du Cirque d'Hiver de Paris, les projecteurs scintillaient comme des étoiles survoltées. Un Monsieur Loyal en costume à paillettes surgit dans un crépitement d'applaudissements clairsemés.

La télévision et le cinéma avaient porté des coups décisifs au spectacle vivant. En dehors d'enfants des écoles invités gratuitement grâce à des accords avec des municipalités, et de quelques nostalgiques des plaisirs d'antan, il n'y avait guère foule dans les gradins.

Isidore Katzenberg et Lucrèce Nemrod s'assirent aux côtés du Dr Van Lisbeth. Il était prévu que la vente aux enchères de la patte à cinq doigts débuterait aussitôt après le spectacle, dans la roulotte 66, celle d'Ange Rinzouli.

Les spots s'éteignirent. Roulement de tambour. Claquement de cymbales. La fanfare joua un air entraînant que les enfants scandèrent en frappant dans leurs mains. Monsieur Loyal vanta les différents numéros qui allaient se dérouler sur la piste.

Des hommes en tablier noir installèrent de vastes cages dans l'arène et un dompteur en tenue écarlate à brandebourgs dorés apparut, flanqué de deux lions et trois lionnes. L'homme fit claquer son fouet et les bêtes bondirent dans les cerceaux qu'il leur présenta. L'homme fit claquer son fouet et les fauves allèrent s'aligner dans un coin. Une assistante en cotillon court enflamma un cerceau et les fauves y bondirent les uns après les autres. Roulement de tambour. Claquement de fouet. Le plus impressionnant des lions mâles s'agenouilla auprès du dompteur et ouvrit grand sa gueule. Le maître y fourra sa tête et la bête ne referma pas ses mâchoires. Pourtant, à bien observer son regard fou, Isidore Katzenberg et Lucrèce Nemrod comprirent que le lion n'attendait que le premier prétexte pour régler son compte à cet individu qui lui manquait de respect depuis trop longtemps. L'homme retira sa tête. Volée d'applaudissements.

Lumière. Noir. Monsieur Loyal réapparut pour présenter le numéro suivant : « Devant vous, mesdames, messieurs, le Maître de l'Hypnose ! » Le virtuose en question était un petit homme en smoking noir. Il réclama trois volontaires parmi l'assistance. Trois jeunes gens se présentèrent parmi les murmures.

Le magnétiseur les fixa droit dans les yeux puis, les estimant prêts pour le stade suivant, il demanda au premier de ressentir les affres de la plus intense canicule. Le garçon se déshabilla vivement, un cercle de lumière montra la sueur coulant à grosses gouttes sur son visage et sa poitrine. Applaudissements. Le deuxième jeune homme fut prié de se transformer en singe. Avec beaucoup de naturel, il s'accroupit à même le sol et sautilla en rond en poussant des gloussements de chimpanzé. L'hypnotiseur lui tendit une banane que son cobaye dévora en roulant des yeux ravis. Applaudissements. Au micro, l'homme de l'art expliqua qu'il n'opérait que par suggestion en réveillant des tendances naturelles que chacun des spectateurs possédait en lui. Au troisième volontaire, il demanda de régresser dans le temps, de se visualiser adolescent, puis enfant, puis nouveau-né. Obtempérant, l'autre se mit à quatre pattes en gazouillant comme un bébé, il se fourra le pouce dans la bouche en même temps qu'un pan de sa chemise, l'utilisant comme doudou. L'hypnotiseur tenta de lui retirer le bout de tissu, mais comme son cobaye commençait à brailler et à pleurer, il le lui rendit et l'homme-bébé, enchanté, se mit à gazouiller. Applaudissements.

Lumière. Noir. Monsieur Loyal annonça la dernière partie du spectacle : les trapézistes. Les garçons de piste installèrent le matériel et un trio d'acrobates fit fièrement son entrée.

Dans le rôle de Tarzan, Ange Rinzouli était suivi d'un King Kong vêtu de fourrure synthétique un peu élimée et d'une Jane sculpturale aux plantureux attributs physiques scintillants de sequins. Monsieur Loyal réclama des applaudissements. Les valeureux acrobates allaient opérer sans filet.

— J'ai comme un pressentiment, murmura Isidore Katzenberg.

— Mais non, nous ne sommes pas dans un

roman. Personne n'a intérêt à tuer Ange, remarqua Lucrèce Nemrod en haussant les épaules.

Fanfare. Au son des cuivres, les trois artistes s'élancèrent dans le vide, volant d'un trapèze à l'autre, se rattrapant toujours mutuellement à la dernière minute parmi les cris d'admiration et de crainte de l'assistance.

— L'instant est grave, clama Monsieur Loyal dans son micro. Ange Rinzouli va à présent réaliser un double salto arrière, dit aussi saut de l'Ange, en l'honneur de son orfèvre qui est le seul à pouvoir réaliser cette figure ô combien périlleuse.

— J'ai comme un pressentiment, répéta Isidore Katzenberg nonchalamment.

Le tambour de l'orchestre effectua un roulement en solo.

— Ne vous inquiétez pas, dit à son tour le docteur Van Lisbeth. Ange est un professionnel. J'ai déjà assisté plusieurs fois à ce numéro. Il est extraordinaire.

Là-haut dans les cintres, Ange Rinzouli prit son élan, jambes tendues, bras en croix sur sa poitrine. Il accomplit gracieusement son double salto arrière et, à l'instant même où l'assistance le voyait déjà chuter telle une pierre, King Kong le saisit avec beaucoup de précision.

Applaudissements soulagés.

— Vous voyez, vous aviez tort d'être pessimiste.

— De plus en plus fort ! brailla Monsieur Loyal. La troupe va exécuter maintenant un triple axel avec volte avant carpée. Dit « saut de la mort ».

Silence. Roulement du tambour. Ange grimpa sur son trapèze, le visage souriant mais l'expression concentrée. Il virevolta comme annoncé, tendit ses mains, King Kong aussi, les quatre mains se trouvèrent et s'agrippèrent fermement.

Applaudissements redoublés.

La fanfare entonna un air guilleret afin de signifier que la tension était maintenant tombée. En haut, les trois artistes passaient mutuellement de main en main comme pour marquer la fin de leur numéro. Ange Rinzouli, se sentant sans doute particulièrement en forme, indiqua à Monsieur Loyal qu'il voulait conclure sur sa plus grande prouesse : le tonneau vertical.

Nouveau roulement menaçant du tambour. Dans le public, de nombreux spectateurs, lassés du faux suspense et fatigués de tendre le cou, se désintéressèrent de ce qui se passait si haut au-dessus de leur tête. Des enfants réclamèrent leur goûter. Des mamans arrangèrent des cache-nez. Ange prit son essor, vrilla et tendit ses bras loin devant. Ses partenaires étaient davantage éloignés de lui que lors des sauts précédents. King Kong s'étira très fort pour rejoindre Tarzan.

Deux mains allaient s'arrimer à deux autres mains. Mains humaines contre mains de singe. La scène ressemblait à la fresque de Michel-Ange, à la chapelle Sixtine. Dieu avait donné du bout du doigt le savoir à l'homme. A son tour, l'homme tendait son doigt au singe. La figure était allégorique, même s'il s'agissait ici d'un faux primate en fourrure de nylon.

Les mains allaient se toucher. Elles se touchaient presque. A la dernière seconde pourtant, juste au moment précis de la réception, le singe s'esquiva. Le geste fut presque imperceptible. Une clameur d'étonnement jaillit du public.

Ange Rinzouli ouvrit de grands yeux stupéfaits. Il chercha le regard derrière le masque simiesque pour tenter de comprendre pourquoi. Il aperçut derrière les trous du masque de singe quelque chose qui parut l'étonner.

Tarzan chut.

Cet Ange ne savait pas voler. Il s'écrasa au sol dans un bruit mat d'os brisés.

Isidore Katzenberg et Lucrèce Nemrod coururent vers le centre de la piste.

Ange les reconnut et leur sourit.
— Content... que vous vous... en soyez... sortis...
Il esquissa un rire qui ressemblait à un râle et cracha du sang. Il porta sa main à sa bouche, recueillit des bulles rougeâtres dans sa paume, parut effrayé, puis émit de nouveau son drôle de rire.
— Le secret... restera secret... Ils ne laisseront personne dévoiler... la patte.
A nouveau, il gloussa, toussa et cracha. Puis il ferma les yeux. Lucrèce Nemrod le secoua rudement.
— Où est la patte à cinq doigts ?
Ange rouvrit les paupières et laissa filtrer un regard embrumé.
— Les arbres...
— Quoi, les arbres ?
— Les arbres cachent leurs racines sous la terre.
Isidore et Lucrèce s'efforcèrent de comprendre le message.
— Peut-être veut-il dire que les racines de l'humanité doivent rester cachées, supposa la jeune fille.
Déjà le SAMU survenait pour transporter le malheureux acrobate vers un service d'urgences. Les secouristes le déposèrent sur une civière et s'empressèrent de l'emporter vers la sortie, se frayant difficilement un chemin parmi les badauds toujours passionnés par la mort des autres. Malgré la bousculade, les deux journalistes réussirent à suivre. Lucrèce s'accrocha à la civière.
— Vite, vite, je vous en conjure : où est la patte ? Parlez, vous n'avez plus rien à perdre.
Comme si Ange Rinzouli était enfin convaincu que désormais plus rien ne viendrait entraver le cours des choses, il désigna un pan de toile à l'arrière du chapiteau.
— Dans ma... roulotte. Sous... les racines du bonsaï, souffla-t-il.

Puis il se crispa dans un ultime soubresaut.

Les journalistes foncèrent vers la caravane stationnée dans le parking. « ROULOTTE 66. » « Ange RINZOULI, TRAPÉZISTE. » La porte avait déjà été forcée. A l'intérieur, les meubles étaient renversés, tout était sens dessus dessous. Le bonsaï gisait à côté des tessons de son pot brisé.

Ils sortirent. Le coupable ne pouvait pas être loin. Ils aperçurent en effet une silhouette qui s'enfuyait, la boîte sous le bras. Lucrèce Nemrod se jeta sur sa moto et, à sa grande surprise, en rattrapant le fuyard, elle reconnut le père Mathias, le prêtre du vol Paris-Dar es-Salaam. Elle sauta en marche et le plaqua au sol. Le prêtre se débattit entre les bras de Lucrèce et roula des yeux hallucinés.

Isidore Katzenberg la rejoignit tranquillement à pied et examina la situation.

— En fait d'enchères, le pauvre Rinzouli n'avait pas prévu que les clients préféreraient l'acquérir sans payer.

Le prêtre lâcha à contrecœur la boîte transparente.

— Il faut détruire cette patte ! Il faut la détruire. Il faut la détruire. C'est la patte du diable. Il faut la détruire ! répétait-il comme une litanie.

— Non, dit Isidore tranquillement. Assez de mort, assez de destruction.

— Il a raison, mon père, approuva Lucrèce. Vous n'êtes vraiment pas raisonnable.

— Mais c'est la volonté de Dieu. Je vous en conjure, cette boîte doit être brûlée. C'est la main du diable. C'est la main du diable aux doigts fourchus.

Isidore Katzenberg ramassa l'écrin transparent pour vérifier que tout était toujours en place. Ce fossile leur aurait décidément donné bien du tracas. Il allait ouvrir la boîte quand, dans un crissement de pneus, une voiture surgit. Un bras sortit d'une portière et arracha l'objet contenant la si précieuse relique.

7. APPRENTISSAGE DE LA SOLITUDE

Pour devenir un charognard efficace, il faut suivre les vautours.

Ils indiquent les lieux de dépeçage. Il suffit d'attendre son tour.

Les premiers à manger sont généralement les lions et ensuite, dans l'ordre : les hyènes, les vautours, les chacals, les corbeaux et les rats. Puis enfin, Lui.

Lui, le PREMIER FILS exilé, l'étranger absolu, tout au bas de l'écosystème.

En général, ça se bouscule un peu aux passages de relais. Parfois, un lion tue une hyène pour lui faire comprendre qu'elle doit encore attendre. Les hyènes se vengent sur les vautours, les vautours sur les chacals, et ainsi de suite... Naissance du stress.

Lui doit négocier les morceaux avec les rats. Méprisables adversaires.

Plusieurs fois, il a essayé de gagner un rang dans la pyramide des prédateurs en court-circuitant les rats, mais il s'est fait mordre jusqu'au sang. Les rats sont petits mais unis, ils viennent à bout de gens comme lui. Pas la peine d'insister. Il a appris sa première leçon. Dans la nature chacun a une place précise et doit s'y tenir. Les audacieux sont mal vus.

Là-haut, justement, les vautours commencent à descendre. Il court réserver sa place dans la distribution de nourriture morte.

8. POURSUITE MOTORISÉE

Ils suivaient la voiture du voleur de patte.

Lucrèce Nemrod n'avait pas eu le temps d'enfiler son bonnet de cuir d'aviatrice et ses longs cheveux roux micro-ondulés volaient, inondant le visage de son voisin de poursuite. Devant eux la voiture fonçait à vive allure, grillant les feux rouges et terrorisant les piétons.

Lucrèce Nemrod tourna la manette des gaz et ils parvinrent à la hauteur du véhicule. L'homme qui la conduisait arborait un masque de singe. Isidore Katzenberg lui adressa un petit salut amical. Inquiet, il vira dans la première rue venue, mais le side-car continua à lui coller à la roue.

Un guépard à la poursuite d'un rhinocéros.

L'homme au masque de singe fixait sans cesse son rétroviseur et se retournait même de temps à autre pour mieux voir où en étaient ses poursuivants.

L'homme au masque de singe pénétra volontairement dans une grande flaque de boue pour ralentir la moto, mais Lucrèce Nemrod réussit à contourner la nappe glissante.

Isidore Katzenberg fouilla dans l'habitacle de sa nacelle. Il trouva toutes sortes d'objets hétéroclites. Il finit par dénicher un vieux Mauser datant probablement de la guerre de 14. Ajustant la roue droite de la voiture du voleur, il tira dans la chair du pneu. La blessure fut immédiate et le poursuivi perdit aussitôt le contrôle de son véhicule, qui fit une embardée et partit s'encastrer dans un tas de poubelles qui encaissèrent le choc.

Déjà Lucrèce Nemrod avait bondi et attrapait le voleur au collet pour lui arracher son masque. Elle recula de surprise devant le visage qu'il révéla.

— Vous ? ne put-elle s'empêcher de s'exclamer.

9. SANS MASQUE

Le PREMIER FILS se penche vers une flaque d'eau et aperçoit le reflet de son visage. « Qui suis-je ? »

Ses yeux sont ceux d'un primate. Mais sa peau est trop rose, trop lisse. Ses pommettes sont différentes. Ses oreilles sont plus pointues et en même temps moins poilues. Son museau est moins plat. Ses dents...

Le PREMIER FILS regarde ses dents. Il ne se trouve ni beau ni laid. Il se trouve différent.

Si, il est laid. Il sait que pour tous il est laid car il ne ressemble à personne d'autre. Seul son frère était presque comme lui, et il l'a tué. Son frère était plus beau que lui. Plus intelligent. Plus doux. Plus gracieux.

Son père le préférait. Il a laissé parler ses pulsions les plus primaires. Il n'est pas seulement laid par l'apparence. Il est laid par son esprit.

Le PREMIER FILS se regarde dans le reflet de l'eau de la flaque. Une idée lui vient : « Personne ne m'aime. »

Et une seconde idée s'enchaîne, encore plus terrible : « Même moi, je ne m'aime pas. »

Il n'est pas seulement laid. Il est hideux. Il est une insulte à tout ce que la nature a créé d'harmonieux et de complémentaire. Il n'a aucune référence. Il n'est complémentaire de rien. Même sa famille le rejette. Il est de trop.

« Mourir. »

Il veut mourir, mais il se sait trop maladroit pour réussir ça. Et puis, il n'en a même pas le courage.

« Pourquoi j'existe ? » est la quatrième pensée qui l'assaille.

« Pourquoi est-ce que j'existe plutôt que rien ?... »

Une larme coule de sa joue, tombe dans la flaque et vient rider son image. Une immense angoisse l'envahit. Il est seul sur la planète. La nuit tombe et il se demande s'il n'aurait pas mieux fait de ne jamais naître.

Il pleure. Intuitivement, il sent qu'il n'a aucun futur. Sa larme ne fait pas déborder la flaque mais crée une onde ronde qui ne cesse de s'élargir.

10. UNE THÉORIE PLUS COMPLEXE

Derrière le masque de singe, il y avait le visage marqué de tous les stigmates de la confusion de l'astronome Benoît Sanderson ! Le savant lâcha la boîte contenant la relique. Isidore Katzenberg vérifia que la patte à cinq doigts y était toujours intacte.

— Il faut la détruire ! dit mollement Benoît Sanderson.

Il voulut pulvériser l'étui d'un vigoureux coup de poing, mais Isidore le tenait hors de portée de toute tentative de destruction. Lucrèce Nemrod saisit le poignet de l'astronome et le lui tordit pour le calmer. Il s'effondra contre sa portière.

— Vous ne savez pas avec quoi vous jouez, se désola-t-il. Vous ne savez pas ce que vous faites. L'enjeu est énorme pour nous tous, Terriens. Même ma vie est sans importance par rapport à ça.

Il considéra ses interlocuteurs et, subitement, il étouffa un petit rire :

— De toute façon, cet objet est obligatoirement un faux. Je connais la véritable source de l'humanité.

— Les météorites ?

— Je ne vous ai pas tout dit.

— Allez-y, lança la jeune fille rousse. Quelle est votre nouvelle théorie ?

Elle relâcha son emprise et il reprit un peu de dignité.

— Ce n'est pas vraiment une nouvelle théorie. C'est seulement un prolongement de celle que je vous ai déjà confiée.

Isidore Katzenberg suggéra de garer leurs véhicules et de se rendre au café le plus proche afin d'y discuter plus tranquillement qu'en plein milieu de la rue.

Ils se laissèrent aller sur des banquettes de plastique crevées au fond d'un bistrot de quartier et commandèrent des alcools aptes à dilater les vaisseaux sanguins. Là, l'astronome remit en place sa prothèse auditive et paracheva son étrange théorie.

— Seul l'être humain est inadapté à la terre. Tous les autres animaux y sont adaptés. Chaleur, lumière, communication, tous les autres animaux gèrent parfaitement leurs conditions de vie. Les baleines sont capables de communiquer à plusieurs kilomètres alors que pour les humains, à quelques mètres à peine, l'opération devient déjà difficile. Dans la nature, les animaux sont aptes à passer l'hiver sans problème alors qu'au-dessous de 10 degrés, un humain nu meurt. On dit les animaux « bêtes » parce qu'ils ne développent pas de technologies. Mais, en réalité, eux n'en ont pas besoin puisqu'ils sont naturellement adaptés à cette planète. Maintenant, problème et grande question : pourquoi les hommes sont-ils les seuls animaux inadaptés de cette planète ?

— On vous la pose.

Sanderson but d'un trait son alcool, puis toujours avec son sourire bizarre il annonça :

— Parce que nous ne sommes pas terriens.

L'astronome expliqua que l'espèce humaine n'était pas seulement issue d'un primate rendu malade par une bactérie voyageant dans une météorite. Selon lui, l'humanité avait directement débarqué de l'espace sous sa forme actuelle.

— Sans doute les humains ont-ils flanqué une telle pagaille sur leur planète originelle que celle-ci n'était désormais plus viable pour eux. Beaucoup ont dû périr. Les survivants sont partis pour atterrir ici. Ils ont oublié leur dramatique histoire tout comme ils ont volontairement oublié leurs technologies dévastatrices. Ils ont donc tout recommencé de zéro. L'homme préhistorique avait dû être un hippie écolo ayant volontairement décidé de renoncer aux technologies de ses ancêtres.

— D'où un rapprochement avec la théorie de l'involution de notre ami le Kikuyu, souligna Lucrèce, se souvenant du tenancier de bar tanzanien.

Elle nota après la théorie B de la météorite, la « THÉORIE B' DU DÉBARQUEMENT D'HUMANOÏDES EXTRATERRESTRES ».

Isidore Katzenberg avala son godet de cognac.

— Ainsi donc, nous sommes ici pour effectuer notre rédemption, résuma-t-il. Vous présentez là une hypothèse proche du bouddhisme : les gens se réincarnent jusqu'à ce qu'ils découvrent la bonne manière de se comporter. Notre espèce se déplace de planète en planète afin de découvrir enfin l'endroit où nous saurons nous comporter « en animaux dignes de ce nom ».

L'astronome approuva.

— Les hommes sont une espèce en rédemption sur terre. Ils sont venus ici afin d'effectuer leur *mea culpa*. Ils ont commis de terribles erreurs ailleurs. Ils ont donc débarqué ici pour prouver qu'ils étaient des animaux « bien ». Capables de vivre en parfaite harmonie avec une planète fertile. Au début, ils ont certes dû être parfaits et puis, peu à peu, au fil des siècles, le naturel a repris le dessus.

Comme un ressort qui se relâche après avoir été longtemps comprimé, les mauvais penchants sont remontés. L'espèce humaine a redécouvert le feu, la roue, le fer... Et les mille manières d'en abuser.

— Tout ce savoir était resté enseveli dans les couches profondes des cerveaux humains.

— Mais en arrivant sur terre, tout le monde a oublié, non seulement les méfaits de la vie ailleurs, mais aussi les dangers de ce savoir volontairement refoulé.

— « Ne touche pas à l'arbre de la connaissance, ne goûte pas la pomme du savoir », avertit la Bible.

— Mais les hommes l'ont bel et bien croquée à belles dents et, à présent, les pépins sont sur le point de les étouffer. Les hommes modernes sont en passe de faire les mêmes erreurs que leurs ancêtres. Et comme ils n'ont pas tiré les leçons du passé, ils sont amenés à le reproduire. Ils en arriveront un jour à détruire cette planète et donc à être obligés de repartir en coloniser une autre afin de recommencer une nouvelle fois l'aventure humaine. Combien de fois l'humanité renouvellera-t-elle cette erreur ? Combien de planètes détruira-t-elle avant de comprendre ? Combien de planètes ont-elles déjà été détruites par nous, les « parasites de l'univers » ?

L'astronome Benoît Sanderson se tordit les mains de désespoir et les deux journalistes le considérèrent avec inquiétude. Seulement, il y avait sur la table la boîte recelant la patte à cinq doigts et ils se souvenaient de toutes les difficultés qu'ils avaient endurées pour la retrouver. Ils ne voulaient pas renoncer maintenant à la découverte du Pr Adjemian.

— La patte à cinq doigts peut aider à une prise de conscience, affirma Isidore en plaçant la boîte sous les lumières du troquet.

Ce fut alors qu'un singe pénétra en trombe dans

le bistrot et une nouvelle fois emporta l'objet précieux. Lucrèce et Isidore se précipitèrent vers la porte. Un garçon les retint en exigeant qu'ils paient leurs consommations. Par la vitre, ils virent le singe se mettre au volant d'une voiture garée en double file, démarrer et se perdre dans la circulation du large boulevard.

11. LE TEMPS D'APPRENDRE

Le PREMIER FILS s'avance dans la plaine. Il sait que c'est lui qui détient le rôle important. Son père est bloqué dans le trou.

IL, c'est désormais lui. Et IL sent confusément qu'il a besoin d'apprendre quelque chose.

Son père lui montrait souvent les nuages qui passaient au-dessus de l'orifice. Peut-être y a-t-il un enseignement à tirer de l'observation des nuages...

IL reste longtemps à observer les volutes de vapeur qui se contorsionnent lentement là-haut pour faire des formes incompréhensibles. Il observe.

A bien les regarder, ces formes ne lui semblent pas complètement insignifiantes. Certains nuages ressemblent à des animaux. Oui, il en est persuadé, les nuages lui parlent par symboles. Il ferme les yeux, reconstitue le dessin du nuage dans son esprit et pressent une information. Comme une idée qui se prononce dans sa tête. « Je dois découvrir ce que je sais déjà. »

IL rouvre les yeux. Ça ne veut rien dire. C'est comme ces idées farfelues qui lui traversent parfois la tête quand il dort.

« Je dois découvrir ce que je sais déjà. »

S'il le sait déjà, pourquoi se donner le mal de le découvrir ?

« Parce que je l'ai oublié », se répond-il aussitôt.

IL est encore jeune. A bien y réfléchir, les deux seules grandes expériences qu'il a acquises sont : la découverte de la lumière du dehors et la découverte qu'il ne peut compter que sur lui-même.

Ça, il le sait.

IL continue à fixer les nuages. A-t-il un trésor caché dans son propre esprit ? Il faut que les nuages l'aident encore. Il fait un effort d'imagination pour tenter de voir à quelle forme lui fait penser le petit nuage qu'il a en face de lui. C'est un peu rond, avec une pointe à l'avant et une autre à l'arrière.

Cela ressemble à un... rat.

12. UNE THÉORIE ENCORE PLUS COMPLEXE

Lucrèce Nemrod et Isidore Katzenberg s'élancèrent sur leur Guzzi à la poursuite de la voiture du nouveau cambrioleur simiesque. Avec les encombrements qui à toute heure embouteillent la capitale, ils parvinrent aisément à la rattraper. Mais cette fois, ils ne se jetèrent pas à l'assaut. Ils préférèrent suivre le véhicule afin de voir où les mènerait son conducteur en costume de singe.

C'est ainsi qu'ils se retrouvèrent à l'usine Eluant.

Les journalistes garèrent le side-car à une centaine de mètres du portail et suivirent la bête. L'homme traversa à grands pas la salle d'accueil, suivit le couloir et pénétra dans un bureau où il s'empara aussitôt d'un téléphone. Lucrèce et Isidore lui emboîtèrent le pas en prenant garde à ne pas se faire remarquer.

— C'est bon, je l'ai, l'entendirent-ils prononcer laconiquement dans le combiné.

Il enleva alors son masque. Le visage de l'ingénieur Lucien Eluant apparut sous les néons. A ce moment Isidore Katzenberg dans un faux mouvement fit chuter une lourde règle sur une table. Ils n'eurent pas le temps de réagir que Lucien Eluant était sur eux, revolver au poing.

— Pas mal, les journalistes. Ainsi donc, vous avez réussi à me retrouver!

Sans lâcher son arme, il les palpa l'un après l'autre et trouva dans une poche de Lucrèce son couteau suisse. Il le rangea dans le tiroir du bureau qui avait été autrefois celui de sa sœur.

— C'est vous qui avez tué Ange Rinzouli, dit la jeune fille.

— Bien sûr, reconnut-il. Je n'allais pas laisser un minable acteur s'enrichir sur notre dos et ensuite nous faire chanter. Moins il y aura de gens informés de la théorie saugrenue du Pr Adjemian, mieux cela vaudra.

— Vous êtes un assassin.

Lucien Eluant fit la moue.

— Je suis plutôt un idéologue. Je me bats pour une cause. L'industrie alimentaire.

— L'argent! Toujours plus d'argent, dit Lucrèce.

— Détrompez-vous. J'ai des vues plus vastes. Mon combat est plus ambitieux : le bonheur par le goût. Je me prétends fin gourmet. Le cochon, c'est bon. Avez-vous déjà goûté des pieds de porc panés aux lentilles? Mmm... succulent. Avez-vous déjà connu le ravissement des joues de porc à la sauce ravigote : un peu de vinaigrette, des petites échalotes, des câpres et du persil? Avez-vous déjà connu l'extase du boudin blanc antillais aux pommes servi avec du rhum?

— Le boudin blanc, c'est du plasma de sang de porc, signala Isidore Katzenberg.

— Le fromage de tête, poursuivit Lucien Eluant, c'est du museau de porc qu'on a raclé pour en enlever la morve. D'ailleurs, on en trouve parfois un peu, on dirait de la gelée jaune. Moi, ça ne me répugne pas car c'est bon.

Il prit un air amusé en constatant leur dégoût.

— Et que dire d'un tout simple saucisson à l'ail servi avec du pain de seigle et un petit vin de Touraine ? Ou même d'une mortadelle aux pistaches accompagnée de rondelles de tomates et d'un verre de pinot blanc ? Et pourquoi pas des travers de porc au caramel comme savent si bien les préparer les restaurateurs chinois ? Non, je ne suis pas qu'un industriel intéressé par l'argent. Je suis un professionnel passionné par son métier, au point de le défendre contre ses détracteurs.

— Cela méritait la mort d'hommes ? questionna Lucrèce.

— Toute passion mérite des sacrifices et des douleurs. Vous vous imaginez ce qui se serait passé si cette affaire avait été divulguée ? Déjà que...

— Déjà que quoi ? l'encouragea Isidore.

Lucien Eluant fit un geste évasif en direction des zones d'élevage et d'abattage.

— Déjà qu'on a des problèmes ici. Depuis quelque temps, je ne sais pas pourquoi, on dirait que les porcs deviennent fous. Vous savez ce qu'ils font ? Ils s'échappent des rails pour aller se jeter contre les fourches électrocutantes.

— Volontairement ?

— Oui, ils se suicident. Ça ne change rien au goût de la viande, mais cela trouble certains ouvriers.

Il les poussa du canon de son revolver pour les contraindre à avancer. Ils se dirigèrent vers la zone de débitage.

— C'est vous qui avez essayé de mettre le feu à l'appartement du Pr Adjemian ?

L'arme vint caresser légèrement la chevelure rousse.

— C'était notre première rencontre, mademoiselle Nemrod.

— Et les trois hommes aux masques de singe qui m'ont kidnappée pour me faire parler ?

— Moi et deux apprentis charcutiers. Ça n'a pas été facile de vous retrouver. Par chance, je vous ai reconnue dans une taverne alsacienne. Je vous ai suivie. Vous ayant déjà vue à l'œuvre avec votre karaté, je me méfiais. J'ai pris des aides.

— Pas du karaté, de « l'orphelinat-kwondo », précisa Isidore toujours soucieux du mot juste.

— Je leur ai dit de mettre des masques. C'est le truc utilisé par les ligues antivivisection. Cela les désignait comme suspects. Je faisais d'une pierre deux coups. Je voulais savoir ce que vous aviez découvert et je voulais vous intimider pour que vous arrêtiez de fureter dans cette affaire.

— Vous m'auriez tuée ?

— Bien sûr. Je regrette d'ailleurs de ne pas l'avoir fait, mais je vais remédier à cette maladresse.

— C'est donc vous qui avez tué le Pr Adjemian ? reprit Isidore Katzenberg.

— Ah, ça non ! Je dois avouer que là, ce n'est pas moi. D'ailleurs, cela m'intrigue un peu de savoir que quelqu'un d'autre poursuit les mêmes objectifs que moi...

Bon gré mal gré, ils pénétrèrent dans la salle d'abattage. Lucien Eluant poussa des manettes. Broyeuses, trieuses et machines à découper se mirent à vibrer et à ronronner.

— A votre tour de partager la vie de ces animaux que vous appréciez tant ! dit l'industriel.

— Je n'arrive pas à comprendre que vous preniez tous ces risques au nom du saucisson et des rillettes ! s'exclama Isidore.

Lucien Eluant leur intima l'ordre de gravir l'escalier qui menait à la passerelle des commandes.

— J'ai un motif encore plus déterminant. Je le nommerais : le « confort de l'espèce ».

— Pour vous, c'est plus important que « la vérité » ? s'insurgea Lucrèce Nemrod.

— Evidemment. Tout le monde se fiche de la vérité. Comme tout le monde se fiche de la justice. Ce qui importe, c'est la tranquillité du troupeau humain.

— Vous n'allez pas nous dire que vous aussi vous avez une théorie nouvelle qui serait le prolongement de celle que vous nous avez déjà présentée, marmonna Lucrèce Nemrod, un peu désolée de ne pouvoir accéder à son calepin.

— Si. Et je n'ai pas peur de vous la révéler. C'est à l'homme du présent de décider de son passé et de ses origines. C'est à lui de définir ses parents. Et il les choisira non pas selon le critère de vérité, mais selon le critère du « confort d'esprit ». Et nous, les mâles dominants, les guetteurs, qui canalisons le troupeau, nous avons des devoirs envers ce troupeau d'humains. Que nous soyons industriels, scientifiques, journalistes (surtout journalistes), nous devons non pas signaler la Vérité avec un grand « V », mais une vérité qui réconforte le troupeau.

— Vous êtes cynique, dit Lucrèce.

— Non, réaliste. Et je peux vous garantir que personne ne m'en fera jamais le reproche. Le confort du troupeau humain, c'est ce qu'on a appelé à certaines époques « la raison d'Etat » ou « les intérêts supérieurs ». En fait, on pourrait dire le besoin de « ne pas créer de malaise dans le groupe social *homo sapiens* ». Les Romains ont une phrase pour ça : « *quieta non movere* » qu'on pourrait traduire : « Il ne faut pas déranger ce qui est tranquille. »

Il continua de leur indiquer un chemin étroit qui menait à des machines de plus en plus bruyantes.

— Je me souviens d'une expérience que j'ai faite avec un petit cousin. Il avait neuf mois, ne savait donc ni parler ni marcher. Je lui ai montré un jeu avec une boule sur un rail qui, lorsqu'on la poussait, allait en frapper une seconde qui, du coup, avançait à son tour. J'ai répété une dizaine de fois l'expérience. Il a ainsi appris que, quand on lance la première boule sur la seconde, cela la pousse aussi à rouler. Et puis, juste pour voir, j'ai mis un peu de colle forte sur le rail, si bien que lorsque la première boule frappait la seconde cette dernière n'avançait plus. La première fois que la première boule a frappé l'autre sans que la seconde bouge, le bébé a affiché un air surpris. La deuxième fois, il a pris un air contrarié. La troisième, il a pris un air tragique. Comme s'il souffrait. La quatrième fois il a éclaté en sanglots et a pleuré toute la nuit. Rien ne pouvait le consoler.

Les deux journalistes firent mine de bien l'écouter pour gagner sa confiance.

— Voilà qui m'a donné à réfléchir et qui va vous donner aussi à réfléchir, j'espère. Les humains, quel que soit leur âge, ont besoin de repères immuables. Si un phénomène s'est produit une fois, il doit perdurer sinon son absence les trouble. Pareil pour toute la société, si une routine s'arrête, c'est perçu comme une menace collective. Il y a perte de repères. Or, le porc est l'un de ces repères. On sait qu'il donne du saucisson et que c'est bon. Si vous dites qu'il est notre lointain ancêtre et qu'on doit le respecter comme tel, vous ne faites pas que ruiner l'industrie porcine, vous allez déranger la logique du troupeau. Vous allez quelque part au fond de nous faire pleurer le « bébé qui n'aime pas que la deuxième boule n'avance plus ».

— Ce que vous appelez « logique », moi j'appelle ça « archaïsme », rétorqua Isidore Katzenberg. C'est au nom de cette même logique

« archaïque » qu'on a longtemps fait la guerre. C'était logique, c'était un repère. En France, il n'y a plus de guerre sur le territoire depuis 1945 et tout le monde est content, même si cela fait parfois pleurer les industriels militaires...

Lucien Eluant ne se laissa pas désarçonner.

— Il n'y a plus de guerre en France, mais il y en a toujours autant dans le monde. Parce que tuer est le propre de l'homme. Et aucun politicien, aucun idéologue, aucun utopiste ne pourra changer cela. Nous sommes des carnivores, nous sommes même plus : des carnassiers ! Nous avons gardé les gènes de nos ancêtres qui se battaient pour la survie. Nous avons gardé le goût délicieux du sang tiède de nos proies qui gicle sous le palais. C'est pour cela que le cochon se mange en salaisons : pour retrouver ce goût du sang salé. Sa saveur réveille nos instincts enfouis de chasseurs.

Visiblement, Lucien Eluant prenait plaisir à exposer les idées fortes qui lui étaient chères. Il poursuivit :

— Et c'est d'ailleurs pour assumer cette pulsion naturelle qui me hante que je vais vous tuer. Mais pas n'importe comment. Vous vouliez épouser la cause des cochons ? Parfait. Vous allez pouvoir partager leur calvaire.

— Qu'allez-vous nous faire ? demanda Lucrèce rendue inquiète par toutes ces machines menaçantes qui bourdonnaient autour d'elle.

Sans répondre, Lucien Eluant les poussa en direction du sommet de la grande machine centrale. Dans la partie supérieure, il y avait le large entonnoir transparent à l'intérieur duquel se déversaient des centaines de porcs, qui paraissaient de loin comme une poudre rose. Le bas de l'entonnoir les laissait couler un à un sur un tapis roulant. Là, les porcs étaient automatiquement dirigés vers la fourche électrique.

— Vous n'allez quand même pas nous jeter là-dedans ? s'indigna Lucrèce.

Lucien Eluant éclata de rire.

— Allez-vous me dire que c'est trop... « inhumain » ?

— Ça risque surtout de donner un drôle de goût à vos saucisses dont vous êtes si friand, ajouta Isidore. Je ne veux pas vous influencer, mais un peu de chair humaine dans le saucisson ça risque d'être détecté par les gastronomes.

L'ingénieur braquait toujours son arme.

— Vous avez tort. La chair humaine a, paraît-il, un goût assez proche de celle du porc. En revanche, celui de vos vêtements risque peut-être de ruiner la réputation de mes charcuteries. Pas de fibre textile dans les saucissons Eluant. Déshabillez-vous !

Lucrèce Nemrod enleva son pull. Mais l'industriel lui indiqua d'un geste de poursuivre.

— Complètement ? demanda-t-elle, sans illusions.

— Complètement.

Il les ligota ensuite aux poignets et aux chevilles avec des tendons. Il poussa en premier le gros journaliste du haut du plongeoir, et celui-ci tomba lourdement sur le dos replet des porcs qui amortirent un peu sa chute.

Lucien Eluant contempla ensuite Lucrèce Nemrod qui cachait pudiquement sa poitrine et son bas-ventre. Il la trouva fort mignonne ainsi exposée. Elle sentit qu'il était tenté de la libérer, mais il se reprit et la poussa à son tour dans le bac à cochons.

— Désolé, je ne peux assister à votre agonie, j'ai encore beaucoup de travail à accomplir pour enterrer définitivement cette lamentable histoire. Adieu. Je me demande quand même si vous allez altérer le goût du saucisson... Je poserai demain la question aux goûteurs.

— Vous pouvez nous tuer, dit Isidore, la vérité finira forcément par se faire jour.

— Hmm... vous avez peut-être raison. Encore faut-il que ce soit la vérité. C'est bien pour cela que je ne détruirai pas tout de suite la patte à cinq doigts. Je la ferai expertiser d'abord. Ainsi, seul, je saurai si nous descendons vraiment du porc. Dans tous les cas, après l'expertise, je la détruirai.

Lucien Eluant leur fit un salut puis s'éclipsa avec la boîte contenant la patte à cinq doigts.

13. SOMMES-NOUS COMME LES RATS ?

Cela fait plusieurs heures qu'IL observe une horde de rats. IL les a trouvés dans une souche creuse.

IL voit un rat blessé qui couine pour appeler à l'aide, mais personne ne vient. Quand le blessé est suffisamment épuisé d'appeler, un mâle dominant s'approche et le tue. Ensuite, il le mange.

De cette observation et de beaucoup d'autres, IL tire plusieurs enseignements. La société des rats est une société dure. Les blessés, les vieux et les malades sont dévorés dès le premier signe d'affaiblissement. Tous ceux qui ne sont pas forts et rentables pour le groupe sont abandonnés ou tués. Même les nouveau-nés ne doivent souvent leur survie qu'à la rage que met leur mère à empêcher leur père de les croquer.

C'est une société dure, mais une société prospère. Les rats s'adaptent à tout. Ils sont capables de manger des graines, des petits mammifères, des charognes, des végétaux séchés, des fruits pourris. En meute, ils n'ont pas peur de s'attaquer aux prédateurs moyens. Grâce à leurs dents tranchantes, ils inquiètent même les petits chacals. Mais c'est une société en conflit permanent. Dans le groupe, tout le monde est mécontent de son statut et les combats entre mâles dominants sont incessants. Si bien que les chefs sont recouverts de blessures acquises lors de leur ascension sociale. IL en voit même un mourir quelques minutes après avoir vaincu tous les autres.

IL sait que les gens de la horde de sa mère comme ceux de la horde de son père vivent un peu comme ça.

Des duels pour savoir qui est le plus fort.

IL regarde encore les nuages. IL les remercie pour leur conseil. Mais ceux-ci adoptent déjà la forme d'un autre animal qu'il doit observer.

14. DANS L'ENTONNOIR

Les parois étaient lisses. Lucrèce Nemrod et Isidore Katzenberg n'arrivaient pas à remonter et pataugeaient dans l'immense entonnoir, au milieu des porcs. Des porcs, des porcs, partout des porcs. Des tonnes de porcs au contact lisse, rose et chaleureux. Ensemble, ils dégringolaient doucement vers le fond de l'entonnoir.

— Cette fois-ci, nous sommes fichus ! dit Lucrèce.

— Un jour, on meurt, répondit son imperturbable compagnon.

Ils étaient compressés contre ces chairs roses qui grognaient, geignaient, se démenaient. A travers la paroi transparente, ils voyaient les porcs arrivés tout au fond de l'entonnoir tomber sur le tapis roulant.

Après le choc électrique, ils restaient figés, prêts à être happés par les pinces et les lames tranchantes.

— Quelle fin ignoble !

La jeune fille frissonna.

— Et cette odeur, je déteste cette odeur. Pas celle de la corne brûlée, leur odeur particulière, leur odeur à eux. Qu'est-ce que c'est ?

Isidore Katzenberg renifla.

— C'est l'odeur de la peur. Ils ont peur. Ils savent qu'ils vont mourir et cela les terrorise.

En effet, certains porcs tremblaient. D'autres urinaient spasmodiquement. Et tous contemplaient les humains avec des yeux implorants et tristes.

— Pourquoi ne crient-ils pas ? demanda Lucrèce Nemrod.

— Ils savent que c'est inutile. D'ailleurs, nous ne crions pas non plus.

Elle les observa encore.

— Pourquoi se laissent-ils ainsi couler sans tenter de se retenir ou même de reculer ?

— Ils savent qu'ils ne feraient que reporter l'instant de leur trépas. Ils ont conscience d'être condamnés. Et puis, peut-être aussi sont-ils las de la vie dans les parcs d'élevage en batterie. Sans lumière du jour, sans possibilité de bouger tant on les comprime les uns contre les autres, sans espoir d'un quelconque avenir. Il se peut même qu'ils vivent l'approche de leur mort comme une libération.

Les deux humains eurent soudain l'impression d'être portés à la crête d'une vague. Les porcs autour d'eux se démenaient pour les dépasser et glisser avant eux au fond de l'entonnoir. Il y avait un mouvement régulier parmi ces animaux qui les enserraient. Comme s'ils conjuguaient tous leurs efforts pour empêcher Isidore et Lucrèce de glisser vers le fond.

— Incroyable ! On dirait qu'ils essaient de nous maintenir en haut de la marmite ! s'étonna la jeune fille.

Porté à bout de groin par six porcs qui s'enfonçaient doucement dans le sable mouvant de leurs compagnons d'infortune, Isidore Katzenberg fit la même constatation.

— Je crois comprendre. Ces cochons ont intuitivement saisi que si deux humains ont été condamnés à périr avec eux, c'est qu'ils appartenaient à leur bord. Ils savent qu'eux ne pourront jamais défendre leur cause auprès des hommes. En revanche, nous, nous en sommes capables. Alors, ils essaient de nous... de nous sauver.

— Isidore, vous avez raison ! lança Lucrèce. Les cochons autour de moi grignotent mes liens avec leurs dents.

Des porcs attentionnés se chargèrent également des entraves d'Isidore. Tout en glissant à la verticale, ils donnaient des coups de dents précautionneux, évitant d'entamer sa chair, et ils étaient nombreux à se bousculer autour de lui comme si tous voulaient avoir l'honneur de participer à ce sauvetage d'humains.

— Comment peuvent-ils comprendre qu'il en va de l'intérêt de tous les suidés de nous sortir de là ? Ils ne peuvent quand même pas avoir une conscience collective ! fit la jeune fille dont les mains venaient d'être libérées.

A présent, dans l'entonnoir de la mort, les cochons s'entassaient les uns sur les autres pour tenter de bâtir de leurs corps une pyramide qui porterait les humains en haut de la cuve. Les deux journalistes n'attendirent pas d'y être. Ils étaient en équilibre instable, mais presque ferme, sur cet amoncellement de porcs. Cependant, chaque fois que Lucrèce était sur le point d'agripper le bord de la cuve, la masse sous elle s'enfonçait un peu et elle ratait sa prise. Le problème, c'était qu'en bas, même ralenti, l'écoulement se poursuivait.

Les porcs s'en aperçurent et de nouveaux volontaires vinrent renforcer l'échelle vivante jusqu'à ce qu'enfin, d'un bond, Lucrèce puisse sauter hors de la nasse. Elle aida ensuite Isidore à grimper avant que la pyramide ne s'affaisse de nouveau.

Nus, pantelants, ils se retrouvèrent tous deux sur l'estrade métallique. Ils cherchèrent d'abord des vêtements pour se couvrir. Les ouvriers laissaient leurs blouses dans un vestiaire proche. La jeune fille en prit une un peu trop large mais qu'elle enfila prestement. Isidore l'imita, même s'il eut davantage de difficulté à en dénicher une à sa taille.

Ils observèrent de loin la cuve remplie de boules roses en ébullition.

— Ils nous ont sauvés. Et ils vont mourir, dit-elle, navrée.

— On ne peut rien pour eux. Même si on les sortait de là et qu'on les lâchait dans la ville, ils mourraient au bout de quelques jours. Ils ne sont plus adaptés à rien.

— Et si on les lâchait dans la forêt ?

— Ils ne savent plus se nourrir seuls. Ils n'ont même pas de fourrure pour se protéger du froid l'hiver. Jadis, c'étaient des sangliers mais à présent...

— Nous n'allons pas les abandonner ! Ils nous ont sauvé la vie.

— On ne peut pas les sauver en retour. Ils ne savent même plus vivre sans nous. Ils ne savent plus construire de bauges. Ils ne savent même plus sélectionner la nourriture dont ils ont besoin. Ce sont des animaux définitivement condamnés.

Lucrèce ferma un peu plus sa blouse.

— Vous avez peut-être tort.

Elle se dirigea vers la zone de la nursery, là où se trouvait la pancarte « juste sevrés ». Elle chercha un instant puis s'empara d'un petit goret qu'elle serra contre sa poitrine.

— Ça, c'est la nouvelle génération. Ils ne sont pas encore trop résignés. On peut essayer de les sauver. Ils n'ont pas encore une mentalité d'esclaves.

L'animal semblait en effet fort satisfait d'être

dans les bras de la jeune humaine à la crinière rousse.

Isidore Katzenberg se pencha et le caressa.

— Baptisons-le. Comme ça, il ne sera plus n'importe qui !

— Et pourquoi pas « Adonis » ? C'est le seul dieu grec tué par un sanglier.

— Ce n'est pas raisonnable de prendre en charge cet animal, dit Isidore, soudain moins enthousiaste. Cela exige probablement beaucoup de soins quotidiens.

— Je vais demander au Dr Van Lisbeth de lui faire tous les vaccins nécessaires et de m'expliquer comment l'éduquer. Les cochons nous ont sauvé la vie. On leur doit bien ça. En sauver un, c'est déjà un petit quelque chose. N'est-ce pas... Adonis ?

Le goret répondit en léchant avec zèle le cou et la joue de la jeune journaliste.

Isidore Katzenberg ne partageait pas son enthousiasme, mais respectait son choix.

— Avant de nous rendre à la clinique des Mimosas, j'aimerais pourtant vérifier un petit détail..., dit-il, songeur.

— A propos de quoi ?

Le gros journaliste reprit son air de « Sherlock Holmes scientifique » déjà sur une nouvelle piste.

— Je crois savoir où se trouve à cet instant la patte à cinq doigts.

15. SOMMES-NOUS COMME DES FOURMIS ?

IL reste de longues heures à observer la fourmilière.

IL tente de voir ce qui se passe s'il arrache une patte à une exploratrice. Le spécimen est récupéré et rapporté par les autres. Deux pattes? Il est rapporté. Six pattes? Il est encore rapporté. IL enlève alors l'abdomen. Là, il n'est plus rapporté. IL conclut donc que, tant qu'il reste un petit espoir de guérison, l'individu est sauvé par le groupe.

Le mode de fonctionnement social des fourmis est visiblement très différent de celui des rats. On ne tue ni les faibles, ni les malades, ni les vieux.

IL tente plusieurs expériences sur la fourmilière jusqu'à l'expérience ultime qui consiste à éventrer la cité. IL reste à observer le comportement de chacune. Tout est organisé pour maîtriser au mieux ce cataclysme. Les ouvrières courent cacher les couvains tandis que les soldates se précipitent vers lui pour le mordre.

Après les fourmis, il observe, de loin, le comportement social des hyènes. Il essaie de comprendre leur manière de chasser, de définir leur territoire, de régler leurs rapports.

De même, il scrute les lions, les troupeaux de buffles, les hippopotames, les girafes.

Chaque groupe a trouvé des solutions différentes à la grande question : « Comment vivre au mieux ensemble? »

Cependant, visiblement, certains animaux ont renoncé à trouver une solution et préfèrent rester des chasseurs solitaires. C'est par exemple le cas des léopards, des tortues ou des serpents. D'autres ont besoin de la foule pour exister pleinement. C'est le cas des gnous, des éléphants, des zèbres. IL observe toute la journée le comportement des bêtes. Etudier les autres formes de vie donne un sens à la sienne.

Maintenant IL est habitué à la lumière du jour. La nourriture prélevée sur les charognes abandonnées lui suffit. Et quand IL n'étudie pas les peuples de la croûte terrestre, IL passe de longues heures à regarder les nuages. Ce soir, IL crie aux nuages qu'il pense avoir compris quelque chose.

La meilleure manière de vivre en groupe se situe entre les deux extrêmes qu'il a observés : celle des rats où l'on tue tous les faibles et celle des fourmis où l'on accourt au secours de tous les blessés.

Oui, IL en est persuadé, son espèce doit se créer son propre modèle entre le comportement « rats » et celui « fourmis ».

16. LA THÉORIE DE L'AMI INCOMPRIS

Isidore Katzenberg entraîna Lucrèce Nemrod à l'intérieur de la Grande Galerie de l'Evolution. La jeune fille avait passé une laisse au petit cochon et celui-ci gambadait joyeusement au bout.

Ils traversèrent rapidement le musée vide. Il était tard et il n'y avait apparemment plus personne. Seule une petite porte entrebâillée laissait filtrer une lumière pâle de néon. Ils la poussèrent.

— Bonjour, professeur, dit Isidore Katzenberg.

Le Pr Conrad, concentré sur son microscope, sursauta. Il y eut un instant de panique dans son regard quand il les reconnut, puis ses mains bougèrent comme pour cacher quelque chose. Le gros journaliste s'avança. Le Pr Conrad reprit vite contenance.

— Que faites-vous là ? Qui vous a permis de pénétrer ici ? Cette partie du musée est interdite au public et ce ne sont pas des heures...

— Nous sommes venus récupérer ceci, déclara Isidore Katzenberg en désignant la boîte à l'intérieur de laquelle se trouvait la patte à cinq doigts.

— Elle n'est pas à vous.

— Ni à vous.

L'homme menaça d'appeler la police.

— Pas de problème. Du moment que la patte est en sécurité, cela nous convient parfaitement, rétorqua tranquillement Isidore.

Lucrèce Nemrod lâcha Adonis.

— Comment avez-vous su qu'elle était ici, Isidore ?

— Lucien Eluant a parlé d'une expertise. Qui sait mieux expertiser un os du chaînon manquant que notre meilleur spécialiste national ? Vous, mon cher professeur Conrad. Et puis, j'ai réfléchi. Qui du club « D'où venons-nous ? » était susceptible d'être le plus embarrassé par la théorie du Pr Adjemian, embarrassé au point d'avoir souhaité sa mort ? Vous. Qui détenait le meilleur mobile pour s'en prendre à lui ? Vous.

La jeune fille s'approcha et empoigna les revers de la blouse du savant, qui se débattit un peu.

— Je vous jure que je ne l'ai pas tué, protesta le paléontologue.

N'y tenant plus, Lucrèce se mit à serrer son col pour l'étrangler. Son collègue s'efforça de la calmer.

— Je vous en prie, Lucrèce, cessez vos habitudes de gamine.

— Mais je vais le faire parler, moi.

Le petit cochon Adonis faisait le tour du laboratoire. Estimant le lieu intéressant, il renifla ici et là toutes sortes d'instruments puis sortit visiter la Grande Galerie de l'Evolution.

— Je vais tout vous dire, mais d'abord lâchez-moi, j'étouffe.

Lucrèce Nemrod relâcha sa prise. Le Pr Conrad rectifia son col et se redressa.

— Quand le Pr Adjemian m'a confié son étrange théorie sur le chaînon manquant, hybride d'un porc et d'un primate, j'ai paniqué. Je me suis dit qu'il fallait à tout prix l'arrêter. J'en ai parlé à Sophie Eluant qui lui a tout de suite coupé les crédits. Pas question de soutenir une hypothèse aussi farfelue. Ils ont divorcé quelque temps plus tard. Lucien Eluant était encore plus inquiet que sa sœur. Il s'est mis alors à espionner le Pr Adjemian pour connaître l'avancée de ses travaux.

— « On s'aperçoit qu'un talent est né au fait qu'il se forme spontanément une conjuration de crétins autour de lui », débita Isidore Katzenberg, paraphrasant Jonathan Swift.

— Et puis Lucien Eluant m'a dit que, s'il le fallait, il irait jusqu'au bout pour le faire taire. A l'époque, je considérais que c'était excessif, mais j'étais conscient de l'enjeu. Vous vous imaginez ce qui se passerait si on annonçait aux hommes qu'ils ont un lien de parenté avec les porcs !

On entendit au loin Adonis qui grognait, ravi de découvrir le musée et étonné que les animaux aux alentours ne bougent plus.

— Vous, au moins, vous ne risquez pas d'avoir d'états d'âme. Vous êtes darwinien et vous ne bougez pas d'un fil quelle que soit l'actualité.

— Détrompez-vous, dit une voix derrière eux.

C'était Lucien Eluant.

— Conrad a eu des états d'âme et, quand il a su que j'avais « la patte », il m'a dit : « Si on la détruit, il y aura toujours quelqu'un pour ébruiter l'affaire et le doute profitera à cette thèse. » Il m'a dit que la meilleure manière de détruire cette théorie stupide est encore de prouver que cette prétendue preuve n'était qu'un artefact. Le fait que vous soyez ici prouve qu'il avait raison. Les mauvaises idées ont la vie dure.

Il les tenait de nouveau en joue avec son revolver.

— Allez ! Je ne sais pas comment vous êtes sortis de mes abattoirs, mais on recommence. Mains derrière le dos, assis sur la chaise. On ne bouge plus.

Il les ligota, mains liées dans le dos, en multipliant des tours de corde et en serrant fort.

— Cette fois-ci vous ne vous enfuirez pas, je vous le garantis.

— S'il vous plaît, Lucien, pas de violence dans ce lieu de savoir, plaida le Pr Conrad.

— Qui vous parle de violence? Au contraire, si vous prouvez qu'il s'agit d'un artefact, je les libérerai afin qu'ils racontent cette escroquerie au monde entier.

— Et s'il prouve que c'est une vraie patte d'hybride? demanda Lucrèce Nemrod.

— Alors, je vous tuerai. Le Pr Conrad me disait qu'il manquait de modèles pour constituer un couple d'australopithèques présentables. Avec vos deux squelettes mélangés à ceux de restes de gorilles, on devrait arriver à monter le plus beau couple d'australopithèques taxidermisés de tous les musées. Et qui pensera à aller chercher vos corps au centre du Muséum d'histoire naturelle?

Le Pr Conrad était mal à l'aise.

— Arrêtez de dire des horreurs, Lucien. Et laissez-moi travailler. La vérité est la meilleure des armes.

Il prit la patte et, avec un scalpel, détacha une lamelle d'os qu'il déposa sur une plaque de verre.

— Je vais commencer par faire une datation au carbone 14.

Il effectua quelques réglages, scruta son écran d'ordinateur où se dessinaient plusieurs courbes. Il frotta son menton, soucieux, et déclara :

— La datation montre que l'os a plus de 50 000 ans.

— 50 000 ans! Mais le Pr Adjemian estimait que le chaînon manquant vivait il y a 3,7 millions d'années.

— Je sais, je sais. Mais c'est pour l'instant la limite de calcul du passé avec le carbone 14. J'ai opéré cette manipulation juste pour vérifier qu'il n'a pas pris cela sur un animal récemment décédé. On sait désormais que nous disposons ici d'un véritable ossement fossile. Il me reste à recevoir l'analyse des fragments de terre que j'ai pu trouver entre les alvéoles de la surface de l'os.

— Vous l'avez faite ici? demanda Isidore Katzenberg, intéressé.

Le savant consulta sa montre.

— Non. Je l'ai envoyée au centre de Gif-sur-Yvette où ils disposent d'une unité spécialisée dans la datation des sols. Je vais les appeler, le résultat devrait être connu maintenant.

Il appuya sur les touches de son téléphone. Parla. Ecouta. Et raccrocha, le visage soudain très pâle.

— La terre raclée à la surface des os est effectivement vieille de 3,7 millions d'années, annonça-t-il d'une voix blanche.

— Donc Adjemian avait raison ! s'exclama Lucrèce Nemrod tandis que Lucien Eluant vérifiait le contenu de son barillet.

Le Pr Conrad s'était déjà repris.

— Attendez, on m'a dit que la terre autour avait 3,7 millions d'années, mais on peut manipuler des os anciens. C'était le cas dans l'affaire du crâne de Piltdown. L'escroc avait mélangé des os fossiles de deux animaux différents pour fabriquer son faux.

— Comment peut-on vérifier ça ? demanda Lucien Eluant.

— En observant, tout simplement. Je vais maintenant examiner la pièce avec ce microscope électronique à balayage.

Il dégagea une haute tour mécanique constellée de boutons, de fils, de cadrans. Il ouvrit la trappe placée à son extrémité inférieure et y plaça précautionneusement la patte à cinq doigts. Puis il régla à l'aide d'un clavier les différentes mesures pour obtenir une image de la meilleure qualité possible. Il regarda longuement, se retourna et sourit :

— Venez voir, Eluant.

L'ingénieur se pencha sur l'oculaire.

— Je ne vois que la surface d'un os.

— Regardez mieux.

— Ah, en haut on dirait des traces brillantes.

— En effet, ce sont des traces brillantes. Ce

sont en fait d'infimes dépôts de métal. Un alliage. De l'acier. Ce métal n'existant pas il y a trois millions d'années, il a été forcément ajouté récemment. D'ailleurs, regardez, ce métal n'a aucune trace de corrosion, c'est du métal inoxydable. Et maintenant je fais un zoom arrière dans la zone où j'ai remarqué ces traces de métal, et là on voit bien que la surface a été rabotée.

— Rabotée, vous voulez dire que ces phalanges ont été remodelées ! s'exclama l'ingénieur charcutier.

— Précisément. Les os et la terre de ce « fossile » sont âgés de 3,7 millions d'années. Mais la forme, elle, est artificielle. On a retaillé ces phalanges afin qu'elles s'emboîtent de manière à ressembler à une sorte de main humaine. Il s'agit là d'une patte, certes ancienne, mais d'une patte de phacochère à quatre doigts à laquelle on a ajouté un autre doigt, issu probablement d'une autre patte.

Cette fois, ce fut Lucien Eluant qui eut du mal à dissimuler sa satisfaction.

— Vous voulez dire que c'est donc bel et bien un artefact ?

Le savant affichait un sourire victorieux.

— Parfaitement. C'est un faux. Je vous le garantis. Ce sont des os d'époque, mais ils appartiennent à deux pattes différentes !

Lucien Eluant éclata de rire. Le Pr Conrad aussi. Ils se congratulèrent.

— Je le savais. Le Pr Adjemian a toujours été un plaisantin. C'est sa dernière farce. Comme le crâne de Piltdown. Un collage, un assemblage pour gruger les naïfs et pour faire couler de l'encre aux journalistes qui n'y connaissent rien.

Lucien Eluant, tout à son allégresse, détacha ses deux prisonniers.

— Vous êtes libres, dit-il, et nous vous conseillons de raconter à tout le monde cette histoire.

Elle devrait passionner vos lecteurs ! Quel suspense ! Quelle chute !

Conrad et Eluant rirent de plus belle.

Ce fut à ce moment que le goret Adonis, sentant qu'on parlait de quelque chose le concernant, refit son apparition. Les exclamations des deux hommes l'effrayèrent et il vint se réfugier dans les bras de Lucrèce. Elle le rassura du mieux qu'elle put avec des câlins. Mais au fond d'elle-même, elle savait qu'elle ne pouvait désormais plus rien pour lui et pour ceux de son espèce.

Lucien Eluant comprit d'emblée où la journaliste avait adopté son animal, mais il était si heureux que la patte soit fausse qu'il se moquait bien d'avoir un cochon de plus ou de moins dans son élevage. Si ça faisait plaisir à la jolie petite rousse d'en avoir un pour la consoler, eh bien, tant mieux pour elle. Il le lui offrait de bon cœur.

Lucrèce Nemrod se mit à caresser l'animal de plus en plus fort.

Comme écrasés après un match qu'ils pensaient pouvoir gagner, les deux journalistes reprirent leur side-car.

— Je veux en avoir le cœur net..., dit Isidore Katzenberg.

— Où va-t-on maintenant ? demanda Lucrèce Nemrod en faisant vrombir le moteur.

17. LA MORT DE LA DÉESSE MÈRE

Par là.

Et puis par là.

IL connaît le chemin. Il se met à courir. Il veut retrouver ses parents pour leur dire qu'il a changé et qu'ils peuvent maintenant être fiers de lui. Il a appris à chasser les petits mammifères. Il sait se débrouiller seul dans la forêt. Il n'a plus peur de la nuit. Ni du jour.

IL sait recevoir les enseignements qu'offrent les nuages et il sait même parfois les comprendre.

IL repense à son frère. Son père lui pardonnera-t-il un jour d'avoir tué son frère ?

IL revoit l'œil courroucé de son père qui le regarde depuis le trou de pierre. Alors il ralentit le pas. IL se dit qu'il ne peut plus se présenter comme ça devant ses parents. IL lève la tête pour demander conseil aux nuages. Ils paraissent complètement échevelés. IL n'y voit pas de message. Alors il se met à marcher en gardant la tête en l'air.

Soudain, il entend une voix. Des appels de détresse. IL se précipite et voit un primate blessé abandonné par les siens. L'animal s'est coincé une patte postérieure dans une souche et n'arrive pas à se dégager. IL s'approche et constate que c'est une femelle. Les siens l'ont abandonnée parce qu'ils n'avaient pas la patience de la sauver et parce que la horde souhaitait avancer vite.

« Les rats ! » pense-t-il. Déjà des présences hostiles se manifestent par des bruits dans les feuillages. Les nettoyeurs sont toujours disponibles pour accomplir leur tâche.

IL grogne pour demander à la jeune primate ce qui lui est arrivé. Elle le regarde, a un mouvement de dégoût en remarquant sur son visage les traits issus de la lignée de sa mère et se met à glapir de terreur. Comme si s'être pris la patte dans une souche, être abandonnée des siens et être entourée de prédateurs hostiles n'était rien par rapport à l'épouvante que lui inspire l'apparition de cette créature.

IL ravale sa fierté et se rapproche encore.

Elle se dit que ses malheurs s'enchaînent sans fin et qu'après s'être coincé un membre, voilà maintenant qu'un monstre l'attaque. Elle hurle.

IL ralentit sa marche pour ne pas l'effrayer davantage.

Elle est transie de peur. Elle accélère ses mouvements pour se libérer et, voyant qu'elle n'y parvient pas assez vite, commence à mordre sa patte pour se trancher la main.

IL la touche.

Elle panique, se mord plus fort.

IL se dépêche d'intervenir, casse la souche et lui libère la patte. Elle ferme les yeux et attend qu'il l'attaque. Mais lui reste immobile à la fixer.

Elle veut fuir. Quelque chose la retient. Non plus une souche mais une pensée. La gratitude.

Lui prend un bâton feuillu et l'agite partout autour du périmètre pour faire comprendre que le spectacle est terminé et que les charognards doivent renoncer à manger du primate ce soir. Un chacal renâcle. IL lui donne un coup de patte sur le museau pour le convaincre. Quand il revient, elle s'est enfuie. IL la cherche du regard et voit qu'elle est montée dans les branches d'un arbre. IL monte à son tour pour la rejoindre. Effrayée, elle continue à monter vers des ramures trop fines pour supporter son poids. IL s'arrête et pousse des glapissements pour lui dire de ne pas monter plus haut. Mais elle interprète mal ces cris et continue de monter. La branche casse et elle tombe. C'est alors qu'il a le réflexe incroyable de la rattraper au vol. Elle ferme les yeux et se crispe.

IL lui touche le museau avec son museau. Cette fois-ci, elle semble comprendre qu'IL ne lui veut pas de mal.

IL montre ses gencives dans un sourire maladroit. Pas facile de séduire quand on est un monstre.

IL saisit une branche de feuilles comestibles et la lui tend. Elle hésite puis accepte cette branche venant d'un inconnu à tête de phacochère.

Ils étaient de retour dans l'appartement du Pr Adjemian. Isidore Katzenberg entreprit de ne rien négliger, de tout réexaminer scrupuleusement dans le moindre détail.

Le gros journaliste regardait, humait, respirait, s'imprégnait, s'efforçait de comprendre où était l'erreur. Lucrèce Nemrod sentit qu'il ne fallait pas le déranger. Simplement, elle le suivit, tenant soigneusement Adonis en laisse. Soudain, comme pris d'une inspiration, Isidore Katzenberg lui intima :

— Lâchez Adonis.

La jeune fille obtempéra. Le porc fonça droit dans la cuisine et se mit à sauter contre la porte du réfrigérateur, de plus en plus haut, comme pour en actionner la poignée.

— Il a l'air d'avoir son idée, constata Isidore Katzenberg.

— C'est normal qu'un cochon soit attiré par les endroits qui contiennent de la nourriture, remarqua Lucrèce Nemrod.

Mais le « Sherlock Holmes scientifique » ne parut pas partager son avis et accorda au contraire beaucoup d'importance au comportement du goret. Il ouvrit d'abord grand la porte du réfrigérateur pour qu'Adonis puisse fouiner à sa guise, puis celle du congélateur au-dessus. Rien. Tout était vide.

— Raté, dit Lucrèce.

— Eurêka ! répondit Isidore.

Il prit dans le bac à légumes des feuilles de choux pourries qui y vieillissaient en solitaires et les livra en récompense à Adonis qui s'empressa de les dévorer à grand bruit.

— Comment ai-je pu être aussi sot pour n'y avoir pas pensé plus tôt ? marmonna-t-il.

— Vous pouvez m'expliquer?

Mais déjà, Isidore Katzenberg s'était précipité vers la salle de bains. Il avait ouvert l'armoire à pharmacie et en sortait tous les tubes, toutes les fioles, lisant au fur et à mesure notice et mode d'emploi. Soudain, un flacon requit toute son attention.

— Qu'y a-t-il donc? s'énerva Lucrèce.

Son compagnon semblait soulagé d'un grand poids.

— Ah! merci, Adonis, s'exclama-t-il. Dire que je n'avais pas pensé à examiner le réfrigérateur et la pharmacie! Vous avez eu vraiment une excellente idée en adoptant ce goret. C'est un précieux auxiliaire.

Il ramena Lucrèce dans le salon, s'assit dans un fauteuil, elle sur un coussin. Adonis batifola dans l'appartement.

— Racontez-moi! demanda-t-elle avec impatience.

— Je vais essayer de vous reconstituer les événements tels que je pense qu'ils se sont déroulés. Le Pr Adjemian était malade. Très malade. Ce produit est un analgésique très fort. Quand on prend ça, c'est qu'on est condamné.

« Au début, il espérait, grâce au soutien du Dr Van Lisbeth, faire la preuve de la nature du chaînon manquant. Mais il ne trouvait que des os insignifiants et, la maladie prenant le dessus, il a compris qu'il n'y arriverait pas assez vite. Alors, il a eu l'idée de cette « mise en scène sophistiquée », sa dernière blague en quelque sorte.

Lucrèce Nemrod s'installa dans un fauteuil.

— Il a écrit à tous les membres du groupe de recherche « D'où venons-nous? ». Il leur a dit qu'il avait enfin la preuve de sa théorie sur l'origine porcine de l'humanité. Il a fait ça pour les brusquer et pour les exciter comme des chiens sur une piste nouvelle. Pour achever de les affoler, il a contacté Ange Rinzouli qui lui a servi de déclencheur.

« Rinzouli, déguisé en singe, devait agresser après sa mort tous les gens du groupe pour leur rappeler qu'ils devaient se lancer à la recherche du chaînon manquant. Mais ceux-ci, trop trouillards, n'ont rien fait, alors Rinzouli est allé kidnapper Sophie Eluant et, durant le voyage, l'a convaincue de l'intérêt de poursuivre les recherches de son ex-mari.

— Toutes ces manigances ne servaient donc qu'à attirer l'attention sur son sanctuaire en Tanzanie ?

— Eh oui ! une grande blague bien préparée. Cela aurait été, espérait-il, le scoop du siècle. Mieux que le crâne de Piltdown. Rinzouli devait vraiment aimer le Pr Adjemian car il a trouvé la bonne personne. Quelle meilleure avocate d'une cause aussi bizarre qu'une industrielle en charcuterie qui s'était ouvertement déclarée non intéressée !

— Si l'opération avait fonctionné, les vœux du Pr Adjemian se seraient réalisés, à lui la célébrité posthume, à lui le titre de « nouveau Darwin ».

— Oui, le Pr Adjemian apportait enfin une réponse originale à la question : « D'où venons nous ? »

— D'un singe et d'un porc.

Lucrèce tourna dans la pièce.

— Je ne comprends toujours pas. Adjemian était un savant hors pair, pourquoi s'est-il livré à cette imposture ?

— Parce que la science avance parfois plus vite par la tricherie. Souvent les scientifiques ont des intuitions, mais ils n'ont pas les moyens ou le temps de les prouver. Pour prendre les devants, ils donnent un petit coup de pouce.

— Vous êtes sérieux ?

— Bien sûr. Exemple, Gregor Mendel, le père

de la génétique. Il a trafiqué les résultats de ses croisements sur les pois pour démontrer la véracité de ses théories. Quand les autres chercheurs ont reproduit ses expériences, ils ont vu que cela ne fonctionnait pas, mais pourtant la théorie de Mendel a fini par être entérinée et la génétique moderne est née.

Isidore poursuivit :

— Adjemian était intuitivement persuadé de la justesse de son hypothèse de chaînon manquant issu d'un croisement entre le porc et le singe. Il n'avait pas le temps, compte tenu de sa maladie, de mener à bien ses recherches, alors il a choisi la méthode la plus spectaculaire.

« Hélas, Rinzouli en voyant la patte à cinq doigts a disjoncté. Il a éprouvé la même émotion que nous deux, mais dans son esprit cela signifiait surtout qu'il était devant une fortune. Lui qui avait toujours été un raté, un trapéziste d'appoint, un aide à tout faire, tenait enfin sa revanche. Il a voulu vendre sa patte aux enchères.

— Ça ne lui a pas porté chance.

Isidore Katzenberg retourna dans le bureau du Pr Adjemian.

— Cela ne nous dit toujours pas qui a assassiné le Pr Adjemian, signala la jeune journaliste scientifique.

Le gros journaliste sortit son paquet de bonbons à la réglisse et les happa comme un éléphant broutant dans un paquet de cacahuètes.

— Lui-même. Il s'agit d'un suicide.

— Impossible. L'inspecteur a affirmé qu'il a reçu un coup de piolet au ventre. Et l'arme a disparu. Comment peut-on se donner un coup de piolet au ventre et faire disparaître l'arme du crime ? Il aurait fallu qu'il se porte le coup, qu'il aille cacher l'arme et qu'il revienne agoniser dans sa baignoire. Il aurait laissé du sang partout. Et puis cela lui aurait demandé une sacrée énergie. Impossible.

Isidore Katzenberg savourait l'instant de la révélation la plus inattendue.

— C'est là qu'est vraiment le coup de génie. L'arme a... fondu.

— Pardon ?

— Regardez dans le congélateur. Vous voyez cette longue trace fine. C'était l'arme du crime. Le Pr Adjemian a fabriqué une longue pointe en glace et se l'est enfoncée d'un coup dans le ventre à la manière du hara-kiri japonais.

La jeune fille essaya d'imaginer la scène.

— Mais la glace n'est pas suffisamment dure pour percer la peau.

— Si. Si vous détendez les chairs dans un bain chaud, elles sont plus faciles à percer.

Elle grimaça en essayant de repenser à ce qu'Adjemian avait dû ressentir. Isidore Katzenberg était lui aussi impressionné par la volonté farouche du savant.

— Le plus difficile a dû être de mourir en gardant le doigt tendu vers le miroir où il avait inscrit son S.

— Pourquoi toute cette mise en scène sophistiquée ?

— C'était un vrai passionné de polars. Il a voulu inscrire sa mort dans les grandes morts historiques originales qui ont jalonné l'histoire du polar. Cela va d'Edgar Poe à Agatha Christie. Le suicide au glaçon.

Les deux journalistes scientifiques restèrent un long moment silencieux en pensant à cet homme bizarre.

— Tant d'efforts, tant d'imagination, tant de préparation, simplement pour inciter les consommateurs à manger moins de cochons, les industriels à les faire moins souffrir.

— Et les humains à se poser la question du mystère de leurs propres origines.

— « D'où vient l'homme ? » A sa manière, le

Pr Adjemian apportait la réponse : « Tant qu'il se posera la question, il y aura des modifications dans l'autre question "Où va l'homme ?" », dit Isidore.

— Il nous reste à avertir le Dr Van Lisbeth que la patte à cinq doigts est un faux. Les cochons ont encore de bien tristes jours devant eux, soupira Lucrèce en serrant dans ses bras son petit Adonis.

19. LE PASSAGE DU RELAIS

Quelque part en Afrique de l'Est. Il y a 3 763 452 années, 10 mois, 2 jours, 13 heures.

IL fait l'amour avec elle. De face. Les yeux dans les yeux. L'instant est magique, prodigieux, unique.

ELLE a un orgasme.

IL a aussi un orgasme.

Puis, après s'être reposée, elle le quitte et part à la recherche d'une horde où elle pourra élever le petit à naître comme s'il était « normal ».

IL est tout seul maintenant. IL n'ose toujours pas regagner le trou familial. IL n'ose toujours pas tenter de s'intégrer à une horde. Il n'ose même pas essayer de fonder sa propre petite famille. IL sait qu'il est trop différent. Et puis la solitude commence à devenir sa compagne. Elle au moins ne le trahira pas. IL se dit que, dans la vie, on est toujours seul. Même en couple. Même en horde.

IL monte dans un arbre. IL se tient en équilibre sur les branches les plus hautes. Un papillon volette à côté de lui. IL tend le doigt. Le papillon se pose dessus. Le papillon est bleu fluo avec des irisations mauves et de longues épines noires. IL se dit que ce papillon est beau et lui se sent laid.

Le papillon le regarde avec ses yeux sphériques,

énormes par rapport à la taille de sa tête. IL le touche et le papillon se laisse faire. IL pourrait le tuer. IL devrait le tuer. IL pourrait même le manger.

Le papillon n'a pas peur. Il fait encore quelques pas sur sa main puis il s'envole vers les nuages. IL regarde le papillon disparaître, puis il regarde longuement les nuages. Ses seuls amis.

IL se dit que, désormais, personne ne peut l'aider. IL est arrivé dans une impasse. A force de s'améliorer, il pense maintenant tout savoir du monde et de l'univers. IL est fier de son savoir. Un savoir absolu qu'on ne pourra, il en est sûr, jamais dépasser.

IL regarde longuement les nuages et énumère les éléments de sa science :

Se tenir debout comme Papa. Détecter la nourriture empoisonnée comme Maman. Utiliser les bâtons pour faire peur aux prédateurs comme Papa. Donner des coups de museau comme Maman.

IL s'endort et, juste avant de se faire dévorer dans son sommeil par un léopard en maraude, il a une dernière pensée :

« J'ai une belle vie. »

20. LA DERNIÈRE THÉORIE

La tour du château d'eau se dressait toujours, immuable, parmi son désert de friches banlieusardes. Tout en haut, dans l'immense bassin aménagé par Isidore Katzenberg, des dauphins jouaient, insouciants du monde extérieur.

Isidore Katzenberg aspira un peu de lait d'amandes et contempla Lucrèce Nemrod, affalée dans un transat, en minuscule bikini à pois.

Sur la chaîne hi-fi résonnait une musique douce. Les *Gymnopédies* d'Erik Satie.

Les dauphins se firent plus chahuteurs.

— Ils ne dorment donc jamais ? demanda la jeune fille.

Il s'assit, à même le carrelage bleuté, auprès d'elle.

— Non, comme ils sont à la fois poissons et mammifères, ils sont obligés de respirer de l'air tout en restant dans l'eau. Ils ne peuvent donc pas rester immobiles. Mais, comme ils ont quand même besoin de se reposer, ils ont résolu le problème en gardant, en permanence, tour à tour endormie une moitié de leur cerveau. Quand l'une se réveille, l'autre prend le relais du sommeil.

— Ainsi, ils rêvent et sont éveillés en même temps ?

— Oui, approuva le maître des lieux. Tout en jouant dans le monde réel, les dauphins s'égaient dans le monde onirique.

— J'aimerais bien pouvoir faire ça, articula paresseusement Lucrèce.

Les dauphins redoublèrent de gloussements, de sauts, d'éclaboussures.

— Moi, j'y parviens parfois pendant quelques secondes, confia calmement Isidore Katzenberg. Je crois que ça se travaille.

La jeune fille s'étira et ouvrit la dernière livraison du *Guetteur moderne*. Un titre éclatait en couverture : « Révélations sur les origines de l'humanité », un dossier de Franck Gauthier avec une interview exclusive du Pr Conrad.

— Vous avez vu ça ?

— Non. Qu'est-ce qu'il raconte ?

La jeune fille fonça vers la première page du dossier.

— C'est Franck Gauthier qui l'a rédigé. Il a interviewé le Pr Conrad. Il lui a ressorti la langue de bois officielle. Il a ajouté les anecdotes habituelles pour journalistes, comme quoi ils ont appelé le premier australopithèque Lucy en hommage à la chanson des Beatles, comme quoi le pauvre Darwin a eu du mal à imposer son point de vue contre le clergé, tout le tralala habituel, quoi! En guise de « révélations » on a rarement fait plus « déjà vu »...

Isidore se souleva sur un coude.

— Il ne fait strictement aucune allusion au Pr Adjemian?

— Non, ni au professeur ni à la patte à cinq doigts.

— Probablement que Conrad, en y réfléchissant bien, a pensé que la meilleure manière de se venger d'Adjemian était de ne plus jamais parler de lui. Le tuer par l'oubli et l'indifférence.

— C'est la pire chose qu'on puisse faire à un inventeur, ne pas signaler sa voie d'exploration. Car, même s'il a triché, Adjemian a quand même ouvert une nouvelle voie de réflexion. On ne sait toujours pas pourquoi les porcs sont les seuls animaux à avoir des organes compatibles avec les nôtres!

— Oui, et puis on ne sait toujours pas pourquoi l'homme est apparu sur terre plutôt que rien. Dans l'article, comment explique-t-il l'apparition de l'humanité?

— Il dit simplement qu'elle est due au hasard de combinaisons génétiques et à la sélection naturelle des espèces. Il n'a pas bougé d'un iota de la théorie officielle darwiniste datant de plus d'un siècle.

Isidore Katzenberg fit une moue ironique.

— Quand même, Franck Gauthier, quel talent!...

Ils pouffèrent.

— Peut-être que Lucien Eluant a raison, le métier de journaliste consiste avant tout à ne pas déranger le troupeau, à lui confirmer que tout reste comme avant, et qu'il faut continuer à marcher exactement dans la même direction, sans dévier d'un millimètre, grommela Lucrèce.

— De toute manière, même si la patte à cinq doigts n'avait pas été un artefact, on n'aurait jamais pu convaincre qui que ce soit d'une vérité aussi dérangeante.

Isidore Katzenberg sirota doucement son breuvage.

— L'important n'est pas de convaincre, mais de donner à réfléchir. Je crois que c'est ce que souhaitait au fond le Pr Adjemian, simplement donner un peu à réfléchir à la question : « D'où venons nous ? »

Lucrèce Nemrod poursuivit sa lecture du *Guetteur moderne.* Pour étoffer le dossier, il y avait encore en encadré un article humoristique de Maxime Vaugirard sur « Les obsédés de l'arbre généalogique », un papier de Ghislain Bergeron sur la visite de la Grande Galerie de l'Evolution du Muséum d'histoire naturelle et enfin un articulet de Clothilde Plancaoët énumérant les sites où les archéologues en herbe pourraient exercer bénévolement leur talent en participant à des fouilles pendant les vacances scolaires.

— Tout va bien, la terre tourne, dormez braves gens, soupira la jeune fille, non sans une pointe d'amertume.

Dans le bassin du château d'eau, les dauphins s'amusaient à nager en position verticale et en marche arrière. Pour arriver à cette prouesse, ils sortaient presque entièrement leur corps de l'eau.

Lucrèce Nemrod se leva pour se servir à boire, elle aussi. Adonis vint réclamer des caresses et lui prodigua quelques frottements de groin qui pouvaient s'apparenter à des baisers. Le regard de la jeune journaliste fut attiré par deux chevalets.

— Tiens, remarqua-t-elle, vous avez monté les tableaux du futur et du passé.

Elle examina les deux immenses représentations où foisonnaient les milliers de possibilités de lendemains. Isidore avait ajouté des feuilles dans les frondaisons du futur. Et il avait aussi ajouté quelques racines dans le tronc du passé. C'était leur dernière enquête qui avait amené toutes ces prolongations.

Elle s'amusa à les lire. La télévision se déclencha automatiquement.

— Et maintenant quelques nouvelles du... présent, annonça Isidore.

Après un jingle d'introduction assez enjoué, le speaker fit savoir qu'en Belgique un pédophile avait organisé un réseau d'enlèvements d'enfants dont les ramifications couvraient toute l'Europe afin de revendre ensuite les petits kidnappés à de riches industriels qui s'adonnaient sur eux à leurs perversions sexuelles. A la frontière jordanienne, continua-t-il, un franc-tireur avait tué sept collégiennes israéliennes qui voyageaient dans un bus scolaire en les visant à la tête et, une fois maîtrisé, avait regretté de n'avoir pu en abattre davantage. L'exploit avait été salué par des manifestations de liesse dans plusieurs pays voisins.

Les nouvelles continuaient à être débitées d'une voix de moins en moins concernée :

Découverte en Chine d'une nouvelle maladie des poulets, le prion du poulet, développée à force de vouloir augmenter à tout prix les rendements des élevages intensifs. Cette maladie étant transmissible à l'homme, trois millions de volailles seraient incinérées dans les prochains jours afin d'éviter que l'affection ne se répande hors des frontières.

Nouvelles révélations sur les trafics d'organes en Amérique du Sud. Des clochards étaient enlevés de nuit dans les rues. On prélevait leurs yeux, on recousait leurs paupières et on les renvoyait mendier dans leurs bidonvilles. Les cornées fraîches étaient revendues aux cliniques de luxe afin d'y être greffées. Le speaker regrettait que la pénurie de donneurs volontaires génère obligatoirement pareil trafic.

Isidore Katzenberg se leva, saisit brusquement son poste de télévision et le lança à toute volée contre l'arbre des futurs. L'appareil se brisa en une infinité de pièces. Le gros journaliste se rassit et s'effondra, plié en deux sur son siège. Lucrèce Nemrod et Adonis s'approchèrent. La jeune fille ôta du nez fin les lunettes qui menaçaient d'en tomber. Une larme coulait de son œil gauche.

— Excusez-moi, se reprit-il. Tout me touche, me traverse et me détruit.

Lucrèce passa ses bras autour de l'immense montagne de chair à l'intérieur de laquelle battait un cœur fébrile. Elle songea que son ami n'était pas encore assez épais en graisse pour que son cœur soit protégé contre la réalité du monde humain où il lui avait été donné de vivre.

Isidore Katzenberg renifla et se moucha bruyamment.

— Quand tu pleures, tu as vraiment l'air d'un gros bébé, plaisanta Lucrèce Nemrod pour le réconforter.

Isidore Katzenberg : le premier héros qui pleure en écoutant les actualités.

Elle lui tendit des bonbons à la réglisse et lui murmura quelque chose à l'oreille.

— « Ecouter, comprendre, se taire. »

— Je n'arrive plus à me taire, articula-t-il péniblement, la bouche pleine de sucreries et en ravalant ses larmes.

Isidore remit ses lunettes et fixa intensément les prunelles émeraude de Lucrèce.

— Tu me demandais quel est le chaînon manquant... Maintenant, je crois pouvoir te répondre. Je crois que... en fait... tous, nous ne sommes que des êtres de transition... le véritable être humain n'est pas encore apparu... et dans ce cas...

— Et dans ce cas ?

Enfin, à mi-voix, il lâcha :

— Le chaînon manquant c'est... nous.

REMERCIEMENTS

Je tiens à remercier :

Les humains qui m'ont entouré durant la période où j'ai écrit ce livre. C'est en écoutant, durant les déjeuners et dîners, leurs histoires et en étant attentif à ce qui les intéressait dans les miennes que j'ai trouvé la matière de cet ouvrage.

Pour la partie paléontologie, zoologie et biologie : le Pr Herbert Thomas, le Pr Boris Cyrulnik, le Dr France Bourély, le Pr Gérard Amzallag, Olivier Bousquet et Christophe Sidot.

Pour la partie abattoir : les docteurs vétérinaires Michel Dézerald, Dominique Marmion et Jérôme Marchand.

Pour la partie médecine : le Dr Frédéric Saldman, le Dr Muriel Werber.

Pour ses conseils, son soutien : Reine Silbert.

Je tiens aussi à remercier :

Richard Ducousset, mon éditeur.

Françoise Chaffanel-Ferrand pour son attention et sa patience.

Le sculpteur Marc Boulay qui m'a appris à regarder la nature en m'incitant à faire de longues marches en forêt.

Philip K. Dick (si son fantôme me lit et comprend le français) dont les romans bizarres sont une source permanente d'ébullition pour mes neurones.

Isidore Werber, le père de mon père, qui restera toujours un exemple à suivre.

Frédéric Lenormand, David Bauchard, Yvan Ciganer et Max Prieux, quatre voies parallèles de compréhension du monde.

Le métro parisien, source permanente de découvertes de visages, et de destins.

Ce livre a été conçu et rédigé entre mars 1995 et août 1998.

Durant l'écriture de ce roman j'écoutais les musiques suivantes : Erik Satie, *Gymnopédies,* Roger Waters, *Amused to death,* Dvorak, *Symphonie du Nouveau Monde,* Iron Maiden, *Allowed by the name,* Lama Giourme et Jean Philippe Rykiel, *Souhait pour l'éveil,* Pink Floyd, *Animals* (avec évidemment le morceau *Pigs*), Gentle Giant, *Edge of twilight,* Marillion, *Grendel,* Loïc Etienne, musique pour « Le Livre du Voyage ».

Je tiens enfin à remercier tous les arbres qui ont fourni leur pâte à papier pour fabriquer ces pages. Sans eux, ce livre n'existerait pas.

Site internet de l'auteur :

www.werber.imaginet.fr

Du même auteur

Aux Éditions Albin Michel

LES FOURMIS, roman, 1991
(Prix des lecteurs de *Science et Avenir*)

LE JOUR DES FOURMIS, roman, 1992
(Prix des lectrices de *Elle*)

LE LIVRE SECRET DES FOURMIS
Encyclopédie du Savoir Relatif et Absolu, 1993

LES THANATONAUTES
roman, 1994

LA RÉVOLUTION DES FOURMIS
roman, 1996

LE LIVRE DU VOYAGE
roman, 1997

L'EMPIRE DES ANGES
roman, 2000

L'ULTIME SECRET
roman, 2001

Composition réalisée par EURONUMÉRIQUE

Imprimé en France sur Presse Offset par

BRODARD & TAUPIN

GROUPE CPI

La Flèche (Sarthe).

N° d'imprimeur : 14652 – Dépôt légal Édit. 26834-11/2002

LIBRAIRIE GÉNÉRALE FRANÇAISE - 43, quai de Grenelle - 75015 Paris.

ISBN : 2 - 253 - 14847 - 4